Jean-Baptiste Del Amo

Règne animal

Gallimard

Jean-Baptiste Del Amo est né en 1981 à Toulouse. Il est l'auteur de *Une éducation libertine*, *Le sel*, *Pornographia*, prix Sade 2013, et *Règne animal*, récompensé par le prix du Livre Inter en 2017.

À Sébastien,
À mes parents et à ma sœur.

Cette sale terre

(1898-1914)

Des premiers soirs du printemps aux dernières veillées de l'automne, il s'assied sur le petit banc de bois clouté et vermoulu, à l'assise ployée, sous la fenêtre dont le cadre détache dans la nuit et sur la façade de pierre un petit théâtre d'ombres. À l'intérieur, sur la table en chêne massif, une lampe à huile halète et l'éternel feu de cheminée projette sur les murs couverts de salpêtre la silhouette affairée de l'épouse, l'élance brusquement vers les solives ou la brise sur un angle, et cette lumière jaune, hésitante, gonfle la grande pièce puis crève l'obscurité de la cour, laissant le père contourné, immobile et sombre dans un semblant de contre-jour. Quelle que soit la saison, il attend la nuit sur le banc de bois, ce même banc de bois sur lequel il a vu son père prendre place avant lui, et dont les pieds moussus et rompus par les ans sont à présent affaissés. Lorsqu'il y est assis, ses genoux remontent au quart de son ventre et il peine à s'en relever, mais il n'a pourtant jamais envisagé de le remplacer, quand bien même n'en subsisterait qu'une planche sur le sol. Il estime que les choses doivent rester telles qu'il les a connues, le plus longtemps possible, telles que d'autres avant lui ont estimé bon qu'elles soient, ou telles que l'usage en a fait ce qu'elles sont.

De retour des champs, il se déchausse, prenant appui contre l'encadrement de la porte, décrotte avec soin ses souliers, puis s'arrête sur le pas de la pièce où il hume l'air moite, l'haleine des bêtes, les senteurs rébarbatives de ragoût et de soupe qui embuent les fenêtres, comme il s'est tenu enfant, attendant que sa mère lui fasse signe de prendre place autour de la table, ou que son père le rejoigne et le presse d'une bourrade dans l'épaule. Son corps long et maigre se courbe et prend à la base de la nuque un angle insolite. Son cou, si tanné qu'il ne pâlit pas même l'hiver, reste gainé d'un cuir boucané, crasseux, et semble brisé. La première vertèbre, pareille à un kyste osseux, saille entre les épaules. Il retire le chapeau informe, découvrant son crâne déjà chauve, tavelé par le soleil, le retient un instant entre ses mains, cherchant peut-être à se ressouvenir du geste qu'il lui faut désormais accomplir, ou espérant encore l'ordre de cette mère depuis longtemps morte, ravalée et digérée par la terre. Devant le silence obstiné de l'épouse, il finit par se résoudre à avancer, traînant avec lui sa puanteur et la puanteur des bêtes, jusqu'au lit clos dont il tire la porte. Assis au bord du matelas, ou prenant de nouveau appui sur le panneau de bois ouvragé, il déboutonne entre deux quintes de toux sa chemise poisseuse. Le jour fini, il ne peut plus supporter, non le poids de son corps dont la mala-die a soigneusement rongé les graisses et les chairs,

14

mais sa seule verticalité, et semble risquer à tout instant de s'abattre, de chuter comme une feuille, balayant d'abord l'air confiné de la chambre, de droite à gauche et de gauche à droite, avant de se poser simplement sur le sol ou de glisser sous le lit.

Sur le feu, dans un chaudron en fonte, l'eau a fini de chauffer et la génitrice tend à Éléonore le broc d'eau froide. L'enfant marche à pas lents, craignant de faire déborder le récipient qui dégoutte malgré son attention sur ses mains et le long de ses avant-bras, imbibe les manches retroussées de son chemisier tandis qu'elle avance avec cérémonie vers le père. Elle sent sa nuque frémir sous le regard réprobateur de la génitrice qui la talonne et menace de déverser sur elle la cuvette d'eau bouillie si elle ne se hâte pas. Posé dans la pénombre comme un grand oiseau, les coudes plantés sur les genoux, ses bras et ses mains ballants devant lui, le père s'est abîmé dans la contemplation des nœuds du bois de l'armoire, ou celle de la mèche allumée sur la table de toilette et qui lutte contre les ténèbres. Reflétée dans l'ovale du miroir cloué au mur, elle offre une vision difforme et tout juste perceptible de la pièce. Par une ouverture pratiquée à hauteur de taille dans le mur de torchis, deux vaches passent la tête et ruminent. La chaleur de leurs corps immobiles et des déjections qui s'en déversent réchauffent les hommes. Dans leurs pupilles bleuâtres se reflètent les petites scènes jouées par eux à la lueur de la flamme de l'âtre. À la vue de l'épouse et de l'enfant, le père semble tiré d'une rêverie brumeuse, ramené dans ce corps malingre et veineux. Il trouve malgré lui la force de se mouvoir à nouveau. Il s'extirpe de la mauvaise couche, déploie le dos blafard, redresse le torse parsemé de poils gris, pris dans les sillons des côtes et des clavicules comme l'ivraie dans les emblavures. Son ventre se creuse, jauni par la lumière de la bougie. Il détend les bras aux coudes calleux et esquisse parfois un sourire.

La génitrice verse l'eau chaude dans la bassine posée sur le meuble de toilette. Elle retire le broc des mains d'Éléonore, le dépose sur la tablette avant de s'en retourner à sa cuisine, sans un regard pour le père, empressée de soustraire à ses yeux la vision de l'homme au torse nu et efflanqué, aussi étique que le Christ cloué à même la paroi du pied de lit. Du haut de la croix, Il veille sur son sommeil et lui apparaît dans ses prières tardives et somnolentes, tout juste dessiné par un rayon de lune ou le reste toussotant d'une chandelle dont la lueur se glisse par l'interstice de la porte du lit clos, effigie cloutée et mortuaire du père assoupi près d'elle et dont elle prend désormais soin de se tenir à distance, ne supportant plus ses suées nocturnes, ses os pointus, son souffle quinteux. Mais il lui arrive de penser qu'en se détournant de cet homme qui l'a épousée et engrossée elle trahirait sa foi et se détournerait du Fils et de Dieu Lui-même. Poussée par la culpabilité, elle esquisse alors vers lui, l'époux, un regard, un geste de compassion brusque et rancuneux, se relève pour vider la bassine des glaviots sanguinolents qu'il expectore à longueur de nuit, préparer un cataplasme de grains de moutarde ou une infusion de thym, de miel et de gnôle qu'il sirote adossé à la tête de lit, calé dans ses oreillers, presque ému par cette sollicitude et prenant soin de ne pas boire trop vite, pour lui témoigner sa reconnaissance, comme s'il se délectait de ces décoctions amères et inefficaces tandis qu'elle piétine auprès de lui. Car, déjà, l'image du père sur la croix s'est atténuée, emportant avec elle la culpabilité, et elle désire maintenant regagner au plus vite le lit et disparaître dans le sommeil. Elle s'en retourne, tasse ou bassine à la main, maugréant à voix si basse qu'il prend ses mots pour des lamentations, contre sa nature maladive, contre cette affection chronique qui lui dévore les poumons depuis près de dix ans, faisant d'un homme autrefois solide cet être dégingandé et las, tout juste bon pour le sanatorium ; puis contre sa propre malchance ou l'acharnement d'un sort contre lequel elle lutte, elle qui a déjà soigné une mère infirme et mené deux parents au tombeau.

Lorsque le père se penche au-dessus de la bassine fumante, puise l'eau entre ses mains et la porte à son visage, Éléonore se tient en retrait, attentive à chacun des gestes de cette toilette, exécutés chaque soir selon le même ordre, à la même cadence, dans le cercle de lumière de la lampe. Si la génitrice lui commande de s'asseoir, elle observe du coin de l'œil la courbe de ce dos, le chapelet de la colonne vertébrale, le gant savonneux passé sur l'épiderme, les muscles endoloris, les mouvements avec lesquels il revêt une chemise propre. Habités par une grâce fragile, ses doigts courent le long de la boutonnière comme les pattes tremblotantes des papillons de nuit, des sphinx à tête de mort dont les chrysalides éclosent dans les champs de pommes de terre. Puis, il se relève, s'attable, et lorsque la génitrice s'assied à son tour, il ramène devant son visage ses mains jointes, phalanges proximales intercalées, le regard disparaissant derrière la tranche des doigts aux articulations saillantes, aux ongles noirs. Il récite un bénédicité d'une voix engravée par la toux et ils mangent enfin, dans le seul bruit de leurs mastications, des couverts griffant le fond de leurs assiettes, et du bourdonnement des mouches qu'ils ne chassent plus des commissures de leurs lèvres, la génitrice ravalant à force de déglutitions ce caillou logé contre sa glotte, l'irritation que lui infligent les râles saliveux et les roulements de molaires échappés des lèvres de l'époux.

De toutes les fonctions du corps, l'ingestion est celle que la génitrice exècre, elle qui retrousse jupe et jupons pour se soulager jambes écartées où qu'elle se trouve, au beau milieu d'un champ, dans la rigole d'une rue du village ou à même le tas de fumier qui trône au beau milieu de la cour, son pissat ruisselant sur la terre, mélangé à celui des bêtes et, lorsque le besoin est autre, s'écarte à peine derrière un fourré pour s'y accroupir et déféquer. Elle n'ingurgite que de maigres rations, des bouchées avares, avalées à contrecœur avec une moue de dégoût ou d'immédiate satiété. L'appétit des autres l'écœure plus encore. Elle fustige l'enfant et l'homme qui ont appris à manger le regard bas et – lorgnant la fille d'un œil soupçonneux – rappelle au père, lorsqu'il réclame piteusement un nouveau verre de vin, comment Noé ivre se dénuda devant ses fils ou comment Loth commit l'inceste. Elle s'impose des jeûnes qui durent des jours, des semaines. Elle ne s'autorise que quelques gorgées d'eau lorsque la soif la tenaille. L'été, elle décrète faire des économies et ne plus se nourrir que de mûres ou de fruits du verger. Quand elle tombe sur un ver, logé au cœur de la prune, de la pomme, elle le contemple, elle le montre, puis elle le mange. Elle lui trouve le goût du sacrifice. Elle s'est asséchée jusqu'à n'être qu'une enveloppe de peau exsangue, attachée sur des muscles noueux, des os perçants. Ce n'est qu'à l'issue de l'Eucharistie, à la messe du dimanche, lorsqu'elle reçoit la communion au pied de l'autel, qu'Éléonore la voit se délecter. Elle suçote alors avec extase le corps du Christ, puis elle regagne son banc d'un air rogue, reluquant avec envie la pyxide où le père Antoine garde farouchement l'hostie. À la sortie de l'église, elle marque l'arrêt sur le parvis, impériale, tandis que les gens bavardent autour d'elle, comme s'il lui fallait s'extirper d'un rêve éveillé ou que la communion, reçue par tous mais véritablement par elle seule, lui conférait une importance singulière et la distinguait de la foule des villageois. Elle détache de son palais à petits coups de langue les dernières miettes de pain azyme, puis elle reprend le chemin des collines sans avoir adressé un mot à personne, traînant sa fille par le bras, tandis que le père, recouvrant les rares heures de liberté qu'elle lui autorise, s'en va écumer les cafés en compagnie des autres hommes. Une fois l'an, elle ressent le besoin d'un pèlerinage à Cahuzac, dans le Gimoès, où elle va prier Notre-Dame des Sept Douleurs, *Beata Maria Virgo Perdolens*, dont la statue, découverte par un fermier au Moyen Âge, accomplit, dit-on, des miracles, et à laquelle elle se sent liée par quelques arcanes. Mais lorsque, pour l'Avent, de jeunes hommes frappent à sa porte pour chanter l'Aguillonné qui promet bonheur et santé, elle rechigne à leur ouvrir et se plaint de devoir gaspiller, en échange, l'eau-de-vie ou quelques œufs. Elle seule sait ce qui différencie la foi de la superstition. Au marché, elle rencontre quelquefois les diseuses de bonne aventure : ici encore, elle emporte l'enfant par la main, prompte à lui déboîter l'épaule, tout en jetant par-dessus la sienne, en direction de la pythonisse, un regard plein d'envie, de colère et de regret.

Une fois le repas terminé, le père repousse sa chaise et se lève dans un grand soupir, revêt le manteau en laine et s'installe enfin sur le banc de bois où il fourre et allume son brûle-gueule dont les braises ne tardent pas à rougeoyer sur l'arête aiguë du nez et le renfoncement sombre des orbites. Éléonore lui porte alors un vin chaud embaumant le clou de girofle, un verre d'eau-de-vie ou de vin d'Armagnac, puis elle s'installe près de lui sur le petit banc de bois clouté et vermoulu, inspirant les effluves âcres de tabac qui s'élèvent dans le crépuscule ou la nuit noire, se mélangent aux parfums des terres détrempées par les pluies ou exsudant, au soir des journées torrides, l'odeur des crevasses et des bosquets adustes. Au loin, un troupeau de moutons marche dans le crépuscule, et leurs cloches tintinnabulent. La génitrice reste auprès de son feu et file le lin sur une quenouille. Le père ne parle pas, mais il accepte la présence menue et délicate d'Éléonore, le bras qui frôle le sien. Elle s'applique à partager son recueillement, à scruter elle aussi la nuit et le calme de la cour, la coulisse pourpre du ciel, céruléenne, par-derrière la ligne déjà noire de la faîtière du toit des dépendances, la cime des grands chênes et des marronniers, puis le son étouffé des bêtes, le menu bétail s'assoupissant derrière les portes du poulailler ou des enclos, le grouinement du cochon dans la soue et le gloussement des volailles. Lors des nuits fraîches de la fin de l'été, quand le ciel dégagé forme un dôme majestueux et constellé, elle frissonne et glisse ses pieds sous le flanc palpitant du chien étendu devant eux, se blottit contre le père, et il soulève parfois le bras afin qu'elle puisse enfouir sa tête dans le creux de son aisselle.

Ce corps lui est étranger, tout comme l'être qui l'incarne, ce père taiseux et souffreteux avec lequel elle n'a pas échangé plus de cent mots depuis sa venue en ce monde, ce paysan minable qui se tue à la tâche ou y hâte sa fin, comme pressé d'en finir, mais après la moisson, après les semailles, après les labours, après... La génitrice hausse les épaules, soupire. Elle dit : « nous verrons bien », « si Dieu le veut », « que le Seigneur t'entende et qu'Il prenne pitié de nous ». Elle redoute qu'il ne tienne pas une énième échéance car que fera-t-elle, orpheline de père et de mère qu'elle est, avec un enfant à nourrir ? Elle dit aussi la peine qu'elle a eue à enfanter et le malheur d'y être parvenue trop tard, déjà vieille à vingt-huit ans. Et pas même d'un fils qui, dès l'adolescence, aurait prêté main-forte au père, cet homme vaillant et opiniâtre mais sans ambition aucune et qui ne laissera derrière lui qu'une terre revêche, l'une de ces fermes familiales aux rendements médiocres. Autrefois, la famille de l'époux possédait de la vigne, mais les ravages du phylloxéra sur le vignoble n'ont pas épargné leurs quelques arpents de terre morcelés et caillouteux, et l'ancêtre, le père du père, s'est alors éteint, du jour au lendemain et sans dire un mot. Il est simplement tombé au pied de sa vache, que l'on a retrouvée occupée à paître dans le fossé où elle avait entraîné la charrue, tandis qu'il reposait au milieu des bourrelets de terre, sec et ratatiné comme un cep de vigne morte. Rien ou presque ne semble avoir survécu à la crise agricole et à la dévaluation du blé. Les friches progressent, les jeunes désertent, les filles ambitionnent des emplois de nourrices ou de domestiques au service des familles bourgeoises de la ville. Les gars louent à meilleur coût aux carrières ou dans le bâtiment leurs bras élargis par les travaux des champs. Elle dit parfois qu'il ne restera bientôt qu'eux dans cette campagne hostile, irréductibles piochant une terre rétive qui finira bien par avoir leur peau.

Éléonore reste là, immobile, lovée dans l'odeur du père, sa respiration, son haleine empuantie par le tabac, le camphre et les médecines qu'il inhale et verse sur un mouchoir glissé tout le jour dans sa manche. Elle éprouve le renflement dur de ses côtes sous le tissu de la chemise lorsqu'il inspire profondément ou qu'une quinte de toux le secoue et qu'il crache au sol ses graillons. L'enfant s'affaisse un peu, somnole. Les bâtiments de pierre du corps de ferme s'abattent un à un, puis le sol au-dessous d'eux, et il ne reste qu'elle, le père et le braque invisible à leurs pieds dans la nuit maintenant épaisse, aqueuse, qui pénètre par son nez et gonfle ses poumons. Eux seuls, suspendus dans un espace-temps hiératique où les chants des insectes et des oiseaux de proie semblent provenir d'époques anciennes et révolues, comme la lueur des astres déjà morts au-dessus d'eux. Enfin, une fois la pipe éteinte, le père puise dans ses dernières forces pour soulever son poids et celui d'Éléonore dont les jambes lui enserrent aussitôt la taille et les bras le cou, le menton reposé à l'arrière de son épaule. Il la dépose sur le petit lit pareil à un coffre, jouxtant celui des parents. Il la borde avec tant de précautions qu'elle ne se souvient jamais d'avoir rejoint la maison et s'éveille au jour suivant incertaine d'avoir partagé avec lui ces instants.

La génitrice, femme sèche à la nuque rouge et aux mains laborieuses, n'a pour sa fille pas d'attention superflue. Elle se contente de l'éduquer, de lui transmettre le savoir des tâches quotidiennes qui incombent à leur sexe et l'enfant a tôt appris à la suivre dans chacune de ses besognes, à reproduire gestes et postures. À l'âge de cinq ans, elle se tient droite et sévère comme une paysanne, farouchement plantée sur la terre et les poings serrés contre ses hanches étroites. Elle bat le linge, baratte le beurre et puise l'eau du puits ou des fontaines sans espérer en retour ni reconnaissance, ni affection. Avant la naissance d'Éléonore, le père a enceinté la génitrice à deux reprises, mais ses menstrues sont chiches, irrégulières, et ont continué de couler durant ces mois où, rétrospectivement, elle comprend avoir été grosse bien que son ventre ait tout juste bedonné. Même maigre, elle a été une enfant pansue, ses organes tendus et dilatés par les parasitoses contractées à force de jouer dans la terre et les fumiers, ou de consommer de la viande ladre, et que sa mère cherchait en vain à traiter à force de décoctions d'ail.

Un matin d'octobre, alors qu'elle se trouve seule dans la soue et prodigue des soins à leur truie gestante, une douleur la fauche au milieu de l'enclos et elle tombe à genoux, sans même pousser un cri, sur le foin qu'elle vient de disperser au sol et dont la poussière pâle et parfumée s'élève encore en spirales. Les eaux inondent ses cuisses et ses bas. L'animal travaillé par sa propre gésine tourne et retourne autour d'elle en poussant de longues plaintes, son ventre énorme ballotté par la course, ses mamelles déjà gonflées de lait, les lèvres de sa vulve turgescente entrouvertes ; et c'est à genoux puis sur le flanc que la génitrice met bas, comme une chienne, comme une truie, pantelante, rubiconde, le front perlé de sueur. D'une main glissée entre ses cuisses, elle tâte la masse poisseuse qui la déchire. Elle enfonce ses doigts dans la fontanelle, extirpe l'avorton et le jette loin d'elle. Elle saisit d'une main le cordon bleuâtre qui l'attache et extrait de son ventre la poche placentaire qui tombe au sol avec un bruit d'éponge. Elle fixe le petit corps couvert de vernis caséeux, semblable à un ver jaunâtre, à la larve grise et mordorée d'un doryphore arrachée à la terre grasse et aux racines dont elle se repaît. Le jour glisse entre les planches disjointes, strie l'atmosphère aigre et poussiéreuse, la morne pénombre baignée par une odeur d'équarrissoir, puis touche la forme immobile dans le foin. La génitrice se relève, sciée en deux, une main sous ses jupes, sur les chairs révulsées de son sexe. Elle recule, épouvantée, et quitte l'enclos en prenant soin d'en rabattre la clenche, abandonnant à la truie le délivre et son fruit. Elle reste longtemps immobile, suffocante, adossée à un mur de la soue. Des formes floues et lumineuses coulent dans sa vision. Puis elle quitte la ferme et remonte la route en direction de Puy-Larroque, claudiquant sous un crachin dense qui rince ses tempes et ses jupes brunies par les lochies. Elle traverse la place sans accorder de regard à personne. Ceux qui la voient passer remarquent la jupe sale qu'elle tient dans le poing, le visage très pâle et la bouche si serrée que les lèvres sont blanches comme une ancienne suture. Ses cheveux bruns, échappés du foulard, sont collés sur ses joues et dans son cou. Elle pousse la porte de l'église et tombe à genoux au pied de la croix.

Elle regagne la ferme sous une pluie battante et chemine le long des fossés, devant le regard stoïque des vaches immobiles sous l'averse, son gilet retenu par ses mains serrées sur le méplat de sa poitrine. La tête rentrée dans les épaules, elle traîne ses galoches boueuses sur la route, psalmodiant un Ave Maria scandé par le heurt de son souffle et des semelles de bois sur la terre amollie. Lorsqu'elle traverse la cour de la ferme, elle voit au loin la silhouette de deux hommes à l'entrée de la porcherie. Elle s'arrête, figée par une peur primitive. Son cœur, d'abord suspendu, cogne maintenant jusque dans sa gorge. La pluie battante strie un ciel d'ardoise ; l'air semble lardé de millions d'aiguilles. Les silhouettes, comme dissoutes, fusent sur la masse brune du mur de la soue, si bien qu'elle ne sait d'abord dire si les hommes lui font face ou lui tournent le dos. Enfin, elle devine les gestes des mains, les bouffées de buée des haleines, l'éclat lui aussi haché des voix. Elle hasarde un pas, un mouvement de la jambe, mais anesthésié, ou commandé par une volonté sous-jacente, avant de se précipiter vers la ferme où elle se déshabille à toute hâte, jette au feu ses bas et son jupon qui sifflent sur les braises comme un nœud de vipères, avant de s'enflammer sous le regard indolent des deux vaches. Elle se rince avec de l'eau de vaisselle, puis s'essuie avec un chiffon qu'elle glisse entre ses cuisses avant d'enfiler des vêtements secs et propres.

Elle s'assied à la table, sur le banc. Elle observe la fenêtre derrière laquelle la pluie tombe à verse, pulvérisée sur le sol boueux de la cour. Elle voit la silhouette des hommes apparaître dans l'encadrement et reconnaît la démarche bancale d'Albert Brisard, un gars du pays au pied bot qui loue ses services de ferme en ferme. Elle n'esquisse pas un geste lorsqu'ils approchent. Elle serre un chapelet sur ses cuisses, tenu entre ses mains aux articulations blanchies, et ânonne en latin :

« …Toi qui enlèves le péché du monde, prends pitié de nous, Toi qui enlèves le péché du monde, reçois ma prière, Toi qui es assis à la droite du Père, prends pitié de nous… »

Quand ils poussent la porte, elle se lève brusquement et se tient raide et silencieuse au bord de la table. Une bourrasque balaie la cour et entre dans la pièce, portant à son visage une bruine et l'odeur des hommes quand ils retirent leurs gabardines, soufflent et essuient leurs visages. L'époux dit :

« T'es donc là. »

Ils restent immobiles un instant dans la pénombre moite et enfumée, puis l'époux fait signe à Brisard de prendre place et ils s'asseyent à la table. Elle marche vers le buffet sur lequel elle dépose le chapelet et dont elle tire la bouteille d'eau-de-vie d'Armagnac et deux verres qu'elle pose face aux hommes et remplit à ras bord. Le goulot tinte si fort sur le rebord des verres qu'elle doit soutenir son avant-bras d'une main.

« Où t'étais passée ? demande l'époux.

— Je me suis rendue au village, répond-elle.

— Avec la truie qu'allait mettre bas ?

— J'y ai mis le foin, mais ça ne semblait pas près de venir.

— Elle les a bouffés, y a plus rien à sauver, ajoute-t-il.

— Eh oui », dit Brisard en plongeant sa grosse moustache dans l'alcool.

Les hommes vident leurs verres et elle les ressert et ils les vident à nouveau et elle les sert encore, puis rebouche la bouteille et la range dans le buffet. Elle s'assied en retrait sur la maie.

« Pas même ta bête, dit Albert Brisard, les joues gonflées par un rot. Tu peux être assuré qu'elle recommencera… Aussi longtemps qu'elle mettra bas… Elle y a pris goût, comme qui dirait… Elle a ça dans le sang désormais. Si tu l'épargnes et la fais monter de nouveau, même que tu l'entraves pour qu'elle puisse pas toucher ses petits, eux-mêmes y seront atteints par ce mal et les femelles dévoreront leur portée de la même manière. C'est comme une tare, un vice… Il m'a été donné de voir ça de mes propres yeux. Y a plus qu'à l'abattre. »

Il acquiesce et renifle, s'essuie le nez sur le dos de sa main, y laissant une trace luisante de morve, et porte le verre vide à ses lèvres, le lève haut, renversant la tête en arrière dans l'espoir de siroter une dernière goutte d'alcool. Il dit :

« Eh oui.

— On nourrit pourtant bien nos bêtes », répond l'époux.

Brisard hausse les épaules :

« C'est peut-être bien pour compenser le sang perdu. Ou alors c'est la souffrance que ça leur cause… Mieux vaut ramasser l'arrière-faix et changer le foin dès qu'il est souillé. Une fois que les petits ont soulagé la mère du premier lait, y a plus grand-chose à craindre. »

Puis, il jette un regard par-dessus son épaule et se lève :

« On dirait que la pluie a cessé. J'en reparlerons. »

L'époux acquiesce, se lève à son tour et le raccompagne sur le pas-de-porte. Ils le regardent revêtir son manteau, essorer son béret qui crache un jus brun sur le pavé luisant et gris de la cour, puis s'en coiffer et s'éloigner après leur avoir adressé un simple hochement de la tête. Maussade, l'époux enfile une chasuble en peau, des souliers cloutés, et marche en direction de la soue. La génitrice referme la porte. Elle observe le dos encore solide de cet homme qu'il lui faut considérer comme sien, sa démarche ample et lente sous le ciel maintenant traversé de nuages noirs et défaits, puis elle s'en détourne, gagne le lit, s'y allonge en tremblant de tous ses membres et sombre aussitôt dans le sommeil.

Le soir même, l'événement lui semble lointain. Il n'en subsiste simplement qu'une réminiscence, une impression semblable à celle que peut laisser un rêve et qui rejaillit à l'état de veille, mais de manière plus confuse encore ; un sentiment diffus, ravivé par un détail quelconque, contenant en lui-même la totalité du rêve ou le souvenir du rêve, un fil qui se délite sitôt qu'elle cherche à le tirer à la surface de sa conscience et, si elle se rappelle quelque temps un état physique particulier, un vide sans fond, cette sensation s'amenuise néanmoins de jour en jour jusqu'à effacer tout ou presque de cette parturition sur le sol d'un enclos à cochons. La truie infanticide est mise à l'engraissage et l'on fait venir d'une ferme voisine un verrat pour saillir l'autre femelle, qui met bas trois mois, trois semaines et trois jours plus tard. Sur le conseil d'Albert Brisard et par mesure de précaution, on enduit les porcelets d'une amère décoction de coloquinte et de genièvre. L'incident est oublié.

Chaque fin de semaine, après avoir fumé sa pipe et bu son verre d'eau-de-vie ou de vin chaud sur le petit banc de bois clouté et vermoulu en observant le jour décliner par-dessus les toits moussus du corps de ferme où somnolent des paires de palombes, l'époux regagne le lit conjugal. Il se dévêt à la lueur de la lampe, enfile une chemise de nuit puis se glisse sous le drap, rabat la porte et cherche à étreindre le corps de sa femme allongée sur le ventre ou sur le côté, feignant le sommeil ou une inconscience hostile. Rien ne peut le laisser croire qu'elle se prête à l'accouplement sinon qu'elle subit bon gré mal gré les gestes heurtés avec lesquels il froisse fébrilement leurs chemises, empoigne ses petits seins ou enserre ses épaules, fourrage sans ménagement entre ses cuisses, y guide un sexe long, dur et noueux comme un os ou l'un de ces tendons de bœufs séchés au plein soleil et destinés à faire des badines. Les yeux clos, muette, elle écoute le grincement grotesque du lit clos dont les parois semblent prêtes à se disloquer. Elle observe le poids de ce corps, le contact de cette peau, son odeur acide de sueur rance, de terre et de crottin, l'intrusion en elle, répétée et hargneuse, de cette excroissance, le relent éventé lorsqu'il soulève le drap, crache dans sa main pour humecter ce sexe annelé, l'haleine de bouche cariée qu'il râle à son oreille, frottant sa moustache douce contre sa joue avant d'enfouir dans le traversin une plainte gutturale pareille à celle d'un gibier se traînant dans le sous-bois après avoir reçu une cartouche, en un

dernier spasme qui pourrait être celui d'une agonie, puis de rouler sur le flanc. Elle attend qu'il
s'endorme pour se lever et rincer, accroupie sur
une bassine d'eau, son entrecuisse empoicré de
foutre froid, puis elle s'agenouille au pied du lit,
ses genoux calleux sur la terre tassée, les mains
jointes sur le haut du front, et chuchote une
prière.

Lorsqu'elle surprend deux chiens qui s'ac-
couplent, elle se précipite sur eux, armée d'un
balai, d'une fourche, d'une trique. Elle frappe
furieusement le dos du mâle à coups de manche
jusqu'à lui faire lâcher prise, et l'animal, d'abord
incapable de se détacher, encaisse les coups en
hurlant tandis que la femelle cherche à prendre
la fuite, fracturant parfois l'os pénien. Puis, elle
reste là, pantelante, écumante et s'essuie le front
d'un revers de bras. Elle méprise toutes les bêtes
ou presque, et quand, par hasard, on la voit
s'attendrir devant un enfant, c'est parce qu'il
traîne derrière lui, au bout d'une corde, un chiot
malingre demi-mort et couvert de boue, attaché
par la patte, ou qu'il jette dans les airs un pigeon
retenu par le même lien. Alphonse, à qui elle a
brisé les reins, la fuit comme la peste. Les vaches
ont cependant sa préférence car elle en tire le lait,
malaxant les mamelles de ses mains sèches et
enduites de beurre. La fin justifie les moyens, et
elle ne fait pas grand cas de la luxure des bêtes
vouées à l'engraissage et à la reproduction.
Lorsque l'on mène à la saillie la truie, la vache, la
pouliche, elle jauge la couleur, l'évasement et la

tuméfaction des vulves, stimule le reproducteur quand il le faut, empoigne les fourreaux, branle et guide vers leur réceptacle les verges tirebouchonnées, lancéolées ou sigmoïdes, accable la femelle qui s'y refuse et le mâle qui renâcle, puis essuie sur la croupe, dans ses jupes ou une poignée de foin les semences épaisses qui lui engluent la main. Partout alentour, les bêtes foutent et copulent : les canards aux pénis sinueux saillent frénétiquement les canes aux vagins complexes, les jars éjaculent dans les replis de sexes concentriques, le paon fait la roue puis couvre la femelle effarée sous son poids, les spermes perlent, gouttent, suintent, éclatent et giclent entre plumes et poils, arrachant les cris ou les gloussements d'une jouissance brève ou enviable. Tandis que quelques hommes regardent un verrat prendre une truie, Albert Brisard, qui connaît son sujet, commente en gascon :

« Le spasme de ces salauds peut durer une demi-heure. »

Puis il répète pour lui-même d'une voix plus basse :

« Une demi-heure… », et les hommes plongés dans leurs pensées secouent lentement la tête sans quitter des yeux la bête écumante.

L'année qui suit l'épisode de la soue, dans la chaleur écrasante d'une nuit d'été, lourde de l'odeur des genêts et de la laine grasse des moutons, l'épouse est éveillée par un sentiment funeste. Elle s'assied au bord du lit, pose une main sur son ventre, le regard fébrile mais aveugle, sondant l'étrangeté de sa chair, les courants souterrains dont ce corps distancié semble sourdre et s'épancher sur le matelas, couler le long de ses mollets et goutter sur le sol. Elle se lève, traverse la pièce en vacillant, passe dans la souillarde, referme la porte derrière elle et enfante dans cette même bassine où elle rince chaque semaine la semence translucide de l'époux, tandis qu'il ronfle dans la pièce attenante, derrière les parois du lit clos. La chose se fait vite, presque sans douleur, ou dans un unique élancement, comme elle – son corps – se délesterait d'un poids, se déferait de ce fardeau immobile et silencieux qu'elle contemple, maintenant saisie par cet effroi qui annihile toute pensée, avant de se draper d'un châle, d'empoigner la bassine, de sortir dans la cour et de disparaître dans la nuit vers la soue où les porcs assoupis dorment sous les amoncellements de fourrage et de branches de noyers dont ils aménagent leur bauge.

Le lendemain, à l'heure où l'aube ouvre au loin des terres une déchirure d'un bleu outremer dessinant la ligne noire et lointaine des Pyrénées, elle prend la bicyclette, roule jusqu'au village et traverse la place tranquille sur laquelle les marronniers aux cimes indistinctes forment des ombres immenses. Elle ouvre grand les portes de l'église qui exhalent une haleine de pierre froide, d'encens de myrrhe et d'oliban. Elle déplace bancs et prie-Dieu, balaie et lessive à genoux, au savon noir, le sol de la nef. Elle cire le confessionnal, le retable et les boiseries, époussette les cierges et le corps opalescent du Christ. Elle frotte la blessure écarlate à son flanc droit. Lorsqu'elle s'assied enfin, en nage, sur les marches du perron, le jour perce au-dessus des marronniers et cisèle le contour crénelé des feuilles. Trois charolaises traînent à leurs pis des veaux chancelants, aux pattes arrière disproportionnées, et paissent sur la place, leur robe perlée par la rosée, rythmant le pépiement des moineaux par le roulement de leurs mâchoires et le doux tintement des clarines. Leur souffle se condense et porte jusqu'à la génitrice l'odeur de rumen et du méthane qu'elles éructent et pètent à intervalles réguliers dans l'air pâle et se mélange au parfum du levain et du pain qui cuit à la boulangerie. Elle se relève, ignorant le craquement de ses articulations, et traverse la place jusqu'au lavoir au bord duquel elle rince son visage suant. Elle s'essuie à son chemisier et boit dans le creux de ses mains l'eau trouble à laquelle vient s'abreuver d'un pas nonchalant l'une des vaches dont fument le dos et la croupe osseuse. Un veau tremble entre ses pattes. Il exhale un parfum de petit-lait et observe la paysanne d'un œil glauque et fiévreux dans la pupille duquel elle contemple son reflet convexe et celui de la place derrière elle, où continue de paître le reste imperturbable du troupeau.

Quand l'époux tombe malade pour la première fois, elle espère d'abord un répit. Mais, comme ces insectes éphémères dont l'unique but, sitôt métamorphosés, est de procréer puis d'enfouir leurs œufs dans les eaux douces et les marécages, ses ardeurs redoublent d'assiduité et de fureur. Peut-être pressent-il la gravité de son mal et cherche-t-il instinctivement à perpétuer les tares de sa race et celles de son sang. Lorsqu'il l'engrosse à nouveau, au printemps de l'année suivante, elle songe que son ascétisme et ses multiples actes de contrition ont trouvé quelque grâce supérieure puisque ses menstrues cessent. Son ventre s'arrondit, même pauvrement ; elle est réveillée par de violentes nausées : ce qu'elle porte en elle doit donc être un enfant de l'homme et non l'une de ces créatures exorcisées de sa chair, un de ces rejets du Diable dont elle peine aujourd'hui à croire qu'ils aient été réels. Pourtant, c'est tenue à distance d'elle-même, avec ce sentiment d'aliénation désormais familier, qu'elle assiste à sa propre transformation en une créature gravide et dolente, traînant sa gestation comme elle aurait porté le poids du monde.

Quand Éléonore voit le jour, les terres noires ont durci, il gèle à pierre fendre et les bêtes errent, âmes en peine, sur ces landes hostiles, à la recherche de touffes d'herbes figées par les frimas. Un feu brûle dans l'âtre, mais le père attend dans le froid, assis sur le petit banc de bois clouté et vermoulu, enseveli sous les couvertures. Il reste à distance farouche des sages-femmes qui se pressent de la souillarde au lit et du lit à la souillarde, infusant des clous de girofle et des feuilles de framboisier qui parfument les pièces, rinçant les linges, versant de l'eau chaude dans des bassines en cuivre et haussant la voix pour encourager la parturiente à pousser plus fort ou à mordre un morceau de cuir glissé entre ses dents. De leurs mains expertes, elles malaxent le ventre plein et poussent les chairs lorsqu'un spasme vrille la matrice. Éléonore naît la corde au cou, bleue et aphone, et les femmes tranchent le cordon au couteau, la secouent par les pieds jusqu'à lui soutirer un hurlement de noyée, puis la rincent avant de la déposer sur le ventre de la génitrice immobile comme un gibet de potence, et qui la regarde ramper jusqu'à son sein. L'une des accoucheuses sort dans la cour et parle avec le père qui se redresse gravement et se tient à la porte sans oser en passer le seuil. D'infimes morceaux de givre se liquéfient sur ses épaules, aussitôt bus par la laine pelucheuse des couvertures. Il pose son regard sur l'épouse et l'enfant congestionnée.

« C'est une fille », dit-elle.

Il acquiesce et répond :

« Je m'en vas nourrir les bêtes », puis sort pisser dans la nuit.

Les accoucheuses étendent les draps qui sèchent devant le feu. Elles ajustent leurs châles sur leurs visages et, une main serrant le tissu noué sous leurs mentons, regagnent Puy-Larroque. La parturiente reste seule avec l'enfant, si chétif qu'il tient dans le creux d'une main, mais animé par une forme de prescience, luttant à poings fermés contre le sein dont il cherche à extraire le colostrum, soudain avide d'exister. Il végète dans les langes des semaines durant, parvenant par instants à s'extraire d'une torpeur anémique pour poser des yeux gris et comme aveugles sur le visage interdit de la génitrice qui glisse en vain un mamelon brun entre les petites lèvres blêmes.

36

On s'empresse de baptiser l'enfant dont on dit les jours comptés. Souillée par la naissance, la génitrice refuse de quitter la maison et met un point d'honneur à ne plus préparer la soupe et à ne plus tirer l'eau du puits. Elle se tient assise, interdite et grave, Éléonore posée sur ses genoux ou dans le couffin près d'elle tandis que le père remue un pot-au-feu ou un gruau de maïs préparés selon ses instructions. Lorsque les habitants des fermes voisines lui rendent visite, elle désapprouve les présents qu'ils apportent pour célébrer la naissance de l'enfant. Sous le regard du Christ au flanc rutilant, emmaillotée dans une robe de coton blanc crocheté, ornée de dentelles, Éléonore est présentée à Dieu en la seule présence réticente du père revêtu de ses habits de fête. Il méprise le sentiment religieux et désavoue en silence la bigoterie de la génitrice. Comme les marins, les paysans sont superstitieux et vont aux églises par politesse. Il trouve cependant une beauté mystérieuse au culte, à la répétition des gestes depuis les âges oubliés. Il se tient près de la cuve baptismale et répond aux exhortations du père Antoine, prêtre catarrheux qui se mouche dans son aube et prêche en gascon pour être entendu de ses ouailles :

« Rejetez-vous le péché ?

— Je le rejette.

— Rejetez-vous ce qui a conduit au mal ?

— Je le rejette.

— Rejetez-vous Satan qui est l'auteur du péché ?

— Je le rejette.

— Croyez-vous en Dieu, le Père tout-puissant, créateur du ciel et de la terre ?

— Oui, je crois. »

Les villageois assis en rang d'oignons, engoncés dans des costumes élimés et ravaudés, des robes ternes aux poches gonflées par les boules de naphtaline dont l'odeur couvre celle des cierges et de l'encens, reprennent en chœur :

« Telle est notre foi. Telle est la foi de l'Église que nous sommes fiers de proclamer dans le Christ Jésus Notre-Seigneur. »

Les soins aux animaux reviennent à la génitrice comme reviennent aux hommes depuis des temps immémoriaux la culture des terres et la mise à mort du bétail. Elle traverse la cour quand les pavés bleuissent à peine, un couffin d'osier dans lequel repose Éléonore tenu par l'anse au pli du coude, un seau de grain et de pain dur dans l'autre main. L'enfant finit sa nuit dans l'odeur de fiente de volatiles, de poussière de foin, la chaleur poudrée éventée par les ailes des poules, et la génitrice dépose à ses pieds, dans les replis de couverture, les œufs tièdes et parfumés, puis elle parcourt l'enclos aux cochons, patauge dans la terre meuble, soulève sa jupe d'une main et retient du bout de ses orteils les sabots en bois fendu. Dans la soue, une truie, allongée de tout son long sur la paille, allaite paisiblement une nuée de petits qui s'entassent le long de ses tétines velues, le privilège de chacune d'elles acquis au terme d'un premier combat, et qui couinent de satisfaction, les yeux clos. Leurs groins avides dégorgent d'une écume blanche. La génitrice les observe longuement, puis elle se souvient d'une fable que l'on raconte encore au coin du feu. Elle déloge l'un des porcelets qui se débat dans sa main en poussant de petits cris stridents, le dépose dans le couffin, entre les couvertures chauffées par le corps d'Éléonore où il fouille un instant avant de s'assoupir. Elle allonge sa fille dans le foin, contre le ventre de la truie et porte avec deux doigts la mamelle de la bête à la bouche de l'enfant qui aussitôt tète avec ferveur. Ses mains pressent la poche de lait gonflant le pis auquel il s'accroche et les porcelets réchauffent son petit corps rouge et glabre. La génitrice glisse les mains dans le couffin. Elle enserre le cou du porcelet endormi et le tord vivement jusqu'à entendre un bref claquement. Lorsqu'elle traverse à nouveau la cour, elle s'arrête au pied du tas de fumier, y creuse un trou du bout du pied puis y enfonce la dépouille avant de la recouvrir.

Ils n'élèvent qu'un ou deux porcs car ils ne pourraient en nourrir plus. Le premier leur revient; ils destinent le second à la vente. Chaque année, pour le marché au gras, ils chargent dans une cage de bois la bête qu'ils ont pris soin de gaver plus encore les jours précédents, puis ils la mènent en charrette. Assise près d'elle, sur le plateau à claire-voie, la génitrice lui distribue des patates bouillies entre les planches qui font office de barreaux afin que le porc se tienne tranquille et ne perde pas de poids en déféquant sur le chemin qui le malmène. Si la bête est de bonne constitution et qu'ils la soignent bien, elle pèse deux cents kilos, parfois plus, et ils en tirent mille à mille cent francs avec lesquels ils rachètent deux jeunes porcs par l'intermédiaire du porcatier, un type rubicond, coiffé d'un béret de feutre rouge et élégamment vêtu d'un paletot, d'une culotte de velours et d'une paire de bottes en cuir. L'homme fait fortune du commerce des cochons qu'il achète ailleurs, en Ariège souvent, puis qu'il transporte, et revend. Lorsque l'année est mauvaise et que la ferme ne produit pas assez de céréales et de tubercules, ils n'engraissent qu'un porc et paient le porcatier en jambons l'année suivante. Ils choisissent alors un porcelet parmi ceux qu'offre le marchand et qu'il frictionne au vinaigre et à la poudre d'ocre rouge pour les rendre plus beaux et comme gorgés de sang. Ainsi, sitôt disparu, le cochon, phénix vulgaire, renaît indéfiniment de ses cendres ; il se passe quelques jours à peine sans que la soue soit occupée. Les années fastes, ils possèdent une truie qu'ils parviennent à faire saillir. Ils revendent alors les porcelets sitôt sevrés pour ne pas avoir à les nourrir. Le porcatier s'en vient et les emporte.

Vient le temps des relevailles. Ce jour-là, la génitrice se lève avant l'aube et accomplit cérémonieusement ses ablutions à la lumière d'une bougie. Elle brosse et attache ses cheveux à l'arrière de son crâne. Elle verse dans sa paume quelques gouttes d'huile et les lisse avec soin. Elle pose sur le haut de son front un foulard de coton blanc qu'elle noue contre sa gorge. Elle revêt un chemisier, une robe de laine, puis contemple dans le miroir le reflet de son visage tiré par le foulard. Au fil des ans, la bouche s'est réduite à un trait de

lèvres, les joues se sont creusées contre les zygoma-
tiques, la peau s'est épaissie et recouverte d'un
velours translucide. Il semble qu'elle porte le
masque mortuaire de sa pauvre mère dont les os
reposent dans le cimetière d'un village voisin,
mélangés à d'autres qui ne sont pas les siens, à des
débris de planches et de taffetas putréfiés. Elle
détourne le regard. Elle choisit dans la maie la
plus grosse des miches de pain et la roule dans un
torchon, puis elle se penche sur le couffin, saisit
l'enfant dans ses langes et le dépose contre la
miche, dans le panier d'osier. Lorsque la génitrice
passe le petit pont de bois, en direction de Puy-
Larroque, Vénus palpite encore, la lame du jour
perce le ciel puis découpe les limites du monde.
Des ragondins prennent la fuite entre les touffes
de joncs et les feuilles tranchantes des laîches.
L'humidité de la nuit, déposée par les herbes,
grise ses jupons et son cœur s'allège à mesure
qu'elle s'éloigne de la ferme. Dans le panier, Éléonore s'est éveillée mais ne dit rien, ses yeux
troubles sont ouverts sur le visage oblong et flou,
perçu en contre-plongée, et les branches feuillues
qui émergent au-delà en nervures sombres.
Lorsque, tenaillée par la faim, elle se met à pleurer, la génitrice marche jusqu'au pied du calvaire
au socle recouvert de lichens argentés. Elle dépose
le panier d'osier, défait la boutonnière de son chemisier et offre son sein maigre à l'enfant qui parvient désormais à en tirer le lait. Elle reste assise
dans l'aube humide et fraîche, l'odeur des
mousses, des fossés et des platanes qui bordent le
calvaire. Les silhouettes de chevreuils glissent dans

41

le brouillard qui repose sur les champs et elle pourrait bien être seule en ce monde. Un chien efflanqué passe, quelque chose de noir et d'informe dans la gueule – peut-être la dépouille d'un corbeau – et s'en va trottinant, laissant derrière lui une odeur de charogne, puis, plus tard, alors que le soleil sourd entre deux vallons de terre chaude, une carriole tirée par une mule et menée par un enfant surgit au bout de la route et remonte dans sa direction. Lorsqu'il la dépasse, l'enfant tourne son visage simiesque, son nez obstrué par des caillots de morve verte, sa mâchoire prognathe, et elle reconnaît le rejeton consanguin des Bernard. Il s'éloigne, puis disparaît, fouettant à tout-va avec une tige de noisetier la croupe de la mule qui relève la tête, souffle et roule des yeux en traînant dans les cailloux la carriole chargée de betteraves ou de pommes de terre.

Éléonore s'assoupit et la génitrice la replace dans le panier d'osier, essuie avec son châle la salive sur son sein, le menton de l'enfant et le cou parsemé de croûtes de lait, puis reboutonne son chemisier, se relève et reprend la route de Puy-Larroque. Parvenue à l'église, elle s'agenouille devant la porte, dans l'ombre du porche, indifférente à l'immuable va-et-vient des femmes, leurs brocs d'eau à la main, puisant à la fontaine, aux hommes qui partent aux champs à pied ou à vélo et crachent au sol le jus brun d'une première chique. Lorsqu'on la remarque et la salue, elle se garde bien de répondre et semble s'enfoncer avec plus de ferveur dans la prière, décourageant toute approche. Elle attend longtemps, usant sur la pierre ses genoux maigres, jusqu'à ce que la porte s'ouvre enfin sur le père Antoine qui la regarde, puis balaie le porche des yeux.

« T'y es venue seule ? »

Son haleine pue le vin de messe et le mauvais sommeil. Elle relève et hoche la tête et le curé dit :

« Où elle est, l'autre, celle qui devrait t'accompagner ?

— Y a personne qui m'accompagne », répond la génitrice en se redressant douloureusement.

Le père Antoine siffle d'exaspération entre ses dents, puis, avisant une jeune femme blanche et grasse qui passe non loin de là, l'interpelle :

« La Suzanne, viens donc par là. »

La fille s'approche et monte les trois marches du porche. Elle regarde la génitrice, l'enfant endormi dans le panier, puis le prêtre.

« Entre, dit l'homme de foi, et apporte-lui l'Eau. »

La jeune femme entre dans l'église à la suite du père Antoine qui se détourne et remonte la nef à grands pas et froissements d'aube, puis elle resurgit et tend à la génitrice ses mains réunies en cuvette, où l'eau bénite stagne dans des replis de corne, des lignes de vie courtes et profondes comme des crevasses. La génitrice pose au sol son panier, trempe l'index et le majeur dans ce bénitier de cuir, se signe par deux fois, puis la jeune femme ouvre les mains et le restant d'eau s'écoule sur la pointe de ses sabots et la pierre dépolie du porche. Elle se signe à son tour, essuie ses paumes sur le tissu de ses jupes et entre dans l'église. Son front luit et l'eau consacrée glisse sur la courbe de son nez retroussé. Le père Antoine attend devant la petite chapelle, les épaules drapées d'une étole brodée de fil d'or. Un enfant de chœur maigre, blafard et solennel comme un cierge d'église, se tient près de lui. Le prêtre tend l'extrémité de l'étole à la génitrice :

« Entre dans le temple de Dieu et adore le Fils de la Vierge Marie qui t'a donné ton enfant. »

Elle se précipite alors, s'agenouille au pied de l'autel, les mains jointes à son front et récite son action de grâces, ses exhortations mêlées à celles du curé qui déclame :

« Seigneur, ayez pitié, Christ, ayez pitié, Seigneur, ayez pitié… Et ne nous laissez pas succomber à la tentation, mais délivrez-nous du mal… Protégez, Seigneur, Votre servante qui espère en Vous, envoyez-lui de Votre sanctuaire, Seigneur, Votre secours… »

Ils prient ensemble, la Suzanne marmonnant à son tour, et il bénit la génitrice qui tressaille sous l'eau bénite dont il l'asperge :

« *Pax et benedictio Dei omnipotentis, Patris, et Filii, et Spiritus sancti, descendat super te, et maneat semper. Amen.* »

Puis il bénit le pain et la génitrice se relève, dolente, exaltée. Elle souffle le cierge qu'elle tenait entre les mains. Elle déchire la miche dont elle tend un morceau à l'enfant de chœur. Gagnée par une bouffée de reconnaissance, elle esquisse le geste de passer une main dans ses cheveux, mais l'enfant s'y dérobe.

44

Une tige de noisetier à la main, suivie par Alphonse, Éléonore mène les deux cochons le long du chemin de terre jusqu'au bois de chênes pubescents. Elle s'assied entre les racines moussues ou les branches dépouillées d'un arbre tombé tandis que les porcs se repaissent de glands, de châtaignes qu'ils extraient de leurs bogues et d'escargots. Des bousiers aux reflets bleus grimpent sur ses bas de laine et des choucas déploient leurs ailes irisées pour tenir en équilibre à la cime des arbres. Ils lancent un cri et reprennent leur envol dans le ciel gris d'acier. Éléonore s'allonge sur la couche de feuilles d'où s'élève une odeur de pourriture végétale, de vesses-de-loup crevées et de turricules. Elle trouve un instant de répit, loin de la ferme et de la présence de la génitrice. Lorsqu'une pluie fine commence à tomber, elle reste immobile, observant les branches d'où chutent en spirales les feuilles rousses. Elle laisse les gouttes minuscules perler sur son visage et le tissu de sa robe et elle imagine disparaître peu à peu, recouverte par les lichens, les insectes et les invertébrés qui foreraient jusqu'à elle des galeries par lesquelles elle continuerait de respirer, de s'abreuver et de percevoir le monde depuis son immobilité minérale. Le vieux braque veille pour elle, encercle les cochons et les rabat au besoin en jappant. Son pas irrégulier et arthritique froisse les feuilles d'où jaillissent comme d'un ossuaire des troncs écuissés ou calcinés par le temps et les perce-neige de janvier. Les jours les plus froids, elle sent l'engourdissement de ses doigts, de son nez, une douleur tisonne le cartilage de ses oreilles, mais elle s'interdit de bouger et pour rien au monde ne rentrerait en avance. Elle aime le calme de la chênaie, le sentiment de sa profonde solitude, la présence des porcs, leurs grognements de satisfaction, les cris et les froissements d'ailes des oiseaux invisibles, la silhouette de la chapelle dont elle aperçoit à travers les fougères et les arbres un mur orné par les lianes épaisses et frangées d'un lierre. Lorsque la pluie tombe dru, elle remonte l'ancien chemin désormais recouvert par les ronces, au travers desquelles elle a forcé un passage. Devancée par les bêtes, elle entre par le porche en ogive, les portes de bois putréfié dont un pan tombé de ses gonds repose sur les dalles en pierre entre lesquelles germent au printemps des pousses de graminées portées jusque-là par les bourrasques qui entassent des monceaux de feuilles mortes au fond du chœur et où nichent des farandoles de musaraignes. Les cochons fouillent à la recherche de larves dans les décombres et les déblais sur lesquels ont déféqué des générations de pigeons et d'oiseaux de proie, recouvrant de guano les planches disjointes ou défoncées d'antiques bancs de messe, et qui s'envolent dans un bruit d'ailes et de roucoulements du haut des poutres poreuses rongées par les charançons, laissant tomber une pluie de sciure qui virevolte dans la lumière projetée à travers les derniers vitraux embués de poussière, d'éclats de sève et de pollen. L'odeur de l'ancienne chapelle semble éventée d'une plaie dans la terre : un relent de grotte, de quartz, d'argile et de limons. Des éclats versicolores glissent sur les déblais lorsque le jour parvient à percer le lacis des branches. Éléonore ramasse au sol les pelotes de réjection des chats-huants qu'elle trempera plus tard dans de l'eau tiède pour en extraire les os de rongeurs, blancs et fragiles, et les glisse dans les poches de sa robe, puis elle regagne enfin la ferme, les porcs au ventre plein renâclant à la suivre. Aux beaux jours, équipée d'une lame, elle cueille pour eux des orties au bord des chemins, des chardons et des pousses d'épinards sauvages dans les friches, des tiges et des bulbes d'oignons, des pissenlits et de l'oseille, des sommités d'armoise et des fleurs de coquelicots qui fluidifient et vivifient le sang des bêtes. Éléonore les transporte dans le tissu relevé de sa robe et la génitrice les hache sur la table de la cuisine avant de les faire cuire avec la bouillie destinée aux porcs.

Les premières années passent entre les soins dispensés aux animaux et les journées d'ennui dans une salle de classe communale attenante à la mairie, chauffée par un poêle à bois, et dont les fenêtres donnent sur une cour en terre battue qui devient une bauge aux premières pluies. Lorsque le bouilleur de cru installe son alambic sur la place du village, les vapeurs d'alcool embaument la cour de l'école et enivrent la récréation des écoliers. À six ans à peine, la peau de ses mains comme celle de ses pieds est grise et fendue de crevasses dont il lui faut extraire, avec une aiguille, à la lueur d'une flamme, les cailloux et les herbes qui s'y logent et la font parfois saigner. Ses pouces sont eux aussi fendus et ses ongles noirs. Rien ne lui semble préférable au flanc suant de la jument qu'elle étrille puis frotte avec une poignée de paille à son retour du champ, dans la stalle calme de l'étable où courent, le long des poutres, des rats des blés. Rien ne lui semble non plus préférable à la pénombre de l'arrière-cuisine, à l'odeur aigrelette dans laquelle cuisent les marmites de pommes de terre, de fanes de légumes et de lait suri, pas même les jeux des enfants, les osselets jetés sur le sol dur et soulevé par les racines des noyers plantés en bordure de la cour d'école, ni les jeux de marelle sur lesquels les fillettes vêtues de leurs uniformes usent leurs sabots.

Par un jour venteux, elle marche au travers d'un champ en direction du père et des deux vaches dont les cornes sont enserrées par un joug frontal. Le père guide l'araire par le mancheron et bat les croupes anguleuses avec un bâton de houx en poussant des cris qui lui parviennent par bribes. Les pieds d'Éléonore se prennent dans les sillons creusés ; le vent rabat sur son visage ses cheveux alourdis de nœuds. Elle voit le père arrêter l'attelage, se baisser et ramasser une glèbe luisante, la porter à son nez et en respirer longtemps le parfum, puis faire tourner la motte dans sa main large et l'effriter doucement entre ses doigts bruns. Des éclats de terre secs et ocre sont pris dans les poils du dos de sa main. La fillette perçoit l'intimité de cet instant entre l'homme et la terre, son obscure sensualité, et elle se fige à distance dans le sillage du père. Plus tard, au bord du même champ, après la pluie et en l'absence du paysan, elle saisit à son tour cette terre froide,

noire et malléable, qu'elle façonne en un semblant de phalle, puis elle remonte sa jupe,
s'accroupit, et la porte aux lèvres ourlées et nues
de son sexe.

La génitrice lie les pattes arrière d'un lapin
qu'elle vient d'assommer d'un coup assené sur la
nuque et dont le pouls bat encore. Elle l'attache
à un piton sur le mur au-dessus d'une bassine
de cuivre martelé. L'œil brun à la pupille dilatée
du lapin, que les derniers spasmes font tourner
sur lui-même, reflète tour à tour la cour dans
laquelle de larges flaques d'eau de pluie miroitent,
puis le ciel bas de l'automne et le visage de la
génitrice affairée à aiguiser contre un fusil la lame
d'un couteau avec la pointe duquel elle énuclée le
lapin d'une brève rotation du poignet, pour ne
pas endommager la fourrure de la bête encore
tremblante, avant de jeter dans la poussière le
petit globe oculaire, et le lapin se vide de son
hémorragie cérébrale par le trou de l'orbite, un
sang noir et grumeleux goutte dans le fond de la
bassine en cuivre avec un ploc-ploc-ploc régulier,
et lorsqu'elle retire le récipient dans lequel oscille
la flaque noire, le sang continue de dégoutter sur
un bloc de granit bruni comme un autel à sacrifice. La génitrice incise les pattes et dépouille l'animal d'un mouvement sec, comme elle le
déshabillerait. Elle fait sécher au soleil les fourrures retournées et les queues porte-bonheur dont
la vertèbre cartilagineuse luit sous un ourlet de
poils blancs et que parfois les chats dérobent,
emportent puis mastiquent dans quelque coin
sombre abrité du regard des hommes. Elle a aussi

ses propres croyances : lorsqu'elle tombe nez à nez avec l'épeire au dos marqué du sceau de la croix, elle se signe. Elle suspend des vessies de porc séchées aux poutres de la cuisine pour protéger la famille du mauvais œil. Certaines feront office de gourdes. Les jours d'orage, et par crainte de l'onde de la foudre que l'on dit propre à décimer les couvées, elle glisse sous les poules pondeuses de vieux fers à cheval. Les volailles s'abritent alors sous une cabane de branches entrecroisées et recouvertes de genêts, et les éclairs figent la campagne dans un éclat blanc. Sous la chaleur d'un mois d'août, les bêtes se tiennent à l'ombre des arbres et chassent avec lassitude des nuées de mouches et de taons. Le père a construit un petit enclos, en extension de la soue. Un jeune cochon se presse au pied de l'auge fraîche, à laquelle il s'abreuve. Une truie s'apprête à mettre bas à l'ombre d'un mur. Lors d'une glandée, elle a frayé avec un sanglier, et ses petits naissent couverts d'un pelage rayé et velouté. Lorsqu'une truie est allaitante, Éléonore trouve encore un plaisir secret à s'allonger dans la paille, contre son flanc, et à sucer un peu de ce lait, le front pressé contre la peau molle et chaude, doucement parfumée de la mamelle. Quand ils vendent les petits, c'est au langueyeur qu'il revient de déceler s'ils ne sont pas atteints de ladrerie, ce mal étrange qui frappe le porc, mais dont peu de gens sauraient dire ce qu'il est exactement. Au milieu d'un cercle de gosses et de badauds, sous le regard de l'éleveur et de l'acheteur, dans un parc où se pressent une bande de porcelets, l'officiant pioche un à un les gorets par une patte arrière et les immobilise sous son genou. La bête hurle, se débat, rend les armes. Alors le langueyeur lui ouvre la gueule à force de cris, de jurons et de commentaires bien sentis. À l'aide d'une pince, il déloge des gencives les *dents de loup*, puis tire la langue, la tord pour y chercher les mucosités et les points blancs révélateurs de la vermine. Parfois, il s'attarde un peu, l'air contrarié, hésitant. Il racle la langue, fait du zèle, mais toujours se relève et dit :

« Il est pas ladre. »

Alors la bête, vierge et ressuscitée, bondit sur ses quatre pattes, et rejoint sa fratrie. L'affaire est conclue.

Auprès du feu, aux soirs d'hiver, quand les flaques de boue ont gelé dans la cour qu'ils traversent à pas mesurés, jetant du gros sel devant eux, Éléonore s'assied auprès du père au visage émacié, qui fait rouler et crépiter les bûches à l'aide d'un tisonnier en fer forgé. Il plonge la main dans les braises, en saisit une d'un air distrait, la fait sauter dans sa paume et la replace dans l'âtre. Il épluche pour elle les châtaignes brûlantes qui cuisent dans une poêle trouée et dont la chair plissée exhale un parfum suave. La génitrice prépare pour le père des fumigations et il disparaît sous un linge, dans des vapeurs de plantes et de racines qui parfument la pièce entière. Le médecin vient et dépose sur la table sa mallette en cuir, de laquelle s'évente une odeur d'éther ; alors le père déboutonne sa chemise et se tient assis, ployé comme un roseau, le dos tendu au stéthoscope que le docteur promène sur sa peau laiteuse et il inspire péniblement à sa demande. Un sifflement s'élève de sa trachée comme si quelque animal parasite était logé entre ses côtes et respirait à sa place. Puis, le médecin pioche dans sa mallette un marteau à réflexes avec lequel il tapote les articulations noueuses dont il tire parfois un sursaut, et glisse ensuite un abaisse-langue dans la bouche du père. La génitrice, assise à la table, le visage cerclé d'un foulard, la chevelure séparée en son milieu par une raie et plaquée sur le haut du front, observe, mains jointes sur le chapelet qu'elle égraine, chacun des gestes du docteur et cherche un sens à ses murmures d'approbation, à ses soupirs, aux regards qu'il pose sur le sol ou la pierre creuse de l'évier quand il prête l'oreille aux sons du stéthoscope. Elle l'interroge avec insistance, commente, apporte des réponses à des questions que le médecin ne pose pas. Elle dit :

« Il tousse, toute la nuit, impossible de fermer l'œil, puis le matin, aussi, et il crache, jaune et parfois même vert. Il a certainement de l'infection. Il se plaint de douleurs, montre donc où, dans la poitrine et dans le dos, ses jambes sont enflées, voyez, c'est comme des varices. Ah, et il a la fièvre, tout le jour et toute la nuit… »

Le père reste immobile, perclus, comme si chacune des phrases de la génitrice s'abattait sur son dos, le forçait à se courber plus encore pour parer les coups. Le docteur se relève, range ses instruments et le père renfile sa chemise, son gilet, le pantalon de charpentier qu'il noue à l'aide d'une corde à foin. La génitrice sort du buffet la bouteille de prune et en remplit un verre.

« Il lui faudrait respirer un autre air, partir pour la montagne », dit le médecin en sifflant sa rasade.

La génitrice et le père sont immobiles et cois.

« Il lui faut au moins du repos », ajoute le docteur en reposant le verre et en se coiffant d'un chapeau en feutre.

Les paysans restent interdits.

« Essayez au moins de ne pas trop en faire. Prenez donc un apprenti », dit-il encore.

Lorsqu'il enfile son manteau, la génitrice disparaît dans la souillarde dont elle revient un instant plus tard et tend au docteur une poignée de petite monnaie qu'elle peine à lâcher. Sitôt la porte rabattue, le père retrouve sa place devant l'âtre et la génitrice regarde, furieuse, la voiture du médecin tirée par un hongre bai disparaître en cahotant sur les nids-de-poule, à l'angle de la soue.

Quand on lui conseille, au village, de faire venir un guérisseur, elle s'offusque et cite le Lévitique :

« Ne vous tournez point vers ceux qui évoquent les esprits, ni vers les devins ; ne les recherchez point, de peur de vous souiller avec eux. »

Elle propose un pèlerinage à Lourdes, mais le père s'y refuse en grommelant – qui s'occuperait des terres et des bêtes en leur absence ? Chaque soir, elle enjoint Éléonore de prier pour sa guérison, lui détaillant par le menu les malheurs, les privations et les souffrances auxquels les condamnerait sa disparition, et l'enfant se jette près de la génitrice au pied de la croix, implorant la miséricorde de Dieu, puis se serre plus fort contre le père, sur le petit banc de bois clouté et vermoulu, à l'heure où les engoulevents griffent les airs et s'abattent sur les phalènes.

Éléonore plonge le pouce à la commissure des lèvres, dans la salive chaude et âcre, le souffle fumant dans l'aube froide et elle y glisse le mors que la bête mâchonne les yeux mi-clos, somnolente sur son postérieur gauche, puis elle passe la bride et ajuste les œillères tandis que le père garnit et règle la bricole à la lueur d'un fanal posé sur l'un des chasse-roues du puits et dont la lumière creuse les salières et dore l'encolure de la jument. Des flocons surgissent pesamment dans ce halo, ornent les crins noirs, s'attardent sur les cuirs et fondent sur les lèvres bleuies d'Éléonore dont les doigts gourds et mauves s'enfouissent et se réchauffent dans le pelage d'hiver de la bête. Leurs sabots de bois goudronné crissent sur la neige amoncelée par la nuit et dans laquelle le braque s'ébat, décrivant de grands cercles autour d'eux, et lorsque le père, couvert d'une cape en drap de coutil, monte dans la charrette, fouette la croupe de la jument et que l'attelage se met en branle, la fillette devancée par le chien court dans le sillon des ornières laissées dans la neige et la boue par le cerclage en métal des roues, crie le nom du père qui s'éloigne puis s'estompe sur le chemin pierreux, et c'est à bout de souffle qu'elle s'arrête, la gorge brûlante, les mains campées sur les cuisses, sa face anguleuse relevée, ses dents et ses yeux grisés par la nuit qui se dilue maintenant dans un bleu profond, rendant aux coteaux leur matérialité.

Lorsqu'elle rebrousse chemin, leurs lignes sinu-soïdales surgissent, courbes aux limites incertaines, et des nappes de brume immobiles et fragiles apparaissent aux creux des vallons. L'horizon se sépare de la terre enneigée, comme si l'un enfan-tait brusquement son contraire, délaissant sa teinte de boue, puis se gonfle d'une attente qui bombe le ciel d'un halo pourpre, d'une voûte en ogive où scintillent encore les astres. Chaque bouffée d'air glacé qu'elle inspire larde ses sinus et sa poitrine. Alphonse bondit d'un côté puis de l'autre des fossés figés par le givre, s'échappe en jappant à la poursuite d'un lièvre qui détale au beau milieu d'un champ, puis revient et saute devant elle pour lécher son visage morveux. À l'entrée de la cour, maintenant éclairée par un jour gris et pâle, Éléo-nore retient le chien par son collier. À travers les vitres dépolies des fenêtres de la maison, elle voit brûler les lampes et se mouvoir l'ombre de la géni-trice sur les murs chaulés. Elle mène Alphonse à sa niche et l'encourage à se coucher dans la paille et les sacs de grosse toile, puis elle monte, en jetant des regards inquiets par-dessus son épaule, le long de l'échelle du grenier à foin, dont les barreaux sont dentelés de stalactites de glace et sur lesquels glissent ses sabots.

Suspendues aux poutres de charpente du fenil, des pipistrelles se drapent en tremblant dans leurs ailes fragiles. Des tégénaires ont tissé et retissé des toiles opaques, figées sous le sédiment du temps, alourdies et bombées comme des tentures orientales par la poussière, la sciure, les chitines d'insectes et les mues translucides de lointaines générations d'arachnides. Dans un recoin du grenier, entre deux amoncellements de foin, une chatte sauvage a mis bas une portée tardive. Éléonore la nourrit en cachette de la génitrice, prélevant dans la gamelle d'Alphonse quelques os ou dérobant un peu de babeurre dans l'arrière-cuisine. Lorsque la fillette approche, prenant soin d'éviter les planches disjointes ou rompues sous lesquelles le bétail s'éveille, s'ébroue, pisse et défèque, la chatte feule puis se résigne à prendre la fuite, ou – quand Éléonore dépose près d'elle une écuelle – à délaisser sa portée le temps de se repaître. La fillette a entendu dire que les chatons et les enfants, nés comme elle au début de l'hiver, sont de faible constitution. Elle s'assied près du nid aménagé par la bête, saisit un à un les nouveau-nés aux paupières chassieuses, au ventre rond, d'où dépasse encore un morceau sec et brun de cordon ombilical, les porte à son visage, serrés dans le creux de ses mains, cherchant à téter la dernière phalange de ses doigts, et elle respire l'odeur de leur pelage chaud, un peu rêche encore, exhalant une odeur de salive et de mamelle. Le fenil, comme la couche d'humus et de feuilles de la chênaie, est un monde clos et parallèle dans lequel il lui semble possible et même préférable de vivre et dont elle ne s'arrache qu'au prix d'un renoncement.

Elle redescend prudemment l'échelle et tressaille lorsqu'elle se retrouve face à la génitrice immobile, les mains sur les hanches, le regard sévère et soupçonneux.

« Qu'est-ce que tu fabriques là-haut ? » questionne-t-elle, insufflant une haleine d'estomac vide, bileux.

Puis, comme Éléonore baisse le regard et ne répond pas :

« J'espère que tu ne nourris pas encore ces satanés chats. Rentre avant d'attraper la mort. »

Elle n'esquisse pas un mouvement de côté qui laisserait la voie libre et l'enfant indécise finit par contourner la génitrice, dessinant sur la neige l'empreinte d'une dérobade trop ample, d'une course fébrile tandis que la paysanne reste plantée au pied de l'échelle, les yeux levés et l'oreille tendue vers le grenier à foin. Elle n'ignore pas les petits larcins d'Éléonore, le point d'honneur et la constance qu'elle met à lui désobéir avec cette sournoiserie propre aux enfants et qui leur fait enfreindre les règlements sans avoir l'air d'y toucher. Exception faite des restes dont ils nourrissent Alphonse, rien ne saurait se perdre qui ne fasse office de pitance pour le menu bétail et ne soit aussitôt transmuable en viande, en un perpétuel recommencement. Il lui répugne de jeter une fane de radis ou un vert de bette comme de savoir qu'une louche de babeurre puisse revenir aux chats errants plutôt qu'à l'engraissement des cochons, elle qui vide au matin les pots de chambre sur le tas de fumier, rien n'étant jamais trop vil pour la terre nourricière. Puis, pense-t-elle en rebroussant chemin vers la ferme, cette façon de rechercher la complicité du père, de fuir, aussitôt qu'il se trouve dans les parages, son axe à elle, la génitrice, de se décentrer perceptiblement pour lui préférer la proximité du fermier, comme si elle attendait de lui une protection ou un répit. En grandissant, Éléonore a cessé de lui être étrangère – elle s'est accoutumée à l'existence de l'enfant, à l'idée même de lui être liée par le sang – pour lui devenir hostile et, tandis qu'elles fourbissent les casseroles et les pavés, lessivent les draps au milieu des villageoises sur les bords du grand lavoir ou donnent la mangeaille aux poulets puis les plument, Éléonore ne cesse d'esquiver sa présence et d'abuser de la moindre négligence, du moindre relâchement de son autorité, comme le font les petits de ces carnassiers que l'instinct rend capables de voler leur becquetance à leurs géniteurs et d'en prévoir les humeurs et les accès de violence pour s'y dérober à temps.

Aussi, le temps passé en l'absence du père – quelques jours qui lui paraissent des semaines – se déroule-t-il dans un climat de défiance mutuelle, une atmosphère compassée, le silence coutumier, scandé seulement par le bruit du vent, le cri des bêtes et les ordres de la génitrice qui voit chaque jour Éléonore rôder aux alentours de l'arrière-cuisine, dans laquelle elles préparent le beurre, puis se dépêcher, sitôt qu'elle lui tourne le dos, d'aller puiser dans la baratte un peu de crème et de disparaître à la première occasion dans le fenil. Chaque soir, elle lui demande de lire à haute voix les Saintes Écritures, car il lui importe que l'enfant soit pieuse et lettrée, et Éléonore s'y applique, un doigt posé sur le papier, parcourant la ligne, butant sur les syllabes et les mots dont la génitrice écoute la laborieuse énumération, les yeux clos et les mains jointes, comme si son interminable labeur ajoutait au secret du Livre. Pourtant, jamais la génitrice ne va à confesse et jamais elle n'y envoie sa fille ; l'idée de livrer au père Antoine, ce cureton indigne qui ne dessaoule pas même à la Toussaint, ses pensées les plus inoffensives, ses plus menus péchés, lui répugne. Il n'existe pas d'intermédiaire entre elle et Dieu et elle estime être le plus sûr médium entre la parole d'Éléonore et le pardon du Seigneur. Elle la persuade alors de se confier à elle, de faire acte de contrition, de dire tout de ses pensées inavouables, et la fillette, sentant nécessaire de satisfaire la curiosité de la génitrice pour en être soulagée au plus vite, bafouille des histoires d'enfants, de jurons, de convoitises ou de mensonges dérisoires, dont la génitrice se repaît et se scandalise avant de la contraindre à déclamer :

« Pitié pour moi, mon Dieu, dans Ton amour, selon Ta grande miséricorde, efface mon péché. Lave-moi tout entière de ma faute, purifie-moi de mon offense. Oui, je connais mon péché, ma faute est toujours devant moi. Contre Toi, et Toi seul, j'ai péché, ce qui est mal à Tes yeux, je l'ai fait. »

Un matin blanc de neige, Éléonore profite que la génitrice soit occupée à sa toilette pour porter une écuelle aux chats. Elle les trouve raides dans leur nid, la femelle étendue à quelques pas de là près d'une autre écuelle dans laquelle subsistent quelques boulettes de lard empoisonné. Du sang s'est écoulé de sa gueule, de son nez, de son anus, et brunit sur le plancher. Ses mamelles encore empoicrées de salive sont pourpres et roides. Éléonore ramasse un à un les chatons, les glisse sous sa robe et les tient longuement contre son ventre dans l'idée de les ramener à la vie, puis elle les dépose sur le cadavre de la chatte, dans un sac de toile qu'elle noue à l'aide d'une ficelle. Elle descend l'échelle, s'éloigne de la ferme pour creuser à l'orée du bois, à la force de ses doigts, un trou au fond duquel elle jette le sac de toile et qu'elle comble en soufflant parfois sur ses mains désormais noires et endolories. Alphonse la rejoint quand elle dépose sur le tertre des pierres polies et des branches de houx en guise de gerbe, puis il lève la tête, hume l'air glacial et file le long de la route en direction du village.

Éléonore l'observe s'éloigner en jappant avant de voir surgir au loin la jument et l'attelage vers lesquels le chien se précipite, et elle frotte la paume de ses mains sales contre le tissu de sa robe. Elle lève les bras pour esquisser de grands gestes, puis se ravise. Elle vient de distinguer une silhouette qu'elle songe d'abord être celle du père, puisqu'il tient les rênes, et auprès de laquelle une cargaison bringuebale, mais elle s'aperçoit, à mesure qu'approche la carriole, qu'il s'agit d'un inconnu et que le père est en réalité ce qu'elle a pris pour un tas de nippes malmené par les cahots. Lorsqu'ils passent près d'elle, il ne semble pas même l'apercevoir et elle voit son visage gris et émacié se tourner lentement dans sa direction.

Elle reste un instant sans bouger, avant de suivre l'attelage dans la cour. L'inconnu a mis pied au sol et elle se tient à distance tandis que le père descend péniblement à son tour, rompu par le voyage, acceptant l'appui du bras solide que lui tend le garçon avant de dételer la jument et de la mener à l'étable désignée par le fermier d'un geste las. Elle voit maintenant son visage rougi par le froid, juvénile encore, les joues mangées par les plaques d'une barbe rousse et tendre, les muscles de ses mâchoires et de ses bras saillants comme il tire la carriole à l'abri, ses yeux petits et perçants, renfoncés sous les sourcils, aux iris d'un brun si sombre que l'on y distingue à peine les pupilles vertes, bordés de cernes pâles, et qui contrastent avec la masse de ses cheveux sales. Lorsqu'il voit Éléonore, le père lui fait signe d'approcher et l'étranger observe les mains rudes et terreuses de l'enfant, sans que son regard ni son visage laissent rien paraître. Le père porte une main glacée sur le crâne d'Éléonore et esquisse une forme de caresse.

« Voilà le cousin Marcel, dit-il. Il vivra avec nous désormais. Tu lui montreras où se trouvent le foin et le petit bois. Demain, j'irai chercher un matelas. »

Derrière eux, la porte de la cuisine s'est ouverte et la génitrice se tient sur le seuil, remontant ses châles dans son cou, sur le bas de son visage, alors le père la rejoint et elle s'écarte pour le laisser entrer sans lui adresser un mot, puis elle toise le jeune homme qui exhale une haleine dense, et l'enfant près de lui, cachant ses mains sales dans

61

son dos. Marcel suit Éléonore et ils entrent à leur tour dans la cuisine où le père s'est installé auprès du feu. La génitrice désigne du menton la porte donnant sur l'ancienne souillarde et Marcel, son ballot en toile de jute sur l'épaule, courbe la nuque et passe l'encadrement. La pièce est un carré de terre battue où le jour gris s'immisce, vaporeux, par les trous de nœuds du bois et à travers les ajours des solives. Quelques faux rouillées jonchent le sol, une roue de charrette, des sacs de charbon de bois, des bassines d'eau croupie. Face à une cheminée dont l'âtre est une gueule d'ogre, une petite fenêtre à guillotine lorgne la cour. La pièce sent l'urine de rat, le bois véreux, le purin qui s'écoule contre le mur depuis l'étable attenante. Marcel regarde l'enfant crasseuse et maigre, dont le souffle moutonne en bouffées blanches et régulières au bord de ses narines. Il la suit jusqu'au fenil, transporte quelques brassées de foin sec qu'il étale en couche épaisse et ramassée, puis il dénoue son paquetage, étend la toile de jute, se redresse et jette alentour un œil satisfait. Il dit :

« Va me chercher un peu d'eau, faut que je me rince. »

Lorsque Éléonore reparaît, portant un broc d'eau chaude, un feu crépite dans l'âtre et Marcel a retiré sa chemise et son maillot de corps. Elle s'arrête et l'observe comme elle observe la toilette du père au retour des champs, mais ce corps-là est râblé, l'épiderme grêlé par le froid épouse des muscles ligneux, la ligature du nombril est le globe d'un petit œil parfaitement rond, reposé

62

sous une paupière de peau ourlée et un trait de poil roux court sur le bas-ventre et disparaît sous la ceinture de cuir pelé. Des taches de rousseur couvrent ses épaules, sa nuque et ses joues. Il plonge le linge dans la bassine, l'essore dans le creux de sa main. Des filets d'eau glissent sur son avant-bras et dégouttent sur le sol depuis l'angle du coude. Il frotte vivement son visage, son torse et ses aisselles, laissant de grandes plaques rouges sur la peau de son cou et de ses flancs, puis il pose le linge dans la bassine d'eau maintenant grise et mousseuse. Éléonore s'avance pour la récupérer et leurs regards se croisent. Elle rougit, se détourne et sort précipitamment de la pièce.

Marcel s'éveille avant l'aube dans la chambre froide où son haleine se condense. Il étire ses membres gourds, puis cherche à tâtons au pied du lit le pantalon de toile reprisée, le tricot de peau, la chemise en lin, le chandail de grosse laine qu'il revêt, les yeux ouverts et aveugles. Sa peau est parcourue par un frisson. Il avance, mains tendues, pieds nus sur la terre glacée, jusqu'à la hotte de la cheminée. Il tisonne les braises noires dans l'âtre, déloge de la cendre un charbon qui rougeoie encore, le ravive et y dépose une poignée de branches sèches. Lorsque la flamme prend, hésite, puis s'élève, son visage surgit, embrasé par la lumière vacillante, creusé par les ombres qui se meuvent, et il retrouve la forme de ses mains grises de cendre. Dans la pièce principale où les parents et Éléonore dorment encore, le verre de la lampe à huile conchiée par les mouches projette sur les murs une lueur jaune pommelée. Plusieurs semaines ont passé depuis son arrivée à la ferme. Comme à l'accoutumée, il avale un bol de gruau, une tranche de pain trempée dans du vin ou un simple café recuit. Il passe la langue sur la tranche irrégulière de ses dents, déloge le marc des interstices, de l'ourlet de ses gencives, pousse du bout de la langue la salive au rebord de ses lèvres et s'essuie d'un revers de bras, laissant une traînée de poudre dans les poils clairs et drus. Lorsqu'il passe la porte, ses yeux fouillent la nuit et n'y distinguent rien. Elle repose, insondable, fuligineuse, réduisant toute chose au silence, et il lui semble un instant percevoir un souffle, le halètement d'un animal dissimulé dans l'obscurité ; c'est son pouls qui bat à son oreille ou la flamme de la lampe qu'il tient par l'anse et dont la mèche feule doucement. Il pressent qu'il va neiger, aucune étoile ne se devine, l'air est vif, lui mord le visage et les sinus lorsqu'il inspire. Il frotte l'une contre l'autre les paumes de ses mains puis enserre ses poings et les porte à ses lèvres pour les réchauffer de son souffle.

Alphonse le rejoint et le reniﬂe, sa queue fouette ses jambes de pantalon. Marcel sent l'odeur de son pelage humide mêlée à celle de la nuit. Il suit le chien qui le devance et le mène aux bêtes endormies. Il soulève la clenche en bois de la porte de l'étable et fait rouler sous son pied la pierre qui la maintient rabattue. Des rats détalent des mangeoires à grain quand le halo du fanal que Marcel accroche à un clou embrase en cercles concentriques les poutres et les voliges. La jument repose, assoupie sur son diagonal gauche, l'encolure basse et la lèvre inférieure lâche. Il passe une main sur le muscle rond et chaud de sa cuisse, flatte le flanc, et sent la peau veinée frémir sous sa paume. Deux vaches à la robe gris perlé mâchonnent du fourrage dans leurs stalles ; sur les barres en bois creusées par les incisives des ruminants, quelques poules ont trouvé refuge pour la nuit et sont engoncées dans leurs plumes. Marcel respire longuement l'odeur du bétail dont l'étable est saturée, le bras reposé sur la croupe de la jument. Il savoure cette présence magnétique, préférable à celle des êtres de sa race, puis il sort dans la cour et marche jusqu'au puits maintenant discernable dans la lumière grisâtre et cotonneuse de l'aube et que des hommes, auxquels son sang le lie d'une obscure façon, ont autrefois creusé à la force de leurs bras, à l'endroit précis que leur désignait alors par son fléchissement la baguette en bois de coudrier d'un sourcier du cru, piochant soixante jours durant, tranchant des galeries complexes façonnées par des bêtes aveugles et atomisant des ténèbres où scintillait le quartz. Jaillie d'une mémoire ancestrale tandis qu'il saisit le seau en bois cerclé de métal et le jette dans le trou silencieux du puits où explose le bruit de l'eau, il voit l'image d'une lame de pioche arracher un bloc de boue matricielle et l'entaille se gorger, puis un visage d'homme se lever vers la lumière en un cri de triomphe. Il tire la corde et la poulie corrodée grince doucement à mesure qu'il ramène le seau à la surface. Il le saisit enfin par l'anse et le dépose sur la margelle. L'eau oscille, sirupeuse et noire. Il y plonge ses mains, les porte à son visage, souffle sous la morsure du froid, enfonce de nouveau la main dans le seau et boit dans sa paume, ignorant l'élancement de ses dents cariées. Enfin, il retourne à l'étable où les bêtes éveillées relèvent la tête vers lui et il verse l'eau dans les mangeoires en pierre pour qu'elles s'abreuvent à leur tour. Un coq chante.

Les mois passent, et avec eux le cycle immuable des saisons, une année, puis une autre, les labours, les semailles, les moissons, puis les labours, les semailles et les moissons. Venu des Pyrénées, un montreur d'ours passe de village en village, traînant avec lui une bête au museau pelé par le frottement des attaches de sa muselière. Les habitants de Puy-Larroque se dépêchent sur la place pour voir l'ours marcher sur ses pattes arrière, s'asseoir sur une chaise ou danser sous les marronniers au son d'une flûte de pan, vêtu d'une robe à froufrous. Au mois de juillet, les paysans récoltent l'ail dont ils tressent les tiges, puis les suspendent aux clous plantés dans les solives. Éléonore connaît tous les recoins dans lesquels les poules vont couver leurs œufs en dehors du poulailler ; elle les ramasse et les rapporte à la génitrice. Un jour c'est un poussin déjà formé qui tombe depuis la coquille brisée, dans la poêle à frire. Au cœur d'un été, l'air saturé par l'odeur des figuiers et des chevaux enivre Éléonore comme un alcool fort. Allongée près d'Alphonse et de la truie qui broute non loin, elle occulte le soleil d'une main levée, puis les yeux mi-clos, le laisse jaillir entre les doigts qu'elle écarte un à un. Agenouillée dans la paille sur une oie qu'elle tient serrée entre ses cuisses, la génitrice enfonce un entonnoir dans la gorge de la bête pour y verser le grain. La robe remontée sur ses genoux dévoile les varices qui affleurent sous la peau et semblent s'enrouler autour des tibias comme le serpent sur le caducée. Quand ses jambes la font souffrir, elle les contient avec des bandes de tissu découpées dans de vieux draps. Lorsque Éléonore se plaint d'une carie, la génitrice la mène au marché, à l'arracheur de dents, qui extrait de sa bouche une quenotte et laisse l'enfant en pleurs, la bouche en sang, tâtonnant du bout de sa langue le trou mou et ferreux de sa gencive. À la fin du Carême, ils vont au village voir passer les bœufs magnifiques qui seront sacrifiés le jeudi, veille du vendredi saint, et que les fermiers font fièrement défiler. La vie va son train.

Dès le printemps, le père ne s'installe plus sur le petit banc de bois clouté et vermoulu. Reclus dans le lit clos, il ne le quitte qu'aux heures des repas, spectral et cachectique, et il faut soutenir son coude lorsqu'il lève en tremblant la cuillère de soupe à ses lèvres. Des grumeaux durs comme des cailloux sont pris dans les poils de sa barbe. Ses chemises sont maculées de croûtes. Chaque lundi, le docteur vient et l'ausculte en silence sous le regard de la génitrice qui s'est tue elle aussi, sceptique, lassée par la litanie des symptômes, et tous restent assis à la table tandis que le père offre son corps grêle à l'examen, ouvrant le trou noir de sa bouche, dépliant les nœuds de ses articulations, toussant et crachotant à la demande. Enfin, le médecin pose sur la table le cartable en cuir pelé éventant son parfum d'éther, y range, comme à l'accoutumée un à un ses instruments, répète toujours les mêmes mots, les mêmes consignes, préconise parfois une variante à l'inefficace traitement, boit le verre de gnôle ou de vin de noix qui l'attend, empoche la poignée de pièces noircies, puis salue l'assemblée sur le seuil en pinçant le rebord de son chapeau.

«À lundi, va», dit-il.

Ils ne prononcent pas un mot, jusqu'à ce que la voiture ait quitté la cour et que le bruit des sabots se soit tu, puis tous se lèvent de conserve et retournent à leurs occupations. La génitrice cède : le père Louis, un rebouteux du village voisin, connu pour replacer les membres disloqués, passer le feu et soigner les verrues, vient et appose longuement ses mains sur la poitrine du père. Il marmonne des prières et trace du pouce des signes de croix, laissant sur la peau la forme imprimée par la griffure d'un ongle long et noir de terre. Enfin, il se détourne et secoue doucement la tête en direction de la génitrice. Comme il est dit que l'on peut guérir les petits enfants de leur fièvre en appliquant sur leur front une colombe fendue en deux, elle tord le cou d'un pigeon blanc qui fera bien l'affaire et dont elle découpe la carcasse, ouvrant le plumage immaculé sur des tripes tièdes et bleues qui laissent sur le front du père une marque poisseuse rouge. Mais le père proteste et repousse la petite dépouille dont la tête renversée repose bec ouvert sur le sommet de son crâne avant de rouler dans les oreillers.

Un matin de septembre, Marcel emmène Éléonore avec lui. Ils marchent longtemps à travers champs, longent une carrière de pierres de taille et de moellons, traversent des terres en friche, contournent un vallon enseveli sous les broussailles et au milieu desquelles jaillissent les restes affaissés d'une ancienne grange. Comme chaque matin, l'épeire diadème, portant sur son dos le signe de la croix, détruit sa toile et la tisse patiemment à nouveau. Le ciel est clair, chaulé, l'air bruisse encore de nuées d'abeilles alourdies de pollen. Les terres sont rondes et pommelées comme la croupe d'un percheron. Ils s'arrêtent parfois, lèvent leurs visages, une main tendue devant eux pour observer le vol d'un dirigeable et des aéroplanes qui survolent le pays, leur ombre majestueuse glissant tranquillement sur la vallée. Ils grimpent le flanc d'une colline, coupent par une futaie et enjambent des branches enchevêtrées et moussues. Marcel ouvre le chemin pour Éléonore. Un bâton à la main, il frappe les lianes de ronces, piétine les souches poreuses qui explosent sous son talon, retient les branches souples, et l'enfant se glisse contre lui, dans le passage sûr qu'il lui ménage, le devance de quelques pas, puis se laisse rattraper. Ils progressent en silence jusqu'à l'orée du petit bois surplombant la vallée, l'agencement géométrique des terres de culture, l'ondulation tranquille et verdoyante d'un ruisseau serpentant au loin. À quelques kilomètres devant eux, les divisions de cavalerie et les troupes d'infanterie se positionnent sur les chemins, pour les grandes manœuvres. Éléonore s'assied près de Marcel sur le tronc d'un arbre couché. Elle ignore ce qu'ils observent, et n'ose le demander, mais son cœur s'emballe à la vue des soldats armés qui cheminent aux flancs des mamelons, chaussés de bottes de cuir luisant ou montés sur des selles français étrillés et nerveux. Durant ce qui lui paraît être plusieurs heures, ils restent assis là, Marcel fixant l'avancement des divisions que précèdent des détachements de toutes armes, et le vent d'ouest leur porte parfois les éclats de voix indistincts des chasseurs et des hussards, des bribes de commandement ou le hennissement des chevaux. Lorsque enfin Marcel se lasse, et qu'ils rebroussent chemin, il a le regard vague et sombre, et quand Éléonore s'enhardit et le saisit par la main, il ne paraît s'apercevoir de rien, mais garde dans sa paume les doigts de la fillette mêlés aux siens.

La génitrice, qui suit dans la presse l'avancement des manœuvres, lit au père la nouvelle du déplacement du ministre de la Guerre dans le département, le récit des défilés des régiments d'artillerie, la foule acclamant les lourdes pièces de canon et le 120 mm de Bange en acier peint. Sa lecture est laborieuse, elle soutient la ligne d'un ongle encrassé et facetté. Elle achète *La Croix du Gers* ou *La Semaine religieuse,* quand le père lisait *La République des travailleurs, Le Réveil des communes* ou *L'Indépendance gasconne.* Elle découpe dans les almanachs et les journaux des illustrations, des reproductions d'images saintes, de tableaux religieux, qui cloquent et jaunissent sur les murs. Elle commente les articles et les nouvelles qui confortent l'idée lointaine et définitive qu'elle se fait de la déréliction du monde. Elle se passionne pour «l'œuvre africaine», l'avancée des bataillons français sur les terres hostiles dont lui parviennent les photos repeintes de natures impitoyables, les portraits de sauvages et de bêtes infernales. La guerre des Balkans l'exalte, les récits de combats, les images de fantassins dont les corps jonchent les tranchées ou s'entassent aux pieds d'un prêtre bénissant une fosse commune. À l'heure où le regard du père se trouble, elle s'émeut de ces témoins qui ont vu suinter la statue en bronze du pape Martin V dans l'église de Saint-Jean-de-Latran, augurant ainsi de la mort prochaine de Pie X. Dans un numéro de *L'Illustration* qu'elle s'est procuré au marché, elle lit à haute voix les atrocités endurées par une garnison bulgare sur un îlot de la Toundja où les soldats agonisent et meurent à l'ombre des arbres dont ils ont dévoré l'écorce à hauteur d'homme : «Oh l'enfer ! Une rumeur faite de plaintes, de hoquets, de râles, vous vrille sans relâche les oreilles et vous hérisse la chair. Des hommes de corvée, des prisonniers aussi, passent, portant des civières, vont et viennent des coins perdus où ils découvrent quelque cadavre, chairs blêmes tendues sur les os, comme momifié, d'autres tout noirs, gonflés de virus. Partout, on agonise en plein air, sous ce beau soleil printanier, au pied des arbres qui revivent, sur la grève humide, au bord des eaux courantes qui vont charrier plus loin la contagion, partout et dans les plus ignobles postures, pauvres bêtes indifférentes à tout respect humain, évacuant par tous les orifices la pestilence du mal. Pourtant, d'aucuns, s'aidant des mains, des pieds, vont vers un trou d'ombre, au pied de la tour qui s'effrite, et se plongent d'avance dans les ténèbres, pour y expirer en paix : chaque matin, ce cloaque est rempli de cadavres convulsés. » Elle opine lentement du chef, signifiant ainsi qu'elle en a eu pour son compte, et qu'il faut y voir la réalisation de l'une de ses multiples prédictions quant à la propension de l'homme pour le mal et ses conséquences.

À l'extérieur, la présence du père régnait et résonnait par ses gestes et son labeur coutumiers, le long des arpents de terre, dans la proximité des bêtes. Elle se concentre désormais dans l'unique pièce de la maison où elle imprègne et sature jusqu'à la nausée les heures sombres, les meubles, le salpêtre des murs, et à mesure que le père est ramené en lui-même, la présence de Marcel se déploie et leur devient indispensable puisqu'il exécute désormais les tâches qui incombaient au père, à travers lesquelles se justifiait son existence, et dont la maladie l'exclut tout à fait. La génitrice a la mainmise sur cette agonie. Nul autre qu'elle n'est autorisé à veiller le père, pas même sa fille. Elle qui a semblé, depuis le jour de leur sinistre noce, ne supporter qu'à grand-peine la proximité de l'époux, elle qui s'exaspérait sans cesse et que les premiers symptômes de la maladie révulsaient, voici qu'elle ne quitte plus son chevet, redouble d'attentions, de prières et de soins. La disparition probable du père ne la bouleverse pas, elle sait la banalité de la mort et a trop de foi en ses superstitions, mais à mesure qu'elle sent vaciller puis s'effondrer son univers, elle s'y attache avec l'opiniâtreté du désespoir, comme s'il suffisait de maintenir le père en vie pour retenir leur réalité, soit-elle indigente, et la préserver de l'inéluctable bouleversement. Elle croit que le père peut végéter ainsi jusqu'à ce qu'advienne la fin des temps, qu'il n'en finira plus de mourir si elle applique ses attentions avec assez de persévérance et de conviction, et qu'elle préservera ainsi l'équilibre ténu de la ferme et de leurs existences que l'arrivée de Marcel a fait voler en éclats. Elle s'est opposée à cette intrusion, convaincue qu'ils n'auraient que faire d'un garçon de ferme, leur soit-il lié par une parenté quelconque, d'une nouvelle bouche à nourrir, et que le père pourrait assumer la charge des travaux tant qu'il n'aurait pas épuisé les dernières de ses forces. Puis, devant l'évidence, il lui a bien fallu se résoudre, mais la venue du garçon a coïncidé avec le déclin du père et elle songe que cette présence parasite et mâle se nourrit de la vitalité du vieil homme, celui-ci s'effaçant au profit de celui-là qui prend ses aises à mesure que l'exploitation, les bêtes et les terres lui deviennent familières. Aussi ne conçoit-elle aucune affection pour Marcel, mais seulement de la défiance. Leur relation se passe de mots. La génitrice se contente de remplir son assiette, de faire chauffer l'eau pour ses ablutions, de le surveiller du coin de l'œil sans pourtant jamais poser le regard sur lui. Elle ne songe pas à étendre sur Marcel son emprise.

Elle sait d'instinct qu'il y réchappe, enveloppé dans son mutisme rétif, son ardeur solitaire à la tâche. Elle redoute en lui quelque chose de couvé, d'inflexible, qu'elle ne saurait nommer. Il y a longtemps, quand un porcelet naissait avec le poil roux, on le noyait, sa robe dénonçant un dérèglement, une constitution vicieuse. Elle voit un signe dans la tignasse flamboyante de Marcel, sa peau trop pâle. Mais il aura bientôt dix-neuf ans, et elle contribuera alors sans broncher à l'achat de ses brodequins en cuir de bœuf, pour peu que le conseil de révision et le service militaire l'emportent.

Éléonore erre dans les parages de la ferme où les froides journées de l'automne étalent et enlacent leurs heures dilatées, tout imprégnées par le crépuscule du père. Elle se tient en retrait dans la compagnie des bêtes. Elle accomplit les menus travaux qu'on lui confie, trait les vaches, porte le pain à cuire au four banal, mène encore les cochons à la glandée et accompagne la génitrice au marché pour vendre des tubercules tardifs, une brassée de poireaux, des œufs et quelques lapins ou volailles. Démunie de la protection du père, elle redoute plus que jamais la proximité de la génitrice, à laquelle il lui faut pourtant se soumettre. Son assiduité à la prière est redoublée et elle y astreint l'enfant dont les genoux sont cagneux et insensibles à force d'être râpés contre le sol. Éléonore guette à distance ses allées et venues et, lorsque la génitrice s'apprête pour partir à l'église, lui confiant à contrecœur la garde du père, Éléonore ne montre rien de son impatience.

Mais, aussitôt seule, elle se précipite à son chevet, enlace les longs doigts aux cartilages saillants, caresse l'entrelacs de veines sur le dos de la main que le père lui abandonne. Elle repousse les draps de lin, l'édredon, saisit les jambes décharnées où les mollets et les cuisses ne sont plus que des sacs peaussus flottant sous le fémur et le tibia, puis l'aide à se redresser et à s'asseoir près d'elle. Elle passe un bras autour de son torse étroit, éprouvant le cerclage des côtes que la respiration difficile soulève sous la chemise de nuit, puis l'accompagne tandis qu'il esquisse quelques pas, s'assurant d'une main posée sur la table, traînant le poids de ses pieds nus comme deux fardeaux de chair morte. Elle l'assied enfin au bord du lit, dépose de grosses braises dans une bassinoire qu'elle glisse sous les draps pour réchauffer la laine du matelas. Éléonore sort de l'armoire une blague à tabac de cuir craquelé qu'elle tend au père. Il l'ouvre de ses gestes fiévreux, pioche une chique et la glisse sous sa lèvre inférieure. Les mains étendues sur le matelas, la tête basse et les yeux clos, il savoure une salive sombre et douloureuse, puis crache enfin dans la paume que lui tend Éléonore. L'enfant jette le tabac au feu et la chique siffle et se rabougrit sur les bûches. Comme elle tourne patiemment le dos, le père se soulage dans le pot de chambre près du lit. Elle le rallonge enfin, le borde et s'étend auprès de lui, contre ce long corps fragile et grelottant qui la regarde de ses yeux plus grands qu'autrefois et traversés par d'obscurs courants. Lorsque la génitrice réapparaît, Éléonore est assise à la table, absorbée par la lecture d'un missel. La paysanne dénoue son châle en silence, observe la pièce d'un regard suspicieux, pose une main sur le front du père désormais assoupi, demande s'« il a fait » et inspecte la couleur et la fluidité du contenu du seau d'aisances – parfois munie d'un long bâton, elle trifouille une selle pâle ou sanguinolente, la pique et la découpe comme s'il lui était possible d'y lire un présage –, puis expédie Éléonore à l'extérieur au premier prétexte. L'enfant retrouve alors Marcel, dont la présence se substitue à celle du père et qui lui témoigne à son tour une affection sincère. Elle l'accompagne aux champs, lui prête parfois main-forte. Elle reste souvent à jouer, à quelques mètres de lui, sans qu'ils s'adressent un mot. Elle gratte la terre pour en déloger les vers qu'elle lance aux poules, ou jette des bâtons à Alphonse. Le regard que Marcel pose sur elle et le sourire qu'il esquisse sont autant de caresses à son âme triste. Elle aime son labeur, marche dans son sillage pour saisir l'odeur de sa gorge lorsqu'il souffle sous l'effort, celle que son chandail évente quand il se penche près d'elle, et qui doit être l'odeur étrangère et grisante de sa peau laiteuse, des replis cachés de son corps. Au printemps, elle a vu l'accouplement des vipères aspics dans les anfractuosités des roches plates et feuilletées, l'enlacement pulsatile de leurs courbes, et il lui semble porter un nœud semblable, une force inconnue qui se fait jour en elle et se meut dans les tréfonds de son ventre.

Au soir, Marcel tire le banc, s'installe près du père et lui fait le récit circonstancié de sa journée, d'une voix basse, pleine de déférence, qu'il ne laisse entendre à aucun autre moment. Le père l'écoute parler de l'intérêt de développer l'élevage qui rapporte désormais bien mieux que la culture et nécessite moins de main-d'œuvre. Le père acquiesce quelquefois mais ne dit rien, comme si les affaires de la ferme étaient désormais trop loin de lui pour pouvoir l'atteindre. Depuis que le patriarche n'est plus en mesure de faire lui-même sa toilette, c'est à Marcel que revient le soin de ses ablutions. Les femmes se tiennent à l'écart du rituel où, dans l'intimité de leur sexe et leur recueillement, le jeune homme dévêt le paysan, l'installe près du feu, assis sur un tabouret dans le cantou, plonge un linge dans un baquet d'eau chaude puis savonne consciencieusement la peau maladive et blême, masse d'une main les muscles atrophiés, les chairs exsangues, empoignant de l'autre l'angle aigu d'une épaule, d'un bras, d'une cheville. Ses bras de chemise sont relevés jusqu'aux coudes, la mousse grise essorée du gant coule pesamment sur la peau diaphane de ses poignets et le père s'abandonne, sans plus de pudeur pour son corps ravagé et confié à la sollicitude du garçon. De ces instants soustraits à son regard, Éléonore conçoit des images rémanentes de cérémonial dont l'aura enveloppe et couronne Marcel. À mesure que le père s'éteint, ce corps, pareil à un vaisseau fantôme et qu'il n'habite plus que d'un souffle chancelant, semble désormais sanctifié. Chacune de leurs attentions, chacun de leurs gestes graves et solennels le consacre, charriant le flot des images liturgiques et, lorsque pour le soulager de l'engourdissement il arrive que la génitrice baigne les pieds du père, elle incarne l'espace d'un instant la pécheresse qui, chez le Pharisien, mouilla de ses larmes les pieds du Fils et les oignit de parfum. Puis, les Évangiles se confondant dans sa mémoire, Éléonore place en pensée les mots du Christ dans la bouche close du père : « Ce qu'elle pouvait faire, elle l'a fait : d'avance elle a parfumé mon corps pour l'ensevelissement. »

Dans un recoin de la porcherie, quatre murs de pierres scellées forment un enclos exigu, aménagé pour l'engraissement d'une bête, dans lequel ne pénètre jamais la lumière du jour. Une porte basse en grosses lames de bois de chêne permet l'accès à une auge dans laquelle Éléonore, chargée de la besogne, déverse matin et soir l'eau brune de patates bouillies encore couvertes de terre, mélangée à des farines grossières et des restes de cuisine. L'animal grandit derrière la porte basse, dans l'obscurité quasi totale. Un ajour entre les lames de bois offre parfois un trait de lumière qui fend alors la poix de l'enclos, mais le porc, dont les yeux aux pupilles brunes sondent inlassablement la nuit qu'il habite, la fuit en se jetant aux limites de son univers. Lorsque Éléonore soulève la clenche et entrouvre la porte, elle perçoit, dans une bouffée acide et chaude, les soubresauts d'un œil fébrile, une gueule écumante, un pan de peau souillée où les soies sont prises dans des croûtes brunes. Elle verse à toute hâte dans l'auge le contenu de son seau et rabat la porte et le loquet tandis que la bête se jette sur sa pitance à grands bruits de succion et de déglutition. Elle connaît bien les porcs, aucun autre animal ne lui est plus familier – d'un temps originel, aux confins du souvenir, lui reste l'impression d'une proximité consolante –, mais elle sait aussi devoir se méfier de leur sournoiserie, de leur appétit insatiable et de leur extraordinaire puissance. Le porc mis à l'engraissage, dérobé au regard des hommes, lui apparaît pourtant auréolé de mystère, bête rampante et innommée, jaillie de mythologies ou de légendes et qui ne disparaît jamais tout à fait, bien qu'on en fasse couler le sang, mais resurgit toujours, comme enfantée par les ténèbres de la soue. Lorsqu'il est décidé de récurer l'enclos où ne tardent pas à s'amonceler les couches excrémentielles, l'animal en est extrait par la force, piqué aux flancs ou battu à coups de badine jusqu'à ce qu'il surgisse, comme les grillons des champs qu'Éléonore déloge durant les chaudes journées de l'été, glissant dans leur galerie de longues brindilles ou relevant sa jupe pour l'inonder d'urine jusqu'à voir jaillir, à découvert dans la lumière éclatante du monde, l'insecte hébété et vulnérable. Le porc est pareil aux autres, mais plus farouche, plus imprévisible et comme ensauvagé, et Éléonore reste prudemment sous la protection des hommes qui le contiennent à force de cris et de bourrades.

Pour châtrer une truie destinée à l'engraissage, le père fait venir Albert Brisard, car la bête laissée à son cycle devient mauvaise, ne profite pas et « perd en un jour ce qu'elle a gagné en un mois ». L'homme introduit alors l'extrémité d'un cône en fer dans la vulve de la bête et verse par le côté évasé de la grenaille de plomb utilisée pour la chasse. Les morceaux de métal s'incrustent dans l'utérus et les ovaires, et la truie ne connaît plus de chaleurs. Seul Brisard sait apprécier la méthode de châtrage appropriée en fonction de la bête, et il choisit parfois « d'ouvrir ». On immobilise alors la truie dans une cage en bois dont l'écartement des planches permet de passer la main. Brisard pose près de lui une trousse en cuir dont il tire une lame, puis incise le flanc de la bête qui hurle et se débat en vain, confinée par les parois. L'homme au pied bot enfonce l'index dans la plaie et fouille le péritoine jusqu'à éprouver la surface boursou-flée des ovaires qu'il tire pour l'extraire vers la plaie en appuyant du pouce sur la peau du flanc. Il saisit dans la trousse une bobine de fil dont il tranche un morceau, puis ligature l'artère et la veine ovariennes avant de pratiquer l'ablation de la tripe, de renfoncer les moignons et de suturer le ventre de la truie.

Chaque année, à quelques jours de la Toussaint, l'animal est sacrifié. Tôt le matin, on s'affaire. La mère et la fille, rejointes par quelques femmes des fermes voisines – la Fabre et sa bru, la Roque et sa portée d'enfants indistincts –, font bouillir l'eau, apprêtent les bassines et un grand baquet en planches de bois goudronné. Brisard, dépêché pour l'occasion, affûte la lame d'un couteau sur une pierre à huile. Animé par un regain de vie, le père demande à être levé et habillé, et les protes-tations de la génitrice ne parviennent pas à le dissuader. Il flotte dans la chemise dont on le vêt et dans ses pantalons qu'il faut nouer à l'aide d'une ficelle glissée dans les passants de ceinture. Semblable à un pantin erratique et décavé, il parvient à se déplacer, soutenu au coude par la main d'Éléonore. Une fois sur le seuil, il reste un instant sans bouger, le visage baigné par le soleil froid. Il inspire profondément le parfum consolant du tas de fumier, des nappes de feuilles mortes entamant leur lente décomposition sous les arbres noirs et dénudés qui bordent la ferme, et sa fille sent le frisson bienfaisant qui le traverse de part en part. Il gagne à pas traînants le petit banc de bois clouté et vermoulu à l'assise ployée sur lequel il s'assied une dernière fois, tandis que la génitrice rabat deux épaisseurs de couvertures sur ses épaules et sa chasuble.

« Tu pourras pas dire. J'aurai prévenu », dit-elle.

Le père ne semble pas l'entendre et détourne le regard vers Alphonse qui s'approche pour le renifler. Il tend une main pour flatter sa tête grisonnante, mais le chien s'éloigne, la queue entre les pattes, sous les yeux embués du père. Bientôt, des hurlements se font entendre depuis la soue. Alphonse jappe au milieu de la cour et Brisard se relève, passant la lame effilée du couteau sur la pulpe de son pouce dont il entaille superficiellement la corne. Marcel surgit. Il tire dans la lumière, derrière lui, et de toutes ses forces, le porc dont il a entravé les pattes et la gueule à l'aide d'une corde. Il traîne la bête qui se débat sur son flanc, continue de pousser une plainte longue et gutturale, jaillie de son groin avec une salive blanche. La mère approche une bassine et, à l'instant où le saigneur s'approche et que le soleil reflété dans la lame du couteau jette un bref éclat de lumière sur le visage de Marcel, le porc abdique et s'immobilise sous l'étau des mains qui le contiennent. Son œil se fixe sur le bleu du ciel parcouru de traînées de brume basse. Son souffle se condense, sa vessie se vide sur ses cuisses. Depuis le banc, le père observe, approbateur, le gabarit du cochon. Albert Brisard plonge dans le cou la lame qui s'enfonce jusqu'au manche, tranche l'artère en un tournemain, rejaillit immaculée, délivrant par à-coups le sang que le cœur de la bête propulse dans le seau pressé contre les lèvres de la plaie, et le visage sévère de la génitrice comme le haut de son chemisier blanc sont d'abord constellés d'une pruine giclée depuis le seau en métal. Éléonore se glisse entre les adultes et pose une main sur le dos de la bête dont le souffle s'amenuise puis s'éteint. Lorsqu'elle se redresse et tend le seau aux voisines qui l'emportent, la paysanne néglige d'essuyer les gouttes prises à ses sourcils, au duvet de ses joues. Les hommes saisissent la carcasse désormais malléable, la surélèvent pour que s'en écoule le dernier fluide. Ils la hissent dans le baquet et les femmes rapportent de l'arrière-cuisine les récipients d'eau bouillante qu'elles versent sur la dépouille dans d'épaisses bouffées de vapeur qui les font reculer et leur arrachent de petits cris, puis les hommes armés de grattoirs et de couteaux frottent vivement la peau brûlée, frrrt, frrrt, frrrt, et les soies arrachées flottent bientôt à la surface trouble et empuantie de l'eau, se collent à la peau de leurs poignets. Ils tirent ensuite le porc immaculé sur une échelle, déplient les membres, les ficellent aux barreaux. Brisard renfonce le couteau au niveau de la plaie déjà pratiquée et découpe la chair du cou jusqu'à dévoiler la trachée qu'il sectionne, les vertèbres cervicales dont il sépare les disques ouverts sur une corolle de moelle rouge. Les voix s'échauffent, la cour s'emplit des cris des enfants qui, lassés déjà par le spectacle, courent au milieu des volailles. Les pieds du porc sont eux aussi tranchés, les cartilages brisés, les os dessoudés. L'abdomen est ouvert sur l'amas de tripes d'où s'élèvent de fines fumerolles doucereuses et que la lame du couteau d'Albert Brisard vient décoller d'un patient va-et-vient tandis que ses mains s'y enfoncent, soulèvent les circonvolutions intestinales, découpent l'anus, séparent la masse rosâtre des poumons, cisaillent les nerfs, arrachent enfin ce fardeau flasque et puant et le laissent tomber dans un baquet dont les femmes s'emparent. Maintenant assise près du père, Éléonore regarde la génitrice, étonnamment affable, au milieu de ces femmes armées de petites lames, qui entaillent et pressent entre leurs mains maculées de bile et de fiente les fressures qu'elles rincent à grande eau puis déroulent devant elles en de longues frises translucides. La tête énucléée est mise à bouillir puis raclée jusqu'au dernier morceau de viande pour la confection du pâté. Les pieds eux aussi sont bouillis avec des aromates. Les jambons sont salés et mis à sécher, suspendus aux solives. La graisse fondue est mise en pot. Les enfants grignotent de petits morceaux de couenne frits qui croustillent sous leurs dents. Leurs mains et leur visage luisent de saindoux. Une odeur d'excrément, d'âcre fumée, de métal et de cuisine embaume la ferme. Quelques heures plus tard, attablés, ils se repaissent de boudin chaud et d'abats mijotés dans une sauce au vin et au sang dans laquelle ils trempent de gros morceaux de pain et dont même le père se régale. Cette nuit-là, Éléonore rêve d'une falaise surplombant le lac de Tibériade, du haut de laquelle des porcs se précipitent par milliers, puis d'une eau noire, où leurs dépouilles par milliers flottent et par milliers dérivent vers d'insondables abysses.

Dans le même temps, le même lieu, hommes et bêtes naissent, vivotent et disparaissent ; le père survit, par miracle ou par malheur, jusqu'à la mi-mars, puis finit enfin par mourir. Des jours durant, il gémit dans le lit clos dont les portes délivrent l'odeur putride de l'agonie, une plainte ininterrompue qui n'est pas celle d'un homme, mais plutôt d'un petit enfant ou d'une bête piégée. Une toux violente le secoue par moments et il expulse sur ses draps des crachats épais et sanguinolents, des morceaux de bronches. Il n'est plus qu'un alignement d'os perceptibles et de cartilages protubérants. En quelques jours, de larges escarres se forment aux points d'appui, des trous purulents aux fesses et aux talons, dont le médecin découpe et retire des bouts de chair morte, puis qu'il récure consciencieusement, désinfecte et bourre de gazes. Des diarrhées profuses le surprennent, mais il n'a plus la force de demander le pot. On ne sait d'ailleurs plus ce qu'il chie, puisqu'il est incapable de manger, ou alors du bout des lèvres et en s'étouffant à moitié. Son urine est rance et médicamenteuse. Il se dissout à même le lit dont la génitrice change, lessive et fait bouillir les draps à tout-va. Sur le matelas bourré de laine restera, après la mort du père, une large auréole de couleur indéfinissable et, prudente, la paysanne le retournera pour dormir sur l'autre face. L'air est corrompu par l'intenable puanteur excrémentielle. Le cœur au bord des lèvres, ils mangent, attablés dans le parfum acide que le père soulève lorsqu'il s'agite ou dès qu'il ouvre la bouche pour ahaner quelque chose, son haleine confessant alors l'alchimie qui, déjà, s'opère en lui. Il n'est plus possible de le tirer hors du lit pour sa toilette, au risque de le briser. Marcel le savonne comme il le peut, lui arrachant des cris de douleur malgré la retenue de ses gestes et, si la mère et la fille continuent de détourner le regard, le père n'a plus de pudeur et repousse sans cesse de ses pieds bandés, de ses jambes jaunes et grêles, les draps et les couvertures dont il ne supporte plus ni le poids ni le contact, exposant à leurs yeux son corps de faucheux, son sexe liquéfié dans la touffe encore noire du pubis. La mère ne quitte plus son chevet. Elle parle des sorts qui sans doute les frappent et elle maudit le rebouteux de n'avoir su les lever et les retourner contre ceux qui, quelque part et sans nul doute, les profèrent.

Le chien ne la devance plus, ne se précipite plus dans l'eau des fossés, mais marche à son pied, le poil hérissé par le crachin, et ils longent les terres déchirées d'où jaillissent en tiges brunes et brisées les vestiges des cultures de l'été passé, tandis que des busards planent au-delà dans le ciel gris et ventru, puis fondent à pic sur un lapereau ou une musaraigne qu'ils emportent en un cri. Des touffes de laine et de crins se balancent aux fils barbelés des clôtures, et des moutons gonflés de pluie la regardent au loin. Parvenue au village, Éléonore frappe à la porte du presbytère, mais seul lui répond l'écho étouffé de son poing. Elle s'assied alors sur la marche, ramène le châle en laine sur son front perlé de pluie tandis qu'Alphonse se presse contre son flanc. Elle passe son bras autour du chien, enfouit sa main dans le poil humide et chaud de son ventre et sent palpiter le cœur de l'animal sous ses côtes. La pluie, le piétinement des hommes et des bêtes transforment la place en une mare de fange. Les bas de pantalons et les plis des robes sont figés dans une croûte noire. Les chiens traînent dans leurs poils des nœuds durs et lourds comme des pierres. Les roues des charrettes et les sabots du bétail jettent aux visages une boue viciée comme celle dont le ventre du père semble être la source intarissable. On s'approche d'Éléonore, on la questionne : elle dit qu'elle vient sur ordre de la mère chercher le prêtre. On comprend que son père va « passer » et qu'il faudra bientôt sonner le glas. Mais le père Antoine est au village voisin, pour l'office ; il n'aura certainement pas dérogé à la tournée des cafés et ne devrait pas être de retour avant plusieurs heures. Éléonore décline l'invitation de se mettre à l'abri dans une cuisine pour l'attendre, quand bien même elle aurait vue sur le presbytère et la route principale menant à l'église. On renonce à la convaincre, on lui porte un bol de lait brûlant dont elle mange la crème sans appétit, puis qu'elle abandonne au chien qui s'y brûle les babines. Les heures passent, le jour s'étiole, livide et bleuissant les façades des maisons. La cime des marronniers se perd dans le clair-obscur lorsque le père Antoine apparaît enfin, cahoté sur le dos d'un petit âne mené par un sempiternel enfant de chœur qui semble lui-même avoir survécu au déluge et dont le prêtre ne saurait retenir le prénom, comme il a oublié celui de ceux qui l'ont précédé, se gardant bien de les nommer autrement que « mon petit » ou « mon enfant », mais dont il affectionne de flatter infiniment la douce nuque hérissée de cheveux fins. Éléonore regarde s'avancer vers elle le curé de campagne désormais vieux et bedonnant, cuvant son vin, avachi sur l'âne comme une outre, et quand la bête trébuche dans une fondrière ou heurte une pierre qui entrave son chemin, le prêtre maugrée un juron indistinct ou murmure « maman », avant de sombrer à nouveau dans la torpeur. Lorsque l'enfant de chœur approche l'âne, le père Antoine s'éveille enfin. Il avise la fillette assise là, puis se laisse douloureusement glisser du dos de la monture, brosse le cul de sa soutane couverte de poils gris, souillée par les gerbes de boue, et pose une main sur la croupe de l'âne pour garder son équilibre, puis il monte les deux marches du presbytère en soufflant son haleine d'ivrogne qui se condense.

« C'est ta mère qui t'envoie ? » demande-t-il en fouillant ses poches à la recherche de la clé.

Éléonore acquiesce en claquant des dents. L'enfant de chœur au visage éteint attache l'âne résigné et battu par la pluie.

« Ça peut donc pas attendre ? » geint le prêtre.

Éléonore secoue la tête. Le curé observe ce petit épouvantail maigre et détrempé, puis souffle sa résignation et glisse dans la serrure la clé retrouvée :

« Bon sang, bon sang, bon sang… Va chercher Raymond Carrère, dit-il à l'attention de l'enfant de chœur, et passe prévenir chez toi. »

Le garçon s'éloigne. Le père Antoine ouvre la porte et fait signe à Éléonore de le suivre. L'habitation louée à la municipalité pour une somme dérisoire tient en deux pièces étroites, attenantes à la sacristie et qui, comme l'église, sentent la pierre humide, le bois des bancs de messe, les aubes poussiéreuses, mais aussi la couche éventrée et aigre du lit calé dans un angle entre de rares meubles sur lesquels s'entassent de petites effigies de bois, des bougeoirs et des écuelles où coagulent des restes de soupe. Le prêtre allume une lampe à huile, puis ravive le feu d'un poêle en fonte. Il fouille dans un coffre, en tire une bouteille d'alcool, remplit un verre et s'assied sur la malle près du poêle, les coudes posés sur les genoux, le visage baissé sur le verre qu'il tient entre ses mains, sa grosse tête chauve piquetée dégouttant sur le sol. Éléonore se tient immobile et coite près de la porte, Alphonse couché à ses pieds, et elle pense d'abord que le curé s'est rendormi, mais il

88

souffle et toussote, puis porte le verre à ses lèvres et se redresse.

« Assieds-toi donc ! » dit-il.

Éléonore reste debout et il l'observe, avant de demander d'une voix laborieuse :

« Est-ce que tu as bien aimé ton papa ? »

Puis, Éléonore ne disant rien, d'ajouter :

« C'est bien, tu es un bon petit, un bon petit, un bon, bon, bon petit », avant de retomber dans sa contemplation, de se redresser à nouveau et de lever son verre en clamant : « Honore ton père et ta mère afin de jouir d'une longue vie dans le pays que l'Éternel ton Dieu te donne ! »

Ils restent longtemps silencieux, avec pour seul bruit le crépitement des bûches dans le poêle et celui de la pluie qui bat les toits pentus du presbytère. On frappe enfin à la porte. C'est Raymond Carrère, le bedeau, qui se tient sur le seuil, drapé d'une cape cirée.

« L'enfant n'est pas avec toi ? » demande le curé tandis que l'homme s'avance et pose les yeux sur Éléonore.

« Sa mère dit que c'est point un temps à mettre un chien dehors et qu'y a certainement attrapé la mort à rester là sous la pluie », dit l'homme.

L'ecclésiastique balaie la réponse d'une grimace et d'un geste excédé du poignet. Carrère retire son béret et adresse un hochement de tête affecté à l'attention d'Éléonore, tandis que le père Antoine se traîne jusqu'à la porte de la sacristie qu'il déverrouille et derrière laquelle il disparaît, fourbit un moment, puis resurgit, emmêlé dans son surplis et dans une étole pourpre, la croix paroissiale sous le bras, les saintes huiles glissées dans un sac en tissu et une clochette en bronze à la main.

« Allons, allons », dit-il en les poussant vers la porte.

La procession se met en marche. Éléonore ouvre la route et l'éclaire tant bien que mal en tendant devant elle la lampe à huile dont la lumière se fragmente et s'éteint dans les ornières. Elle agite de l'autre main la petite cloche étouffée par la pluie. Alphonse les devance, feintant entre les flaques. Raymond Carrère porte la croix paroissiale dont il soutient le pied dans l'angle de son coude gauche et qui repose sur son épaule, appuyée contre sa joue. L'averse rabat sur le bois et le visage ruisselant et crevassé du Christ le crêpe dont le haut de la croix est empanaché, et la face resplendissante levée vers la nuit devient celle d'un gisant enlinceulé. Lorsqu'ils traversent la place, les villageois s'attroupent aux fenêtres dans le halo des bougies, puis se signent. Les femmes rencontrées retiennent leurs jupes fangeuses et, ne pouvant mettre le genou à terre, plient la jambe et inclinent la tête. Comme ils passent devant la forge où le foyer rougeoie, le forgeron cesse de battre l'enclume et esquisse à son tour un signe de croix. Dans les braises, un fer à cheval scintille paresseusement comme une lave. Sous les hangars ou dans les chais, les chiens aboient et tirent sur leurs chaînes au passage d'Alphonse. Depuis le pas des portes, les enfants suivent du regard la procession silencieuse et noire qui s'éloigne du village sous le ciel rompu, cinglant leurs joues d'un flot diluvien. Bientôt les cris des chiens s'apaisent, Puy-Larroque s'efface dans leur dos et ne restent que la pénombre profonde et électrique, le vert-de-gris niché dans le creux des collines dont leurs yeux peinent à saisir les courbes. Des éclairs convulsifs, silencieux et couvés illuminent de hautes strates, des dômes enluminés. Des poules faisanes filent dans les ronciers ; du petit gibier, bleu, furtif et silencieux, galope en bordure des champs. Une rafale de vent soulève le voile de crêpe qui endeuille le visage du Christ, puis l'emporte en un claquement et la procession s'arrête un instant, regarde, impuissante et grelottante, le voile funèbre s'envoler dans la nuit froide, cavaler le long du chemin vicinal, pris dans les spirales de feuilles mortes, s'élever dans les airs puis disparaître, aussi vif et imprévisible qu'une noctule. Ils reprennent leur marche laborieuse. Le père Antoine titube sur le bord du chemin, dans les touffes d'herbe spongieuse, soulevant tant bien que mal la soutane piétinée par ses sabots crottés. Il leur crie des mots qui ne leur parviennent que par bribes. L'étole pourpre lui gifle le visage et il la rabat, puis s'arrête, à demi courbé, les mains posées sur les cuisses. Ils parviennent au calvaire au pied duquel ils conviennent de s'arrêter un instant et le prêtre s'assied, répétant à bout de souffle :

« Ah, Seigneur, ah, Seigneur, ah, Seigneur ! »

Il fouille dans le sac renfermant les saintes huiles, en sort une fiole d'eau-de-vie dont il porte le goulot à ses lèvres tandis qu'Éléonore et le bedeau patientent, elle sans cesser d'agiter la clochette, lui luttant contre le vent pris dans la croix paroissiale dont le poids lui endolorit l'épaule et cherchant un équilibre d'un pas en avant ou de deux en arrière. Désormais, la nuit est dense, percée seulement par la flamme tourmentée de la lampe que tient la fillette frigorifiée. Un éclair alors les dévoile et les fige comme des daims ébahis avant de les restituer à l'obscurité, laissant en négatif, sur le disque de leurs pupilles aveugles, l'image persistante de la croix et de leurs silhouettes contournées. Le père Antoine range sa fiole avec précaution et ils le relèvent en tirant chacun l'un de ses bras de toutes leurs forces, puis se remettent en route. Dans un pré clôturé, du bétail invisible et oublié se tient à l'abri des arbres et seuls surgissent les yeux pâles où se prend le halo de la lampe. À l'approche de la ferme, pour l'heure indistincte, un grondement déchire brutalement les cieux et Alphonse s'enfuit droit devant au pas de course et disparaît malgré les appels d'Éléonore. La foudre s'abat non loin sur la cime d'un cèdre séculaire et elle entend dans son dos la voix asthmatique du prêtre :

« Quand… je marche… dans la vallée… de l'ombre… de la… de la… mort… Je ne crains aucun… mal… car Tu es avec… Tu es avec moi… Ta houlette… et Ton bâton… me rassurent… »

Une nouvelle bourrasque balaie la route, soulève la croix paroissiale qui échappe aux mains glissantes de Raymond Carrère et le bedeau cherche à se rétablir, galope derrière la croix un instant redressée, comme hissée dans la nuit par quelque force supérieure, puis qui ploie, l'entraînant par-devers le fossé et le répand de tout son long dans un champ en friche. Le père Antoine et Éléonore restent interdits tandis que Raymond Carrère, la bouche pleine de terre, se relève péniblement, glisse, s'étale de nouveau, bataille et se tient enfin debout, crache et passe une main sur son visage emplâtré. Le bedeau regarde le prêtre, l'enfant regarde le prêtre, le prêtre les regarde tour à tour et ne dit rien, puis le bedeau extirpe de la boue la croix paroissiale, la charge de nouveau sur son épaule et enjambe le fossé. Lorsqu'ils parviennent à la ferme, la pluie a rincé sa face et celle du Christ, et le bedeau à bout de souffle dépose la croix contre le mur de la façade. Marcel leur ouvre la porte. Ils entrent et se tiennent tous les trois immobiles sur le seuil. La génitrice est assise auprès du père. Elle lève vers eux son visage maigre et tremblant. Le corps repose dans le lit. Le père est mort avant d'avoir reçu l'extrême-onction. Ses membres tordus par un dernier spasme soulèvent le drap. Son visage est déjeté en arrière, si bien qu'ils ne peuvent voir les yeux définitivement fixés sur la tête de lit, mais la bouche ouverte sur un palais anémique, les dents déchaussées, le cou maigre, à la peau tendue par la pomme d'Adam, comme si le père avait ingurgité quelque chose de bien trop gros, de bien trop anguleux. Éléonore se précipite pour enserrer la dépouille encore tiède et baise la barbe d'un beau gris, panachée de touffes blanches.

Le glas retentit aux aurores sur la campagne muette et détrempée. La veuve a recouvert d'un linge les rares miroirs et retourné l'unique portrait du père. Avant que le corps ne roidisse, elle a passé une main sous la nuque et replacé la tête sur l'oreiller, rabattu les paupières et refermé la mâchoire, puis noué autour de la tête une bande de tissu qui laissera sur les tempes du mort l'empreinte d'une maille fine. Sur une tablette, à la tête du lit, elle dépose un crucifix et une écuelle d'eau bénite dans laquelle trempe un rameau de buis. Dans le silence et la contemplation de leurs gestes, la veuve et Marcel font à la dépouille mortuaire une dernière toilette. Les volets refermés ne laissent passer qu'un filet d'aube bleue et des bougies allumées embrasent leurs visages penchés. Ils ont étouffé le feu et nettoyé la cendre dans l'âtre. Marcel soulève le corps du père, aussi léger qu'une brassée de petit bois. Ils rincent à l'eau tiède les chairs dures, d'une pâleur cireuse, puis la veuve fait claquer dans la pénombre de la pièce de grands draps blancs qu'elle lisse soigneusement contre le matelas, du plat de la main. Ils revêtent la dépouille du père de ses habits de cérémonie, ceux qu'il portait au jour de ses noces et du baptême d'Éléonore et qui maintenant lui donnent une allure d'épouvantail. Marcel force sur les bras ; les articulations craquent et se brisent. Il les rabat sur le surplis du linceul dont ils le drapent, et la veuve frictionne puis entrelace à grand-peine les doigts autour de son chapelet, brosse les cheveux et la barbe du père qui continueront de pousser jusque dans la tombe. À l'aide d'une aiguille de couture, elle récure les ongles du père, délogeant les reliquats de terre et de croûtes excrémentielles qui tombent en poudre dans le creux de sa main, puis repousse délicatement les cuticules. Assise près du lit, elle tapote la couverture éreintée de son petit missel et récite à voix basse des litanies indistinctes, des psaumes obscurs. Bientôt, la horde barbare des villageois arrive à pied, à bicyclette ou en carriole, et s'entasse dans la pièce. La veuve affecte alors un air éploré. Ils s'approchent de la dépouille, la bénissent en agitant sur son front le rameau de buis. Les gouttes d'eau se figent, immobiles, sur la peau affaissée du visage. Ils s'asseyent sur les bancs disposés le long des murs, leurs mains épaisses, dont ils ne savent quoi faire, posées sur les angles que leurs genoux dessinent sous la toile de leurs pantalons ou de leurs robes de deuil. Dans le petit cimetière à flanc de coteau, sous le premier soleil du printemps, un fossoyeur enfonce la lame d'une pelle entre deux sépultures et soulève une motte de terre molle, veinée de radicelles. Plus loin, Jocelyn Lagarde, menuisier, rabote et assemble grossièrement les planches de la bière dans laquelle reposera le corps du père et les coups de marteau assenés sur la tête des clous résonnent dans les rues de Puy-Larroque et bien au-delà. Ainsi, songe la veuve, le voilà parti, et pour de bon. Pour preuve, ces gens qu'ils connaissent à peine et qu'ils désiraient si peu voir chez eux du temps de son vivant se pressent maintenant à son chevet ; et pourquoi, sinon pour constater que c'est bien lui, le père, qui a cette fois été emporté par la camarde, se convaincre qu'eux, les villageois, sont encore bien en vie, et lire sur le visage du mort quelque indication, quelque réponse à la question que tous se posent depuis la nuit des temps. Mais non, le père, ou ce qu'il en reste, se défile, se refuse, et ne livre rien d'autre à leurs regards avides que sa dépouille misérable et vertigineuse. Ses soins n'y auront donc rien fait, il a fini de mourir ! La veuve sent le soulagement de n'avoir plus à changer, rincer, torcher et gaver un moribond, mais voit aussi s'ouvrir devant elle le vide que laissera son absence, pour l'heure atténuée par la présence de la dépouille mortuaire. La perspective de vivre désormais sans l'époux, dans la seule et hostile proximité de Marcel et d'Éléonore, ne l'enchante guère. Elle est seule désormais, ceux-là feront bloc, voilà qui laisse peu de place au doute ! Non que le père ait été un allié, mais il la préservait au moins d'une vindicte. La veuve se sait déchue. Rien ne s'interpose plus entre elle et Éléonore, dont elle n'a rien su faire, qui n'a fait que nourrir depuis sa venue au monde son ressentiment à l'égard de sa génitrice, jusqu'à devenir cette fillette de onze ans, sèche et taciturne, dont il lui faut se méfier, puisqu'il n'y a pire eau que l'eau qui dort. Le fossoyeur est désormais englouti jusqu'à la taille par la terre du cimetière, il fait voler en éclats les vestiges de planches d'une bière ancienne, puis ramène à la lumière du jour et dépose sur un tertre bourbeux une pelletée d'ossements gris et poreux, molaires aux racines sinueuses, phalanges éparses, plaques crâniennes dentelées et concaves comme des coupelles d'ivoire.

Dans un recoin du grenier à foin, Éléonore enserre ses genoux ramenés sous la petite robe de deuil. Un chat noir qui a trouvé là refuge frotte contre elle son pelage vermineux. Le dos rond et la queue dressée, il laisse échapper un ronronnement guttural. Les voix lui parviennent depuis la cour, le souffle des chevaux et le cliquetis des attelages lorsqu'ils s'ébrouent. Ses mains sont engourdies par le froid et elle glisse ses doigts entre ses cuisses. Elle songe à la dépouille du père, exposée aux yeux de tous. Bien que quelque chose en elle pulse et menace, elle reste longtemps sans bouger, les yeux rivés au plancher où galopent des poissons d'argent dans la poussière. Le chat continue de passer et de repasser, de se frotter contre ses jambes, de pousser du museau les plis de la robe de deuil, et elle n'esquisse d'abord pas un geste. Puis, son regard se porte sur l'animal affable et famélique dont les yeux d'un vert pâle sont bordés de chassie. Éléonore tend sa main droite au-dessus de son crâne et le chat se rehausse, se dresse sur ses pattes postérieures pour appuyer sa tête contre la paume tendue. Depuis les babines soulevées par deux incisives élimées, une goutte de salive translucide perle et tombe sur les planches de bois. Absorbée, elle y laisse une minuscule auréole brune. Éléonore saisit le chat par la peau du cou et le tire doucement vers elle. Elle déplie son autre bras, enserre la gorge de l'animal qui ne cesse d'abord de ronronner, ferme à demi les paupières, puis déglutit avec difficulté et laisse bientôt dépasser un bout de langue rose. Éléonore resserre plus fermement l'étau et le chat soudain se débat pour lui échapper, sort les griffes et cherche à repousser les mains, lacérant les chairs, si bien qu'il lui faut plaquer l'animal au sol, entre ses jambes, et lui écraser la tête contre le plancher de tout son poids. Le chat se hérisse, convulse et crache un miaulement désespéré, puis elle le relâche et il s'échappe d'un bond, court jusqu'à l'autre bout du grenier où il tousse, la gueule ouverte, comme s'il s'apprêtait à rendre quelque chose, s'immobilise enfin. Les poignets et le dos des mains d'Éléonore sont parcourus de fines entailles aux surfaces desquelles perlent les gouttes d'un sang lourd, qui s'agglomèrent et glissent sur la peau blanche. Elle les regarde s'écouler le long de ses avant-bras, puis les porte à ses lèvres. Elle lèche le sang et suçote ses plaies indolores en observant fixement le chat qui entreprend à son tour une toilette consciencieuse, sans cesser de la surveiller. Enfin, il s'interrompt, les yeux mi-clos. Éléonore l'appelle. Elle tapote doucement des doigts sur sa cuisse. Le chat se fige. Il hésite, traverse le fenil à pas lents, chaloupés, s'éloigne lorsqu'elle tend à nouveau une main vers lui, puis accepte la caresse et fait entendre son irrépressible ronronnement. Éléonore le soulève, le dépose sur ses genoux où, après avoir tourné quelques fois sur lui-même, le chat finit par se blottir, et elle ne tarde pas à somnoler à son tour, une main meurtrie glissée contre le corps vibrant et chaud de l'animal.

La dépouille mortuaire repose tout le jour, auguste et impériale, entre les cloisons du lit clos.

Sous le linceul immaculé, le drap lissé par la paume rêche de la veuve et le costume de cérémonie ajusté par des plis de l'étoffe sous les membres empourprés de lividités cadavériques, les ruines du père, en secret, bien qu'à la vue de tous, se meuvent et préparent leurs métamorphoses. Dans le magma fécal de l'abdomen, une armée silencieuse se lève, la flore commensale œuvre, pullule et transmue la ventraille en une boue primaire. Pudiquement, la dépouille mortuaire se soulage dans les langes dont on a pris soin de bourrer sa culotte. Une large tache verdâtre a jailli sur l'épiderme, au niveau de la fosse iliaque où se terre le ver déjà vicié du cæcum. Le pancréas n'est plus qu'une flaque informe qui s'écoule entre d'autres tripes. Les cellules se délitent et se dévorent. Les parois désormais perméables abolissent les frontières. La dépouille mortuaire n'est qu'un grand tout dans lequel les germes fleurissent et arpentent le dédale essoré des vaisseaux. Le père commence à sentir. Non cette puanteur acide qu'il déversait par tous les orifices aux derniers temps de son agonie, mais un parfum douceâtre et révoltant de marécages où flotte dans l'eau croupie quelque cadavre de bête méconnaissable et boursouflée, enchevêtrée dans les algues, d'humus noir et entêtant aux racines des grands arbres pourrissants et gorgés de larves. La veuve, les villageois et Marcel ne disent rien. Ils brûlent parfois de petits bouquets serrés de sauge sèche en toussotant poliment. Il règne dans la pièce un froid de crypte. Par moments, un son s'élève de la couche funèbre, un borborygme chuinte entre les

99

lèvres closes, un vent fétide s'écrase dans les draps puis se dissipe alentour dans un silence embarrassé. La lueur des cierges diffuse une fresque jaunâtre et maladive sur les murs, les visages et les recoins de pénombre. Sur la table en bois s'accumulent les tasses en grès noirci par le marc de café, les assiettes de gâteaux secs, les ouvrages de tricot que les femmes continuent pour tuer le temps et la torpeur dans laquelle les plonge la veillée. Pleureuses dont les larmes sont depuis longtemps taries, vieilles femelles fourbues par l'existence, les gésines et le travail de la terre, elles parlent à voix basse, se lèvent pour laisser leur place à une plus ancienne, une plus rompue, ou pour s'affairer dans la souillarde, et elles traînent sur le sol leurs sabots terreux, leurs membres variqueux et gonflés par l'attente.

Son prénom lui parvient depuis un lointain ailleurs et Éléonore s'éveille, transie, dans le grenier à foin. Seules quelques heures ont passé, mais le jour décline déjà sur le pays, le soleil rasant enflamme les collines et les corbeaux freux, attirés peut-être par l'odeur de la dépouille, se perchent aux arbres tout à l'entour, lissent leurs plumes aux reflets pourpres puis s'appellent de loin en loin. Leurs cris résonnent dans l'air pur. Le fossoyeur a depuis longtemps terminé son ouvrage. À cette heure, la fosse est un trou insondable dans lequel s'effondre l'ombre portée des croix. Des lombrics et des insectes lucifuges s'extirpent du tertre et regagnent la tombe où ils se laissent choir. Dans le calme de l'atelier du menuisier maintenant vide, le cercueil grossier, aux planches branlantes rabotées, exhale sa douce odeur de sciure et les veinures du bois dégorgent un reste de sève. Une petite croix portant le Christ est vissée sur le couvercle de la bière. De nouveau, une voix crie le nom d'Éléonore dans la cour. Le chat a quitté le grenier pendant son sommeil, et si sa robe n'avait gardé l'empreinte tiède de son corps et ses mains la trace des griffures coagulées, elle douterait de sa réalité, car ne lui reste plus qu'un souvenir hébété des heures passées. Elle se relève et prend appui contre une poutre le temps de recouvrer la sensation de ses membres algides, puis elle descend l'échelle. Marcel l'aperçoit. Il accourt vers elle, enserre ses épaules et s'écrie :

« Voilà des heures qu'on te cherche ! »

Il pose une main sur son visage, sur sa nuque, puis saisit ses poignets et voit les plaies sur ses mains et ses avant-bras. N'est-ce pas la première fois qu'il la touche ainsi, lui prodigue les soins et les caresses qu'elle enviait au père ?

« Qu'est-ce que c'est ? » demande-t-il.

Éléonore ne saurait répondre et Marcel passe un bras sur ses épaules pour la conduire jusqu'au corps de ferme. Le visage du père est un masque mortuaire affaissé sur les reliefs du crâne. La pièce est empuantie par une odeur de charogne et de transpiration aigre, les vapeurs de gnôle et de soupe que l'on sert pour se réchauffer, les haleines que les gueules cariées et les estomacs ulcéreux ont recrachées tout le jour, ressassant le même air confiné dont le suint embue les vitres des fenêtres. Lorsqu'ils voient Éléonore passer enfin la porte, les veilleurs se taisent.

L'enfant est immobile, échevelée, sa petite robe de deuil froissée, maculée de traînées de poussière, de brins de paille et de touffes de poils desquamées ; ses bras lacérés.

« Elle s'était endormie dans le fenil », dit Marcel.

L'assemblée murmure de soulagement. D'abord interdite, la veuve observe sa fille un instant, puis se lève en un craquement de vertèbres. Elle dépose précautionneusement sur sa chaise le missel à la couverture éreintée, traverse la pièce d'un pas si lent que tout un chacun a le temps de la suivre du regard et de se demander quel dessein l'anime, puis elle gifle Éléonore de toutes ses forces. La fillette titube et s'effondre contre le mur, emportant une chaise dont le dossier vole en éclats sur le sol, sans que Marcel ait le temps d'esquisser un geste pour la retenir. L'enfant se lève, étourdie, chute et se relève. La veuve la saisit à pleine main par les cheveux et la traîne au chevet du père où, lui tordant le cou, elle la contraint à s'asseoir sur un banc. Elle retourne alors à sa place, reprend le missel à la couverture éreintée et se rassied. Dans un silence embarrassé, on ramasse et on tente en vain de rafistoler la chaise. Les mains posées sur les genoux pour en masquer le tremblement, le regard embué, Éléonore fixe le sol. Elle s'est mordu la langue et sent la plaie palpiter contre son palais au rythme des battements sourds de son cœur. Elle déglutit par gorgées ce sang épais et ferreux comme une bile noire, un venin, résolue à ne rien laisser paraître. Bientôt, les conversations reprennent bon gré mal gré et dissipent le malaise. Éléonore sent la présence de Marcel, à

102

l'autre bout de la pièce, le regard qu'il pose sur elle, mais elle n'ose lever les yeux, de peur de croiser celui, triomphant, de la veuve, et de la laisser jouir de son humiliation. Lorsque, la nuque raide, elle consent à relever le visage, le chat noir s'est frayé un chemin à travers la pièce et l'observe de ses yeux pâles et indifférents, sous le sommier du lit clos, psychopompe flegmatique ou sombre présage, visible d'elle seule.

Aux dernières heures de l'après-midi, les hommes s'attardent sur le perron et échangent quelques mots d'un ton déjà torpide, sur l'état des récoltes ou des bêtes, des considérations sur le temps à venir, des craintes quant aux saints de glace qui nuiraient aux semailles, ou aux chaleurs de l'été et au manque d'eau. Le bruit d'une charrette retentit dans la cour et les femmes averties se lèvent, éveillant les rares enfants assoupis sur leurs genoux et bavant sur leur robe. Accompagné du garde champêtre et du père Antoine cuvant encore la gnôle de la veille et soutenant sa tête douloureuse dans le creux de sa main, Jocelyn Lagarde met pied à terre. Trois gars approchent de la charrette à foin. Ils s'entretiennent un instant puis tirent à eux le cercueil, le soulèvent et l'emportent vers la maison. Le groupe composé des autres hommes s'écarte pour leur ouvrir le passage, puis salue le garde champêtre d'une poignée de main. La bière est déposée sur deux tréteaux, près du lit, et le menuisier et le garde champêtre présentent leurs condoléances à la veuve, à l'enfant, puis à Marcel. Le cercueil ouvert délivre une odeur de bois tendre et poncé. À défaut de capiton et de taffetas, la veuve dépose sur le fond des draps qu'elle plisse et froisse pour leur donner du volume, afin que le costume de cérémonie ne s'élime pas, et que les coudes et les talons osseux de la dépouille funèbre ne viennent pas cogner et frotter contre le bois ou s'y planter des échardes. Les veilleurs rendent au mort un dernier hommage, saluent les proches, puis s'en retournent le long du chemin vicinal, dans le crépuscule, gonflant leurs poumons du grand air printanier. Seuls restent Marcel, le garde champêtre, le menuisier, la veuve, le prêtre et l'enfant. On retire avec le plus grand soin le linceul qui recouvre la dépouille mortuaire, puis Marcel et Jocelyn Lagarde le saisissent par les épaules et par les pieds et l'installent dans la bière. Du cadavre goutte un liquide brun, sur le rebord du lit clos, le sol de terre battue et le poignet droit de Jocelyn Lagarde qui réprime un haut-le-cœur et s'essuie avec le pantalon du mort tandis que la veuve rabat prestement le drap sur l'auréole obscène du matelas. Elle dispose le linceul brodé dans le cercueil comme elle borderait un enfant dans son berceau et replace sous la nuque du défunt le coussin qui la surélève. Tous s'avancent de conserve, entourent la bière, et ils observent une dernière fois le succédané cireux et gris du paysan, que la veuve désire maintenant voir disparaître au plus vite.

« Après les peines et les larmes qui ont obscurci ses yeux, dit le prêtre, accorde-lui, Seigneur, de contempler Ton visage. »

Ils se signent et le menuisier referme le cercueil, cherche du regard l'approbation du garde champêtre, puis tient sur les bords du couvercle, entre la pulpe épaisse de ses doigts, des clous à tête plate qu'il enfonce à coups de marteau, et dont les pointes parfois déviées sur la tranche crèvent les planches, soulèvent des éclats de bois, avant qu'il les rabatte d'un coup de masse incliné. Ils l'observent sans un mot, tressautant à chaque impact, jusqu'à ce que le dernier clou achève de sceller la bière et que la dépouille mortuaire repose dans l'obscurité la plus totale. La nuit durant, un cierge brûle dans une coupelle déposée sur le cercueil et la cire déborde de la coupelle, s'écoule et enlise la petite effigie du Christ vissée dans la planche de bois avant que la mèche ne s'éteigne dans une flaque translucide aux premières heures de l'aube. Un filet de fumée, opaque comme une semence, et que le sommeil soustrait au regard des vivants, s'élève alors dans la pièce froide.

Le lendemain, ils se mettent en route de bonne heure. La veuve et l'enfant suivent la charrette tirée par la jument encore somnolente, qui trébuche parfois, menée par Marcel auprès duquel on a hissé et installé une vieillarde enrubannée d'un châle de laine grise. Sur le chemin, les roues de la charrette soulèvent en chuintant des gerbes de boue. Le petit jour scintille dans les perles de rosée retenues à la courbure des herbes. Le glas sonne et l'onde s'étend en cercles concentriques dans l'air vibrant, répercutée à l'infime dans l'eau tranquille des mares et des abreuvoirs. Les corbeaux se taisent et scrutent alentour le cortège funèbre. Sur la place du village, le père Antoine ouvre grand les portes de l'église devant laquelle les villageois s'attroupent. Éléonore marche près de la veuve aux traits tirés sous son voile de deuil pareil à une mantille, mère au dos étroit et minable sous le châle noir, mère dont les mollets cailouteux vont et viennent, arpentant les jambes maigres et les bas de laine noire. Éléonore veille à ce que le balancement de son bras n'effleure jamais le sien, tandis qu'une douleur lui scie brusquement le ventre, puis elle formule en silence la promesse de la réduire au néant, et le vœu de marcher bientôt derrière sa bière comme elle marche aujourd'hui derrière celle du père. À mesure que le cortège avance et dépasse les fermes voisines, quelques paysans maussades et silencieux les rejoignent, traversant les layons et les fossés gorgés d'eau pour leur emboîter le pas, suivant du regard le cercueil de bois qui bringuebale sur le tombereau d'où s'envolent par moments les brindilles et la poussière de fumier libérées par l'ébranlement des planches.

Au beau milieu d'un carré de terre, pousse un chêne centenaire ombrageant au matin le mur d'enceinte du cimetière. À son pied, d'épaisses racines plongent et dessinent en négatif sous la ligne du sol un labyrinthe tendu comme un reflet à celui des branches. Elles s'enfoncent vers des strates minérales, des nappes phréatiques auxquelles l'arbre s'abreuve, des paysages telluriques

106

inconnus des hommes, remontant ainsi le temps des époques révolues. Le tronc du chêne est si large que les enfants de toutes les générations de Puy-Larroque l'ont encerclé, se tenant par la main en d'étranges rondes, jamais transmises et pourtant répétées, reposant sur l'écorce leur joue blanche et veinée ; ils tiennent alors entre leurs bras un univers en soi, celui du monde caché sous leurs pieds nus et sous l'armure de l'arbre au cœur duquel s'élève et sourd la sève majestueuse, celui des faunes minuscules sillonnant sans relâche les pierres logées aux racines, les lichens argentés et les plaques d'écorce, mais aussi celui des branches auxquelles les enfants se hissent à la force de leurs bras pour reposer dans la fraîcheur des feuilles, le miroitement du jour dispersé par les cimes souples et balancées dans le vent. Le chêne règne, indifférent au devenir des hommes, à leurs vies et leurs morts dérisoires. Des amants ont versé leur semence à son pied, des gars ivres et fiers ont pissé sur son tronc, des lèvres ont murmuré des secrets et des serments aux creux de son écorce. Des cabanes ont été élevées à ses fourches avant de tomber en morceaux, abandonnées par les jeux des enfants. Des clous y ont été plantés puis ont rouillé et disparu. Les vieillards se promènent encore du village à la petite prairie, suivant le chemin ménagé par les allées et venues, pour s'abriter à l'ombre du chêne. S'ils ont toujours connu l'arbre, l'arbre les a toujours connus, eux et ceux de leurs aïeux qui ont posé leur main au même endroit, en une même caresse que celle esquissée sur le tronc par leur main tordue, main d'enfant devenue main de vieillard, puis main d'enfant à nouveau.

Le père Antoine balance le goupillon sur la bière, laissant sur le bois des perles d'eau bénite. Lorsque la veuve vient saluer la dépouille, avant qu'elle ne soit emportée hors de l'église, vers le cimetière de Puy-Larroque, elle se penche dans un élan de douleur et embrasse le pied du cercueil. Quand elle rejoint le banc, Éléonore détourne le regard avec empressement pour ne pas voir briller à ses lèvres l'eau bénite que le baiser a épongée, le seul baiser qu'elle la verra jamais offrir, et dont la vision lui paraît si obscène que la gêne lui tord le ventre. Au bord de la tombe, le tertre a fondu sous l'averse comme un sucre. Les hommes ont chargé la bière sur leurs épaules, traversé la place et franchi la grille du cimetière construit sur l'adret de la colline du village, maintenant baigné par le soleil haut dans le ciel essoré. La procession funéraire a descendu les marches de l'escalier, devancée par le père Antoine, appuyé sur la frêle épaule du garçon de chœur. Soucieux de ne pas rejoindre trop vite ceux des leurs qui déjà reposent sous leurs pas hésitants, les villageois prennent garde à ne pas glisser sur la pierre lisse et dans les éboulis de terre charriés par la pluie. Ils s'attroupent et se tiennent, maussades, autour du trou creusé par le fossoyeur, tantôt dans le soleil dru, tantôt dans l'ombre parfumée des cyprès alourdis par la pluie. Les porteurs déposent sur le sol, dans une nappe de lumière chaude, le cercueil si léger qu'il semble vide, et d'infimes fumerolles ne tardent pas à s'élever des planches de bois vert et des mousses gorgées d'eau bordant les tombes. Sentencieux, le père Antoine se tient près de la fosse, les mains jointes sur sa soutane drapée d'un surplis blanc, d'une étole et d'une chape noire. Il observe les villageois qui tardent à rejoindre la procession et bavassent encore devant les grilles du cimetière. Marcel est à côté d'Éléonore, vêtu d'un costume prêté par la mère de l'un des gars du village parti à Auch pour son service militaire. Le pantalon trop court laisse voir la cheville enveloppée de poils roux comme d'une brume sous la chaussette de laine lâche, mais la veste lui sied bien et pince ses épaules larges et sa taille étroite. Il est rasé de frais, a peigné et graissé ses cheveux, dessinant une raie pâle sur l'ovale de son crâne, et c'est lui qui prend cette fois dans sa main la main d'Éléonore et la tient serrée dans sa paume sèche, sans pour autant tourner le regard vers elle. Il ne prête pas attention à la moiteur de cette main et ignore que la pression de sa poigne sur les doigts fragiles l'élance jusque dans ses seins qui commencent de se dessiner sous la robe de deuil. Poussées par les vents de la tempête, quelques mouettes ont remonté les terres et survolent la parcelle du cimetière et la campagne alentour. Leurs cris égarés résonnent par intermittence. Elles planent en cercles hésitants, se dissolvent un instant dans le soleil, puis resurgissent et balaient de leur ombre le visage que les hommes lèvent au ciel. De jeunes enfants, gris comme des rats dans leurs costumes de cérémonie, courent entre les stèles et jouent à chat. Les mères leur adressent des regards réprobateurs, les saisissent au passage et les pressent dans leurs jupes, une main posée sur leurs poitrines étroites et pantelantes.

Lorsque enfin les villageois sont réunis près de la tombe, le père Antoine tousse pour s'éclaircir la voix et faire taire l'assistance. Il expectore une glaire dans un mouchoir de coton blanc, puis l'enfonce dans la manche de son aube et dit :

« Ego sum resurrectio et vita : qui credit in me, etiam si mortuus fuerit, vivet : et omnis qui vivit et credit in me, non morietur in æternum. »

Au fond de la fosse aux parois hérissées de radicelles et de pierres aiguës, une flaque de boue s'est formée pendant la nuit, drainant l'eau des rigoles naturelles dont ne subsistent plus que les lits minuscules et caillouteux, zigzaguant entre les stèles. Là, un crapaud surnage dans les eaux, les feuilles et les branches fauchées par la bourrasque. À la faveur de l'averse et tenaillé par la faim, il s'est aventuré hors de la cache que lui ont ménagée pour l'hiver une stèle soulevée et le terrier abandonné d'une taupe. Ses yeux de bronze levés vers l'ouverture de la fosse et la silhouette des hommes, l'amphibien flotte, pattes arrière étendues, et griffe par moments la paroi de terre meuble de ses doigts inutiles. Tandis que le prêtre récite le cantique de Zacharie, le crapaud esquisse quelques brasses pour gagner l'autre côté de la tombe, dessinant des ronds à la surface de l'eau, et il laisse entendre un âpre coassement dans l'intermède silencieux.

« Requiem æternam dona eis, Domine, et lux perpetua

luceat eis. Kyrie eleison, Christe eleison, Kyrie eleison», reprend le père Antoine, aussitôt suivi d'un nouveau coassement qui soulève le murmure de l'assistance et provoque un mouvement de foule, comme si s'était élevée une voix d'outre-tombe.

La procession funèbre se presse au bord de la fosse pour apercevoir l'anoure.

«Allons! Allons!» proteste le père Antoine pour rappeler à l'ordre ses ouailles qui le bousculent et piétinent l'ourlet de sa soutane.

Il entreprend un Notre-Père et asperge le cercueil d'eau bénite :

«... et ne nous soumets pas à la tentation, mais délivre-nous du mal, de l'entrée en enfer. Seigneur, délivrez son âme, qu'elle repose en paix. Amen. Seigneur, exaucez ma prière et que mon cri parvienne jusqu'à Vous. Le Seigneur soit avec vous et avec votre esprit. Prions.»

Tirée du recueillement auquel l'obligent les circonstances, la veuve a rouvert les yeux sous son voile de deuil et, les lèvres serrées, elle s'avance à son tour vers la fosse. Des commentaires fusent, quelques ricanements :

«C'est quoi donc ?

— Un crapaud ?

— Où ça, où ça ?»

Les enfants passent entre les jambes des adultes pour mieux se pencher vers le trou, les mains enfoncées dans la boue du tertre.

«Va pas te salir, malheureux !

— Sors de là, bon sang, Thérèse, ta robe !

— Prions !» clame le curé, et quelques villageois répondent sans entrain :

« Seigneur, faites à Votre serviteur défunt cette grâce. Il s'est attaché de cœur à Votre volonté : qu'il ne reçoive pas de châtiment pour ce qu'il a fait ; il a été ici-bas uni à Vos fidèles par la vraie foi : qu'il soit de même là-haut associé aux chœurs angéliques par Votre miséricorde. Par le Christ Notre-Seigneur. Amen.

— Donnez-lui, Seigneur, le repos éternel. Que la lumière éternelle resplendisse à ses yeux ! Qu'il repose en paix. Amen.

— Amen.

— *Anima ejus et animae omnium fidelium defunctorum per misericordiam Dei requiescant in pace. Amen.*

— *Amen* », murmurent les villageois, et le prêtre adresse un signe de la main aux porteurs qui glissent des cordes sous le cercueil, le soulèvent, puis, jouant des coudes, s'avancent autour de la tombe, sur les bardeaux disposés aux bords de la fosse, et soutiennent la bière malmenée au-dessus du trou. Le père Antoine fait de grands gestes aux paroissiens indifférents qui se pressent les uns contre les autres. Il administre par mégarde un coup de genou à une enfant qui se traîne à quatre pattes dans la boue, la renvoyant prestement aux jupons de sa mère.

« Allons, on recule ! On recule ! »

Les liens blanchissent les mains brunes des hommes et enlacent leurs poignets à mesure qu'ils descendent par à-coups la bière dans la fosse. L'assistance retient maintenant son souffle car le crapaud a disparu dans l'ombre projetée du cercueil qui bientôt emplit le trou, à mesure que les porteurs l'y glissent.

« Ça va-t-y l'écraser, maman ? » demande un mioche d'une voix stridente qu'une gifle assenée sur son crâne blond fait taire aussitôt.

Tous s'approchent un peu, si tant est que cela soit encore possible, tendant le cou pour leur permettre de mieux voir, et, sans un mot, ils observent la bière toucher l'eau boueuse, flotter un instant tandis que les cordes délestées se relâchent et que les hommes les ramènent à la surface, puis prendre l'eau par les planches disjointes, couler d'abord par le pied et se redresser lentement, laissant à tous le loisir d'imaginer les chaussures et les bas de pantalon de la dépouille mortuaire se souiller jusqu'aux genoux d'une boue froide. Le silence se fait et des merles chantonnent, perchés aux croix des tombes. Quelques bulles paresseuses crèvent la surface de l'eau sous le regard interdit des villageois, puis la veuve étouffe un cri d'effroi dans son châle. Le crapaud que l'on croyait enseveli a refait surface et escalade tranquillement la planche du couvercle, jusqu'à la petite effigie du Christ. Il balaie d'un bref coup de patte une brindille collée sur sa tête, soulevant un souffle d'indignation qui parcourt l'assistance.

« On peut pas l'enterrer avec ! crie quelqu'un.

— C'est un mauvais augure.

— Preuve qu'il avait l'œil sur lui, pauvre homme.

— Paraît qu'on les crucifiait tête en bas dans l'temps.

— C'est le diable, cet animal !

— Foutaises, c'est jamais rien qu'une bête ! »

De petits groupes se forment, des conciliabules se tiennent, chacun y va de son avis, de sa superstition, tandis que l'on fait asseoir sur une petite stèle la veuve dont la tête tourne. Il est d'abord convenu de soulever le crapaud à l'aide d'une tige dont le bout doit être double pour en soutenir le poids. On envoie les enfants à la recherche de l'outil, au pied des cyprès, puis hors de l'enceinte du cimetière, sous le grand chêne et les noyers. Mais aucune des branches qu'ils rapportent n'est assez longue pour atteindre le fond de la fosse. On suggère une fourche, une pelle. La bête pourrait être blessée, proteste Jeanne Cadours, qui tient l'épicerie sur la place, et ne faut-il pas craindre de verser le sang sur une tombe ? Le père Antoine hausse les épaules, ne sait pas, et prédit que si les villageois ne s'éloignent pas de la fosse dont les bords qu'ils piétinent menacent de s'effondrer, ils s'y retrouveront tous bientôt et n'auront alors que l'embarras de choisir lequel d'entre eux pêchera cette maudite bête. On recule prudemment de quelques pas.

« J'y descendrai l'attraper, moi, propose Marcel.

— Et salir ton costume avec ça !

— Où qu'il est Jocelyn ? Son cercueil m'a déjà pas l'air bien solide, alors trempé comme il est…

— Qui a parlé ? Il est solide *mon* cercueil. Tu voudras qu'on t'enterre dans du noyer, non ? C'est pingre et ça critique, démerdez-vous à la fin.

— Mais enfin, cessez de vous disputer, s'écrie le père Antoine, c'est un enterrement, vous blasphémez !

— Un cercueil, c'est pas fait pour qu'on y

114

marche dessus, voilà ce que j'en dis », ajoute Jocelyn Lagarde.

Les villageois se taisent un moment et le clocher de Puy-Larroque sonne déjà dix heures, soulevant un vol de pigeons depuis la tour des anciennes fortifications. Alors la veuve, un moment oubliée et délaissée sur la stèle sciant ses cuisses maigres, se relève douloureusement et fend le concile.

« Faudrait y descendre un enfant, ça en supporterait le poids », dit-elle.

On interroge le fossoyeur du regard ; il crache au sol de mépris, arrachant au père Antoine un cri de femme, puis se détourne et remonte furieusement l'escalier du cimetière avant d'en franchir les grilles. La mère d'un petit garçon frêle qui joue dans les racines d'un cyprès, et sur lequel les visages se tournent, avertit qu'elle ne laissera personne toucher son enfant, dont la santé est déjà fragile, pour le descendre dans une tombe, puis elle l'arrache à la flaque de boue qu'il tripatouille et l'emporte. La veuve désigne alors Éléonore du doigt, et ce seul geste transperce l'enfant qui tressaille.

« Elle. Voyez dans quel état est sa robe. C'est une marie-souillon. Et puis elle peut bien faire ça pour son pauvre père, avec le souci qu'elle lui a donné pendant *tout ce temps*. »

Les villageois suivent le doigt pointé vers la fillette qui se tenait jusque-là en retrait et, honteuse, frotte maintenant du plat de la main la petite robe de deuil, tente de décrotter en vain un sabot de la pointe de l'autre. Un ange passe, laissant à chacun le temps d'évaluer le risque de représailles, les circonstances atténuantes, la probabilité que quelque force occulte, quelque esprit vengeur viennent plus tard les hanter et les tirer de leur lit au cœur de la nuit. Éléonore se retrouve enserrée par une corde nouée autour de sa taille, soulevée au-dessus de la fosse par Marcel et Brisard et lentement descendue jusqu'à ce que la pointe de ses pieds touche le couvercle de la bière qui oscille sous son poids, tangue, s'enfonce et libère une bouffée infecte. Elle se retient d'abord aux parois glaiseuses, puis parvient à poser ses paumes sur le cercueil, laissant la trace de ses mains sur la planche de bois poli, quand la douleur térébrante la scie à nouveau et lui arrache un gémissement, la contraignant à lâcher prise et à poser une main sur son ventre. Éléonore sent alors glisser quelque chose de chaud le long de sa cuisse et de son mollet. Elle soulève le bas détrempé de sa robe et voit le sang ruisseler, suivant un chemin tortueux sur le duvet invisible de sa peau blanche, puis goutter sur le couvercle de la bière ; une goutte unique, un petit dôme écarlate qui luit un instant dans la pénombre avant de disparaître, avalé par un nœud du bois. Éléonore a déjà vu la mère rincer ses linges bruns et jeter l'eau rose des bassines, mais à la dérobée et comme frappée d'ignominie. Étreinte par un trouble sentiment de honte, elle s'empresse de s'essuyer avec le tissu mouillé de sa robe, puis relève le visage. Toujours immobile, l'amphibien se tient assis sur la petite effigie du Christ cloué, les flancs palpitants, la pupille dilatée, mais si épuisé par les heures de nage qu'il n'esquisse pas une tentative de fuite lorsque Éléonore referme sur lui ses mains tremblantes, le soulève et le ramène à son visage. Elle l'observe un moment, agenouillée sur la bière à demi immergée dans la fosse, et comme il lui arrive de rêver son enfoncement dans la terre meuble et odorante de la forêt, elle songe qu'il lui serait possible de s'allonger sur le couvercle du cercueil, son corps parallèle à la dépouille mortuaire du père, le crapaud posé entre ses mains, et d'attendre, les yeux levés vers le ciel et le haut vol des mouettes, que les villageois l'ensevelissent sous le commandement de la veuve. Mais Marcel, agenouillé sur les bardeaux, tire la corde qui lie encore Éléonore au monde des vivants et la hisse à lui jusqu'à pouvoir la saisir aux aisselles, puis la dépose sur le sol du cimetière, dans le soleil blanc.

Les villageois observent longtemps, silencieux, l'enfant éblouie dont la robe, les bas et les cheveux sont souillés. Elle tient levé devant elle comme une obole le crapaud protégé par ses doigts noirs de terre.

« Faut-y le tuer ? » hasarde enfin quelqu'un.

Personne ne répond, nul n'ayant de certitude à ce sujet. Déjà les paysans, las et satisfaits, s'éloignent et remontent en direction du village, et le fossoyeur enfonce le tranchant de sa pelle dans le tertre piétiné, puis jette dans la tombe une première pelletée de boue qui s'écrase sur la bière avec un bruit mat. Éléonore profite alors de l'indifférence retrouvée des adultes pour s'échapper à son tour et pousser la grille du cimetière dont elle contourne l'enceinte jusqu'aux fourrés en contrebas où chemine un petit ru s'écoulant non loin du pied du grand chêne. Ici, les voix et les coups de pelle ne lui parviennent plus que lointains, adoucis par le bruissement des branches du chêne et le chant incessant des oiseaux qui y nichent. Éléonore s'accroupit et s'assied sur une racine. La douleur rayonne dans son bas-ventre. Elle entrouvre à nouveau les mains sur le crapaud et cherche dans son regard doux le doux regard du père, car il ne lui semble pas impossible que quelque chose ait survécu de lui et se soit prolongé dans l'animal, non pas l'âme, mais une rémanence, un écho fragile. Lorsqu'elle le dépose au sol, le crapaud se tient d'abord rehaussé sur ses courtes pattes, puis, assuré que l'enfant ne représente pas de menace, il s'éloigne tranquillement dans les herbes. Éléonore l'observe un moment, jusqu'à le voir disparaître. Elle se blottit contre le tronc du chêne comme elle se blottissait contre le corps du père, et elle repose une main sur l'écorce polie par le frottement des sabots et des pieds nus. Une grande fatigue l'envahit. Les mouettes ont déserté le ciel de midi. Les branchages du chêne disloquent la lumière, la dispersent en éclats sur le tronc, le sol et le visage tourné d'Éléonore. Des violettes poussent dans l'herbe rase et dans les mousses, parfumant l'ombre étendue de l'arbre. Elle en cueille une et la mange. Quelques écureuils, silhouettes furtives et rousses, contournent le tronc, jaillissent et disparaissent en jetant de petits cris. Les taches de boue sur la robe de deuil ont séché et la fatigue gagne progressivement l'enfant dont les paupières se ferment malgré elle, ne laissant plus filtrer que le jour fauve, des lignes lumineuses et fluctuantes entre ses cils. Plus tard, c'est une main qui l'éveille, puis le visage de Marcel penché sur elle. Les funérailles sont terminées et le père repose désormais dans une nuit éternelle. Éléonore saisit la main que lui tend Marcel, et il l'aide à se relever.

« On rentre », dit-il.

L'enfant acquiesce et ils remontent ensemble vers le contre-haut où la veuve attend sur le fil du chemin menant du village au cimetière de Puy-Larroque.

Au soir, comme elles se déshabillent pour revêtir leurs chemises de nuit, la veuve voit la trace brune sur les dessous de sa fille. Elle s'en saisit aussitôt, la porte à son nez et renifle, avalant l'air par petites goulées, goûtant l'odeur du premier cycle, la preuve irréfutable de sa nubilité. Elle baisse lentement les bras. Ses lèvres tremblent et elle pose son regard sur Éléonore.

« Tu es impure, dit-elle d'une voix blanche. Tu es sale, désormais. Et tu vas pécher.

— Non, répond Éléonore, non, je…

— Tais-toi. Tu auras beau dire, tu pécheras. Oh, oui. Souviens-toi comment Ève a laissé le serpent la séduire. Il te séduira à ton tour. N'oublie pas pourquoi on est ici-bas, par sa faute. Et le Seigneur lui a dit : "J'augmenterai la souffrance de tes grossesses, tu enfanteras avec douleur, et tes désirs te porteront vers ton mari, mais il dominera sur toi." Et Il dit à l'homme : "Le sol sera maudit à cause de toi. C'est à force de peine que tu en tireras ta nourriture tous les jours de ta vie, il te produira des épines et des ronces, et tu mangeras l'herbe des champs. C'est à la sueur de ton visage que tu mangeras du pain, jusqu'à ce que tu retournes dans la terre, d'où tu as été pris ; car tu es poussière, et tu retourneras à la poussière." »

La veuve a posé une main sur l'épaule de sa fille et y pèse de tout son poids jusqu'à ce que les genoux de l'enfant cèdent et qu'elles se retrouvent toutes deux agenouillées.

« Prions, dit-elle. Pour le salut de ton âme et celle de ton père. *Miserere mei, Deus : secundum magnam misericordiam tuam.* Pitié pour moi, mon Dieu, dans Ton amour, selon Ta grande miséricorde, efface mon péché. Lave-moi tout entière de ma faute, purifie-moi de mon offense… »

Durant les jours qui suivent les funérailles, elles lessivent la maison à la charrée pour en désincruster l'odeur, frottant les draps puis le sol jusqu'à cloquer la peau de leurs genoux et celle de leurs paumes. La veuve ouvre l'ancienne armoire assemblée et ouvragée par le père du père, au temps jadis, quand elle cahotait dans sa robe de noces sur un chariot tiré jusqu'à l'église par un âne des Pyrénées, puis elle en sort les vêtements du défunt époux qui cahotait près d'elle, fier comme Artaban, vêtu du même costume avec lequel il pourrit désormais dans la terre du cimetière de Puy-Larroque. Elle déplie les chemises et les pantalons ravaudés, les replie et les dépose sur la table en deux piles de rien. Du temps de sa splendeur, le père avait sensiblement les mêmes mensurations que Marcel, et la veuve, qui n'aime rien moins que le gaspillage, pourrait offrir au neveu de quoi s'habiller et compléter son petit saint-frusquin, deux chemises et deux tricots qu'il porte à tour de rôle, se défaisant de l'un quand il pue assez et devient dur comme un plastron sur son torse pâle – il est de bon ton que les hommes sentent et c'est à leur odeur que se mesurent leur mérite et la peine qu'ils se donnent –, mais elle transporte les nippes dans un coin de la cour, dispose quelques branches sèches au fond d'un seau en fer et fait flamber le tout, veillant là, immobile dans la fumée infecte et noire, le regard fixe et les bras croisés, jusqu'à ce que ne reste plus qu'un fragile tas de cendres balayé par la première brise. Elle trie ses propres vêtements et remise dans une boîte d'osier les robes, les gilets et les bas qui ne sont pas de couleur noire. Quand elle ne fourbit pas ou ne s'occupe pas du menu bétail, elle installe une chaise près de la porte d'entrée de la ferme et attend, assise dans sa robe de deuil, les mains posées sur les genoux, droite comme un sphinx.

Plusieurs fois l'an, des colporteurs font halte sur la place du village et tiennent boutique tout le matin, offrant peu ou prou ce qui se peut trouver en ville chez les quincailliers, les merciers et les couturières, aiguisant les couteaux et rachetant les chiffons. Les femmes espèrent l'arrivée du marchand, leurs maigres économies glissées en prévision contre leur sein, puis se dépêchent près du bahut, se disputent les articles, tâtent les étoffes et s'attardent en de laborieuses négociations. La veuve, qui ne veut pas se mêler à l'exaltation dispendieuse des autres femmes, guette, depuis son poste d'observation, la route qui mène à Puy-Larroque. S'en vient un chariot tiré par une mule galeuse et rétive, conduite par un marchand ambulant qui en a tant fouetté la croupe qu'elle est toute pelée. Bientôt elle mourra en chemin, courbant l'échine en un profond soupir, et elle restera retenue debout sur ses jambes par les brancards, le harnais et le poids du chariot, tandis que le marchand continuera un instant de battre le cuir nu de sa croupe et de tempêter, avant de se décider à mettre un pied à terre pour constater que la langue de la bête traîne dans la poussière et que son gros œil glauque est à demi clos. Son vieux cœur aura tout bonnement flanché, après vingt ans de labeur et plus de coups de schlague qu'aucune bête sur terre n'en peut endurer. Pour l'heure, la veuve adresse de grands signes au colporteur, l'invitant à approcher. Le marchand scie la bouche de la mule, bascule de tout son poids en arrière sur la bride et arrête le chariot au milieu de la cour. Les sabots de la mule sont étroits et fendus, ses pieds fourbus, et elle boit avidement l'eau du seau qu'Éléonore lui apporte. Le colporteur est si petit qu'on le dirait nain, avec ces mêmes mains boulottes, ces mêmes jambes arquées et cette même démarche basculée, mais sa tête est celle d'un homme de constitution normale, si bien qu'elle semble vissée par erreur sur ce corps tassé – du reste toujours vêtu avec élégance d'un costume trois-pièces dont Éléonore suppose qu'il ait été originellement destiné à un garçon de la ville, un fils de bonne famille, de neuf ans tout au plus –, un nœud papillon bien serré dans le gras rouge du cou, prêt à le garrotter. Bien qu'étant l'être le plus petit qu'il ait été donné de voir à Éléonore, le marchand est aussi le plus gros, avec des plis aux poignets et des plis aux coudes, comme sur ces poupées de bois ou de céramique qui l'ont si souvent fait rêver chaque partie du corps est distincte de l'autre, puis assemblée par une tige de métal et, quand elle voit passer le colporteur, deux ou trois fois l'an, elle l'imagine traversé de fils de fer plus ou moins souples en guise d'os, et qui justifieraient, plus que son poids, la difficulté qu'il a de se mouvoir, cette façon de tourner sa tête suante et rubiconde comme sur un pivot, sans jamais la hocher, pour dire oui et pour dire non indifféremment. Il saute à terre, avec une curieuse agilité, puis tire la toile cirée qui recouvre son chargement, et il y a là des caisses de bois et des sacs de jute renfermant un véritable capharnaüm de bassines et de poêles, de vaisselle rangée dans du foin, de petit outillage, de laines et de peaux tannées, de rouleaux de tissus et de vêtements. La veuve s'entretient un bref moment avec le colporteur ; elle demande à voir. Quand elle s'en retourne vers la maison, laissant le petit homme seul avec Éléonore, il lui sourit, dévoilant quelques chicots pourris, disséminés sur une gencive exsangue.

« T'as bien grandi, quand même », dit-il en ricanant.

Il parle le gascon, mais avec un accent qu'elle ne connaît pas et elle se garde bien de répondre. Le colporteur jette un rapide coup d'œil en direction de la maison.

« On peut pas dire qu't'es vraiment jolie. C'est p'têt bien qu't'es mal fagotée, tiens. »

Éléonore sent ses joues picoter sous l'afflux sanguin. Elle hésite à fuir, mais redoute aussitôt les remontrances de la veuve et reste interdite. Le colporteur ricane à nouveau, puis recule d'un pas pour se cacher derrière sa mule, empoigne son entrejambe et froisse le tissu de son pantalon.

« Ah, coquine, dit le nabot, t'es pas tout sec' comme ta vieille mère qu'on dirait un coup d'trique. »

Il maugrée plus qu'il ne parle, faisant glisser la braguette, puis en tire une verge livide et molle, de la taille d'une andouille, qu'il secoue vertement deux ou trois fois en passant sur ses lèvres une langue sèche et noircie par le tabac. À l'instant où la veuve reparaît sur le seuil, il se refroque aussi vite qu'un serpent rabat sa langue. Elle tient dans les bras le petit tas de vêtements soigneusement pliés qu'elle ne portera plus. Elle jette un œil à sa fille, la trouve pâle et laide, à l'image de son reflet qu'elle prend soin d'éviter dans le miroir ovale et l'eau des lavoirs. Elle se console : le noir s'accorde au moins à leur teint de revenantes. Le marchand passe en revue chaque nippe.

« J'pourrai pas en tirer grand-chose, ma p'tite dame », dit-il en pivotant de la tête.

Blessée dans son orgueil, la veuve accuse un léger recul.

« J'en ai toujours pris soin », réplique-t-elle.

Le colporteur hausse les épaules, puis passe de nouveau les vêtements en revue, avant de répéter :

« J'pourrai pas en tirer grand-chose. »

Tandis qu'ils se taisent, la mule lève la queue et défèque.

« Ce que je voudrais, moi, c'est de cette étoffe-là », dit la veuve en désignant le chariot.

Le colporteur semble réfléchir un moment.

« Trois, quatre mesures, ajoute la veuve, je demande pas plus. Faut bien m'habiller convenablement, maintenant que le vieux est mort. »

Le marchand fait encore mine d'hésiter, puis d'un geste du bras signifiant « allez, va ! », il s'avance en bon prince vers sa camelote, s'arme de ciseaux de couturière aux lames rutilantes et déroule une bande de tissu noir sur la longueur de la charrette, puis le double et le triple avant de le trancher sous le regard attentif de la veuve. Il plie l'étoffe, la tend à sa cliente, accompagnée d'une main poupine, celle dont il agitait son membre quelques minutes plus tôt sous le nez de l'enfant, et qu'elle serre brièvement de sa main d'homme, sèche et grise.

« Et voilà, ma p'tite dame ! Marché conclu, comme qu'on dit ! »

Le colporteur adresse un clin d'œil à Éléonore, pince le bord de son chapeau et saute sur le chariot, fouettant le cul de la mule qui, tirée de sa torpeur, étouffe un hennissement et met en branle sa vieille carcasse. La veuve et sa fille observent l'attelage quitter la cour de la ferme, puis la paysanne s'en retourne vers la maison, passant la paume de sa main sur l'étoffe dans laquelle elle taillera et coudra méticuleusement les deux robes qu'elle portera à compter de ce jour et jusqu'à ce qu'elle expire son dernier souffle. Elle a toujours envié la gravité des veuves et le deuil lui est doux, comme l'air souffreteux qu'elle se plaît déjà à prendre, supposant une douleur enfouie et inapaisable, une plaie vive qui l'élève et la transcende. C'est aussi l'habit, songe-t-elle, qui préservera son autorité sur l'enfant et le neveu auxquels la mort de l'époux la livre en pâture. Éléonore est restée dans la cour, étreinte par le sentiment d'une souillure, un arrière-goût amer dans la bouche. Alphonse est couché à ses pieds dans la poussière soulevée par le départ du colporteur. Pour la première fois depuis la mort du père, sa disparition lui paraît réelle, inéluctable, et l'abandonne dans une insoutenable solitude, face aux forces obscures qu'elle ne saurait nommer et qui se soulèvent en elle et hors d'elle, fomentant de funestes desseins. Dans le soleil blanc qui illumine la cour, elle frissonne comme une petite proie.

Post tenebras lux

(1914-1917)

La terre se met à bruire, la sève à sourdre dans les arbres, à s'élever pesamment dans les troncs, et les bourgeons pointent sous l'écorce, le long des branches nues. Sous les couches d'humus et dans les souches de bois pourrissantes, les larves nacrées se meuvent, tirées de leur torpeur par le redoux, et les pupes brunes commencent à éclore. Dans le cimetière du village, au premier soleil, les couleuvres glissent hors d'un caveau et reposent sur une pierre tombale à demi ensevelie sous les fougères. La glace de la retenue d'eau, que les plus téméraires des enfants du village traversent au cœur de l'hiver, a depuis longtemps fondu et les araignées d'eau froissent la surface en détalant. Au printemps, les femmes de Puy-Larroque et des fermes aux alentours se rejoignent dès l'aube au bord du grand lavoir. Elles viennent à pied, en charrette, à dos de mule, traînant une brouette ou des sacs de grosse toile remplis du linge qu'elles ne lavent qu'une fois l'an, et comme amidonné par la sueur, la boue, les excrétions des hommes et celles des bêtes. Tout l'hiver, elles ont ramassé dans l'âtre la cendre de bois et l'ont conservée à l'abri des intempéries dans ces mêmes sacs de grosse toile. Le linge est déposé en tas sur l'herbe fraîche, humide de rosée, dans le soleil du matin et l'odeur des foins. Les lavandières disposent des baquets d'eau puisée dans le lavoir puis y dissolvent des copeaux de savon noir qui peu à peu embaument l'air. À l'heure où les coqs chantent et se répondent, les hommes aiguisent la lame des faux, puis se mettent en marche, coiffés de leurs chapeaux, sous le ciel d'un bleu sombre où scintillent encore les étoiles et un filet de lune, le manche des faux sur leur épaule et quelques chiens à leurs pieds. Depuis la mort du père, Alphonse suit désormais exclusivement Marcel, mais il ne devance plus sa marche ni celle d'Éléonore et ne saute plus par-dessus les fossés. Il se contente de l'accompagner, la tête basse, et se couche dès qu'il le peut pour reposer son arrière-train devenu raide. Ses yeux sont recouverts d'un voile bleuâtre et son poil a blanchi. Les lavandières plongent le linge dans l'eau savonneuse et il dégorge les volutes d'un jus noirâtre. Dans les fermes tranquilles, les poules s'enhardissent et s'avancent vers les maisons dont les portes sont restées ouvertes pour laisser entrer un peu de la fraîcheur du matin ; elles picorent sous les tables, se perchent sur le dos des chaises, montent sur les lits et y pondent parfois un œuf qu'elles couvent jusqu'à ce qu'on les chasse à coups de balai. Assises sur l'herbe, à l'ombre des figuiers lourds de suc, les lavandières discutent. Parfois, l'une d'elles se lève pour remuer le linge qui trempe tout le jour. Les lames des faux luisent au soleil de midi et les champs sont parcourus d'éclats blancs. Les femmes coiffées de foulards et armées de râteaux répandent les herbes qui exhalent leur doux parfum. Les plus jeunes des enfants sont couchés ou assis au pied des arbres, sous la garde de leurs sœurs ; parfois une jeune mère s'allonge, défait son corsage sur un sein dur, puis allaite un nouveau-né. L'air sent la transpiration des hommes, les herbes fauchées et le bétail chaud. D'un pré à l'autre, les paysans s'interpellent de leurs voix joyeuses ; la fenaison est bonne cette année et durera jusqu'en juillet pour les parcelles tardives. Ils auront alors de quoi nourrir les bêtes et affronter le rude hiver.

Du bord du champ depuis lequel elle l'observe, Éléonore voit Marcel, sa chemise trempée de sueur coller aux muscles longs et plats de son dos, de son torse, la poussière de foin déposée sur son cou rouge, le front barré par une mèche de cheveux qu'il essuie du revers du poignet, ses gestes appliqués bien que plus lents et approximatifs que ceux du père. Lorsqu'il boit à la gourde qu'elle lui tend, Marcel laisse l'eau couler dans le creux de sa main, puis frictionne son visage en soufflant et de fines gouttes atteignent alors Éléonore au visage, sur le front ou à la commissure des lèvres. Dans des cuviers de bois cerclé, les lavandières placent un drap, puis, s'aidant de petites pelles, glissent la cendre dans des sacs de tissu noués de fins cordages et les déposent dans les baquets, sous le linge étendu en couches.

Au soir d'une journée de fenaison, Marcel tire l'eau du puits et la verse dans le baquet qui servit à ébouillanter le cochon avant l'hiver. Il se déshabille, abandonne ses vêtements sur la margelle du puits, dévoile sa peau blanche, contrastant avec le hâle de sa nuque et de ses avant-bras. Les poils forment sur ses jambes une mousse claire et dense qui se dissipe brusquement sur la cheville marbrée, ne laisse qu'une traînée rousse filer et s'amenuiser sur la courbe du pied jusqu'au gros orteil. À l'entrecuisse, suivant des courants contraires, l'écume se brise et se soulève en une ligne plus sombre. Éléonore songe qu'elle pourrait poser le plat de ses mains sur ces cuisses et que l'épaisseur des poils retiendrait la pression de ses paumes, puis qu'elle enfoncerait ses doigts fins dans cette broussaille jusqu'à éprouver l'enveloppe dure, claire et nue, de Marcel. Quand il entre dans le baquet, un frisson grêle sa peau, il s'enfonce et repose longuement, les bras passés autour des genoux ; l'eau noire trace une ligne sur sa lèvre supérieure et se froisse à chacune de ses expirations.

En bordure des champs, Éléonore cueille les fleurs printanières, les genêts, les pâquerettes et les centaurées dont elle compose des bouquets qu'elle dépose sur le tertre sous lequel est allongée la dépouille du père. Elle arrache les pousses vertes de graminées semées par le vent dans les crevasses de la motte ocre surmontée d'une croix de métal déjà branlante. Les lavandières versent de l'eau bouillante dans les cuviers. Le linge s'imprègne lentement d'eau et de cendre, et elles répètent ces gestes autant de fois que nécessaire, jusqu'à ce que le jus dégorgé soit lui aussi bouillant ; alors les lavandières y enfoncent de solides tiges de bois du bout desquelles elles soulèvent les linges gris et fumants avant de les déposer sur une brouette à claire-voie. Au troisième jour de lessive, le linge est immergé dans l'eau du lavoir, rincé, savonné et vaillamment battu. Bras nus, les femmes posent au bord du lavoir des torchons sur lesquels elles s'agenouillent. La tête leur tourne lorsqu'elles se relèvent pour essuyer leur front d'un revers de bras ou replacer une mèche échappée de leur foulard. Leurs joues sont rouges et la mousse dense et bientôt blanche fait à leurs poignets des amas spumeux, pareils à ceux qu'accrochent aux herbes les larves de cercopes.

Bientôt les jeunes corvidés encore auréolés de duvet s'aventurent hors des nids de branchages enchevêtrés. Marcel recueille un petit corbeau tombé de la cime d'un marronnier et qui, sautillant entre les racines, traîne derrière lui l'une de ses pattes brisée et recroquevillée. Marcel s'assied à l'ombre de l'arbre où frissonnent des points de lumière. Il déboutonne sa chemise et dépose l'oisillon contre son ventre moite, lui parlant d'une voix douce pour l'apaiser. Il regarde le sol à l'entour, passe les doigts sur les feuilles et les vieilles bogues, choisit une branche de bois tendre qu'il dénude avec la lame de son couteau. Tenant le corbillat dans le creux de sa main, il rabat ses ailes fragiles, le retourne et le dépose sur sa cuisse, puis attache une attelle contre la patte. Lorsqu'il ramène l'oiseau à la maison et le dépose près de son lit dans une petite cage bricolée, la veuve pâlit mais se tait, fulmine à part elle : n'ont-ils pas eu assez de chagrin pour héberger maintenant sous leur toit une de ces sales bêtes, voleuses, mauvaises et nécrophages ? Jamais le père n'aurait laissé faire son neveu. Il l'aurait plutôt mis à la porte vite fait, lui et son oiseau de malheur. Elle réinvente déjà la mémoire du paysan, elle radote sa peine, elle réécrit l'histoire, elle lui retape une dignité. Elle invoque avec regrets le souvenir de l'homme qu'elle a tant aimé, le respect qu'inspirait le patriarche, l'autorité naturelle à laquelle elle se soumettait de bon gré, car l'homme était aimant, et digne avec ça, jusqu'à sa dernière heure.

Les herbes ont séché au soleil et les paysans façonnent maintenant de grosses meules dont les ombres font, à la tombée de la nuit, des monticules dorés et graves.

« Je confesse à Dieu Tout-Puissant, à la Bienheureuse Marie toujours vierge, à saint Michel Archange, à saint Jean-Baptiste, aux saints apôtres Pierre et Paul, à tous les saints, et à Vous, mon Père, que j'ai beaucoup péché, par pensées, par paroles et par actions. C'est ma faute, c'est ma faute, c'est ma très grande faute. C'est pourquoi je supplie la Bienheureuse Marie toujours vierge, saint Michel Archange, saint Jean-Baptiste, les saints apôtres Pierre et Paul, tous les saints et vous, mon Père, de prier pour moi le Seigneur notre Dieu », dit Éléonore.

La veuve assise près d'elle, vêtue de sa robe de deuil comme le confesseur de sa soutane, scrute son visage incliné vers le sol et dit :

« Parle, je t'écoute. »

Restée seule à la ferme, Éléonore décroche le crucifix cloué au pied du lit clos, le dépose au fond du seau d'aisances et, relevant le bas de sa robe, s'accroupit et lâche de longs traits d'urine sur le visage du Christ. Elle l'observe un moment, immergé dans la miction, puis plonge deux doigts dans le seau pour repêcher la croix et la suspendre à nouveau au clou d'où elle laisse tomber, sur la couche de la veuve, deux ou trois gouttes translucides. Les jours suivants, Éléonore vit la peur au ventre, dans la crainte d'un châtiment en retour, mais rien n'advient et le linge bleu sèche sur les fils tendus entre les arbres, et les paysans rapportent aux fermes le fourrage qu'ils étendent sur les aires, et le corbillat saute sur l'index que lui tend Marcel, puis remonte à petits bonds jusqu'à son épaule à laquelle il se perche et avale les boules de mie de pain que le garçon roule sous la pulpe de ses doigts. Le jour de sa communion solennelle, Éléonore fait en secret le vœu de bannir de son cœur tout sentiment, toute inclination religieuse, et cette désertion laisse en elle une petite faille, un trou, une plaie indolore mais tenace. Le soleil éblouit les communiants qui se tiennent, fiers et solennels, sur le parvis de l'église.

Au petit matin du premier jour de l'été, le père Antoine s'éveille brusquement d'un rêve dans lequel les enfants de chœur revêtus de leurs aubes blanches le couvrent de caresses et de baisers, serrent contre lui leurs corps chauds et souples. Lorsqu'il entrouvre les yeux sur le mur écaillé de sa chambre, c'est l'un d'entre eux qui se tient crucifié sur la croix de plâtre clouée au mur, la couronne d'épines griffant son front lisse et pâle, le pagne de pureté retenu sur ses hanches minces et qui, de son visage incliné, fixement le regarde. Puis, le curé est rappelé en lui-même, par un gouffre plus profond et insondable que celui du sommeil, une chute vertigineuse dans une nuit sans fin et sans lumière.

Le corps du père Antoine est emporté sur une charrette vers sa dernière demeure, le caveau familial où reposent un père et une mère morte en couches dont il invoquait le souvenir aveugle et consolant quand la terreur du Jugement dernier et l'assourdissant silence de Dieu le saisissaient impitoyablement, et la bière drapée de son aube s'éloigne sous les yeux des villageois réunis sur la place du village, puis disparaît à l'angle de l'enceinte du château.

« *Ite missa est* », lance une voix gouailleuse, et quelques éclats de rire se font entendre parmi les soupirs offusqués des sempiternelles pleureuses qui s'en retournent aux champs en claquant des sabots.

L'été s'installe sûrement. Pas une goutte de pluie n'est tombée depuis plusieurs semaines. Les blés hauts jaunissent et les épis bruissent quand souffle le vent d'ouest. La terre se fend, l'air vibre et oscille au-dessus du sol, des mirages fragiles et tremblants apparaissent au loin sur les routes et les terres nues. Les poules grattent la poussière pour chercher un peu de fraîcheur et le cochon s'allonge dans les flaques évaporées. À l'aube, le gibier furtif parcourt l'orée des bois et des cultures, puis s'enfonce tout le jour dans les terriers et les broussailles du breuil. Dans la chaleur poisseuse de l'étable, l'une des deux vaches est sur le point de vêler, étendue dans la paille. Éléonore voit poindre la poche amniotique, ronde et blanche. Il semble un instant que la vache va pondre un œuf, une perle de nacre démesurée; puis la fine membrane se crève et déverse un liquide translucide sur les arrière-pis, les jarrets et le tablier noué à la taille de la veuve qui trempe des chiffons d'eau chaude et les applique sur les reins de la bête. Elle passe une main sur le ventre dur et sur l'échine moite. Elle lui parle sans discontinuer d'une voix calme et basse, et si Éléonore se tient à l'écart dans un angle de l'étable, c'est que le ton de la veuve est si inattendu qu'il lui paraît impudique, obscène. Elle regarde, interdite, les gestes de la paysanne, les caresses méritées par la génisse et non par elle, sa fille, elle écoute les mots doux prononcés pour son apaisement. La veuve touche les plis de la vulve. Elle enfonce une main graissée au beurre et tâtonne la pointe des sabots et le mufle englué du veau, puis s'assied dans un coin de l'étable et attend, chassant les mouches de son front, observant la génisse aux pis durs, dont les yeux roulent dans la pénombre lorsqu'un spasme la traverse. Les sabots blancs et le mufle englué apparaissent enfin, l'œil voilé surgit de la nuit utérine, le veau poussé hors de la matrice par les contractions de la vache dont l'anus libère en cadence des jets de bouse verte. La veuve se relève, elle attrape le veau par les canons et tire de toutes ses forces, suivant le rythme des spasmes, suant avec la vache toute l'eau de son corps. Quand le veau repose immobile et fumant dans la paille, la veuve glisse trois doigts dans sa gueule et la libère d'une poignée de mucus qu'elle essuie sur son tablier maculé de sang, de bouse et de liquide amniotique. Des nuées de mouches vrombissent alentour et le veau respire et contemple le monde clos et tamisé de l'étable, le visage de la veuve penchée sur lui, puis la tête de la vache qui se relève et lèche sa robe visqueuse. De la vulve ouverte et rouge s'écoule la poche placentaire. La veuve la jette dans un seau et l'emporte, serrée contre son ventre. Restée seule, Éléonore ramasse une poignée de foin et frotte le pelage du veau qui se lève brusquement sur ses pattes tremblantes et, prenant les doigts de l'enfant pour le pis de la mère, engloutit sa main. Elle sent le palais chaud et ondulé, la langue douce et avide contre sa paume.

Quelques jours après la mort du père Antoine, Jean Roujas, le dernier des enfants de chœur qui recevaient les faveurs de l'ecclésiastique, quitte la maison familiale par une nuit tiède, et seuls quelques chiens aboient en le voyant traverser

Puy-Larroque, une corde à la main. Le lendemain matin, il est retrouvé dans sa chemise de nuit détrempée par la rosée, pendu à la branche la plus basse du vieux chêne. Son corps frêle tourne lentement sur lui-même comme un astre et son visage est tantôt baigné par la lueur de l'aube, tantôt englouti par la nuit que retient l'arbre. Il est enseveli dans un petit cercueil taillé à sa mesure, que son père fou de rage et de douleur exige de porter seul, en équilibre sur son épaule. Depuis la maison où la dépouille de l'enfant a été veillée – sa mâchoire est retenue par une bande de coton crochetée par la mère endeuillée et nouée sur ses cheveux blonds comme les foins –, il marche jusqu'au cimetière survolé par des nuées de pollen ocre, passe devant l'église aux portes closes et sourdes à sa peine, tenant à bout de bras la boîte qui entaille la peau de son cou.

Marcel parle rarement des siens, de ses parents, de ses frères. Le dernier dimanche de chaque mois, depuis la mort du père, il attelle la jument avant le lever du jour et s'en va leur rendre visite, sans jamais proposer à Éléonore de l'accompagner. Lorsqu'il est de retour, elle est déjà couchée dans le lit jouxtant celui de la veuve, et voit passer près d'elle sa silhouette maussade. Sans doute la veuve a-t-elle envisagé de le renvoyer, mais le garçon continue de se montrer laborieux; il pioche, fauche, creuse, sarcle, puis s'effondre de fatigue jusqu'à l'aube du jour suivant. Dans le secret de sa chambre, il ressent parfois une tension, un agacement, et glisse une main sous le drap, mais c'est alors pour achever son corps, et seules des formes vagues s'esquissent à la surface de sa conscience, des détails anatomiques, devinés sous des loques de paysannes, des gorges lourdes et moites, des cuisses velues dans des bas de laine ; parfois un sexe broussailleux et immobile. Il n'a pas de penchant pour l'imaginaire. Il n'a pas même la force de s'essuyer, et sa semence sèche sur sa main tandis qu'il dort déjà d'un sommeil sans rêve. Jamais il ne réclame le pécule que lui versait son oncle et il passe le plus clair de son temps dehors, ne rentrant qu'à contrecœur quand les bêtes dorment et que les chouettes hululent. Il mange souvent seul dans sa pièce, à la lueur d'une lampe, assis au bord de son lit, le corbeau somnolant sur l'épaule. Son confort le satisfait : la chambre qu'il a sommairement meublée au fil du temps, les habitudes qu'il a prises, sa relative solitude. Il ne se plaint pas, mais n'est pas pour autant servile et garde cette réserve sauvage et taciturne. S'il lui arrive quelquefois de rejoindre les hommes au troquet du village, il ne rentre pas saoul et ne se lie véritablement d'amitié avec personne. Plusieurs jours peuvent passer sans qu'il prononce un seul mot. Malgré ses dix-neuf ans, il est déjà grave et silencieux, son pas est lourd et semble traîner un poids invisible. Le travail de la terre l'a transformé et, bien qu'il reste maigre, il est plus nerveux et les muscles saillent en plaques striées et tectoniques sur sa nuque, son dos, ses bras. Même ses mâchoires se sont élargies à force de serrer les dents aux travaux quotidiens. Les nerfs se tendent sous sa peau comme des drisses. Souvent, il se rend au cimetière et se recueille sur la tombe du père. Il désherbe les alentours, puis s'assied un moment à l'ombre d'un cyprès, bras tendus, coudes reposés sur les genoux. Il s'empare d'une brindille et chahute une farandole de fourmis ou dessine des formes dans le sable. Puis, il se redresse et s'en retourne à la ferme. En la présence d'Éléonore, il se montre cependant plus affable et sensible. Il accepte sa compagnie, parfois même son aide, lorsque la veuve laisse à sa fille un bref répit, car elle reste aux aguets et trouve toujours le moyen de tenir Éléonore à distance de lui en l'accablant de tâches. Les deux enfants cheminent à travers la campagne, somnolent à l'heure de la sieste au pied des arbres ou à l'ombre des meules, mènent les vaches et la jument à paître aux herbages, parlent des bêtes et des récoltes, se remémorent parfois le souvenir du père. Le soleil hâle leur peau et éclaircit leurs yeux. Ils baptisent le corbillat Charbon puis le relâchent, mais après avoir pris un envol mal assuré, l'oiseau les suit en croassant et volette au sol jusqu'à ce que l'un d'eux se penche et lui tende une main sur laquelle il s'empresse de se percher. Pour la Saint-Jean, Marcel se joint aux quelques villageois chargés de ramasser des branchages dans les futaies et d'élever un grand bûcher au sommet d'un vallon en friche qu'ils éclaircissent à la faux, ménageant un chemin entre les graminées et les coquelicots. Une liesse paisible gagne Puy-Larroque et ses habitants. Les voix s'échauffent, les enfants se coursent, fébriles et turbulents. Un mouton mis à braiser depuis le matin empuantit les ruelles et, dans chaque maison, les

141

cuisinières s'affairent aux fourneaux. À la tombée de la nuit, une procession joyeuse quitte le village, entourée d'une horde de chiens, sous les nuées d'éphémères voletant autour des lampions qu'ils emportent, les hommes charriant des fûts de vin et les femmes des paniers de victuailles. La lumière du couchant ensanglante les cultures, les bosquets de ronces et l'écorce chaude des arbres. Des pétales fanés de robiniers roulent délicatement le long des chemins et se prennent aux toiles des argiopes. Dans un champ, un poulain mis au sevrage rue dans les clôtures, et sa mère, aux pis douloureux, hennit depuis l'étable. La campagne sent encore le foin, l'oignon sauvage, les genêts et la pierre chaude. Lorsque la torche embrase le bûcher, les hommes se regroupent et regardent crépiter les flammes, s'élever les cendres incandescentes qui s'éteignent en virevoltant, puis disparaissent dans la coulisse pourpre du ciel. Ils enfoncent des pommes de terre dans les braises, déchirent la croûte calcinée et mangent à la main la chair fumante, soufflant entre deux bouchées sur leurs doigts luisants de salive et de graisse de mouton. Le vin des fûts enfièvre les fronts, brûle les ventres et coule sur les gorges dépoitraillées. Un violoneux entonne une ritournelle sitôt reprise par un accordéon, et les hommes et les femmes se lèvent et s'assemblent pour un rondeau autour du feu, leurs visages cramoisis, suants et hilares. Marcel a empoigné la main d'Éléonore et la tient serrée. Elle sent les soubresauts de son corps dansant, elle les accompagne. Elle sent son haleine lourde d'alcool expirée par à-coups. Elle sent l'odeur de leurs corps réunis et frénétiques, à eux tous, les paysans, l'odeur de leur race vile, de leurs chairs pénibles et harassées, et ils lui semblent soudain terriblement fragiles, vieillards en sursis à quarante ans, corps abîmés, congénitaux, distendus par les couches, goitreux, amputés par les lames, calcinés par le soleil. Aucun d'eux ne peut traverser la vie sans y sacrifier un membre, un œil, un fils ou une épouse, un morceau de chair, et Éléonore sent la peau épaisse et grise des cals à ses genoux, à ses coudes, frotter contre le tissu de sa robe et de son chemisier. Même les enfants semblent ne rester des enfants que l'espace d'un battement de paupières. Ils viennent au monde comme le petit bétail, le temps de gratter un peu la poussière à la recherche d'une maigre pitance, puis de crever dans une triste solitude. Ils dansent au son du crincrin pour oublier qu'ils sont déjà morts avant même de naître, et l'alcool, la musique et la sarabande les plongent dans une douce transe, l'impression de la vie. Quand ne reste plus qu'un parterre de braises au cœur du grand bûcher, les adolescents se défient, prennent leur élan et sautent au-dessus des tisons chuintants, attisés par l'air que déplacent leurs corps projetés dans la nuit. Marcel se laisse entraîner. Éléonore le voit rire et répondre aux accolades des garçons. Comme il reprend son souffle, il la regarde, et ses yeux clairs aux pupilles noires sont habités par le reflet des dernières flammes.

Le ciel est pâle, translucide. Les feuilles et les épis de blé bruissent sous la main et sont friables comme d'anciennes mues. Les faux sont aiguisées à nouveau et les hommes se remettent au travail, profitant de la fraîcheur de l'aurore. Marcel fauche tout le jour, ne s'interrompant qu'aux heures les plus chaudes, quand le soleil tape si fort que la tête lui tourne et que sa vue se trouble. Il décline l'aide que lui proposent les gars des fermes voisines et les garçons d'étable. Au crépuscule, quand les paysans regagnent les maisons, ils s'arrêtent en bordure de ses terres et l'observent tandis qu'il continue de travailler, torse nu, la peau recouverte de poussière de blé. Ses épaules sont écarlates, ses mains couvertes de cloques, grossièrement bandées de tissus brunis par le sang et la terre. Ses bras sont tailladés par les tiges dures et les feuilles acérées. Il lève la faux encore, et encore, et encore, comme s'il s'était mis en tête d'en découdre seul avec ce bout de terre, de le soumettre à son bon vouloir, de le faire sien abso-lument. Ses yeux brûlants et injectés de sang fixent à chaque coup de lame le prochain andain qu'il lui faut encore abattre, sans jamais regarder l'entièreté du champ, mais le dévorant pas à pas, étendant derrière lui la bande de terre brune et nue qu'Éléonore et la veuve débarrassent des javelles tranchées dont elles composent des gerbes blondes. Jusque tard dans la nuit, Marcel continue de faucher à la lueur de la lune et à celle des fanaux suspendus au chariot tiré par la jument qui le devance de quelques pas lorsqu'il tape sa croupe, puis se rendort, et les halos scintillent dans l'obscurité comme les étoiles chues d'une constellation lointaine. Dans le calme du cimetière de Puy-Larroque, un feu follet s'allume, virevolte et disparaît, jetant une lueur bleue sur le petit carré de terre recouvrant la bière de l'enfant de chœur Jean Roujas.

Ils laissent sécher au soleil les javelles de blé, puis les battent au fléau, et le rythme effréné des coups résonne par-delà la campagne. La veuve vanne ensuite le grain au tarare et le bruit de la roue remplace celui des bâtons. Éléonore verse le grain sur la trémie. La poussière ne tarde pas à emplir l'espace du hangar, laissant sur leur langue un goût de terre et de son. Malgré la rumeur qui sourd – l'assassinat de l'archiduc au mois de juin, le 9e, le 88e et le 288e régiments qui se tiennent prêts, en cantonnement à Agen et à Auch –, Marcel et Éléonore trouvent ensemble et par instants des bribes d'insouciance et de liberté, avant que la réalité de la ferme ne les rattrape ; puis celle du vaste monde au-delà, dont ils ignorent presque tout, et des convul-sions duquel ne leur parviennent que les frémis-sements, la dernière onde exténuée et sourde d'une pierre jetée au beau milieu d'un lac immense, sur les berges duquel ils se tiendraient. Depuis la mort du père, la veuve ne lit plus guère la presse, pas même pour y découper des images pieuses ou s'y repaître de la dérive des hommes. Les cultures ne laissent que peu de répit et l'été ne tarde pas à balayer le sentiment funeste qui étreignait le cœur d'Éléonore. Rien ne peut les atteindre, rien ne saurait finir au cœur de l'été, et il flotte un sentiment d'éternité possible, comme ces mirages vibrants sur l'horizon ; un bonheur tranquille.

Ils sont au champ, ce premier jour d'août, sous un ciel immaculé, un bloc de lumière, une chaleur écrasante qui semble prête à incendier la terre, quand ils entendent crier au loin. Ils se redressent, suspendent le balancement des faux. Un adolescent dévale la route à bicyclette. C'est Octave, le fils du boulanger, qui lâche le guidon puis leur hurle quelque chose, la main en porte-voix. Les paysans se regardent, d'un champ à l'autre.

« Qu'est-ce qu'il dit ? » crie quelqu'un.

Marcel hausse les épaules. Il a pourtant cru comprendre et un fourmillement l'élance dans l'avant-bras, depuis son coude, parcourt ses mains et ses doigts jusqu'à la racine de ses ongles. Il s'avance vers le bord du pré, d'un pas lent et empesé. Il sent contre sa paume le contact du manche en bois de la faux, le filet de sueur qui dévale son dos et trempe la couture de son pantalon, l'odeur de pierre chaude, de blé mûr et d'étable. Il perçoit avec une acuité nouvelle l'existence de chaque chose en elle-même, de chaque détail qui compose la réalité de cet instant et, pourtant, leur lien secret, leur agencement en un grand tout indissociable : le disque blanc du soleil et la pulsation de son sang à ses tympans, le cri d'un corbeau et le bruit de ses sabots sur la terre sèche, Éléonore qui se tient là, à quelques mètres de lui. Plus loin, Octave a laissé la bicyclette continuer sa course et s'enfoncer dans un buisson de ronces. La roue arrière tourne désormais à vide, et l'enfant continue à pied, court et saute le petit fossé qui sépare le chemin des terres de Georges Frejefond avec lequel il parle, désignant le village par de grands gestes. Quand Marcel s'approche, il voit Frejefond opiner du chef, le visage grave, et poser la main sur l'épaule du gosse.

« Qu'est-ce qu'il se passe ? » demande Marcel.

Octave tourne vers lui un regard exalté et lui répond à bout de souffle :

« C'est la guerre ! C'est papa qui m'envoie vous chercher ! Il dit qu'y faut venir à la mairie ! C'est la guerre ! »

Puis, ce sont les cloches de l'église qui retentissent et les figent, écrasant le bruissement de la campagne, le réduisant à une forme de silence, car pendant les longues minutes où retentit le tocsin, tout se dissout dans les orbes métalliques répandus en vagues dans le ciel vide d'oiseaux, et qui traversent tout, se répercutent en tout : les vallons, les rocs, les murs des fermes, les bois, les bêtes et le cœur des hommes.

Au village, c'est l'affluence. Les paysans remontent des champs, quittent les maisons, délaissent le café, les commerçants ferment boutique puis se pressent devant la mairie pour lire ou se faire lire l'ordre de mobilisation générale. Suivi par Éléonore, Marcel joue des coudes pour s'avancer au plus près du perron. Un murmure incrédule parcourt d'abord la place sur laquelle quelques vaches continuent de paître. Les villageois se parlent à mi-voix, comme un jour de messe d'enterrement :

« ... tous les hommes, de dix-huit à quarante ans...

— Mais quand ?... et où qu'ils iront ?...

— ... les récoltes, qui les fera si le Paul est pas là ?

— Salopards de nationalistes, c'est eux qui...

— ... avec tes pieds plats, ton dos tordu, allez va...

— Ils peuvent pas partir comme ça, maintenant...

— Comment ils iront là-bas, les malheureux ?

— C'est les Boches, j'avais bien dit !

— ... faut leur mettre une raclée pour leur passer l'envie de...

— ... ils ont bien pris l'Alsace et la Lorraine...

— Parce que tu sais où c'est, toi, peut-être, l'Alsace et la Lorraine ?

— J'irai pas, c'est l'affaire des Parisiens, en quoi ça nous concerne nous autres...

— Quand ils prendront tes bêtes et ta femme, tu verras que ça te regarde...

— Ça l'arrangerait bien qu'un Boche se dévoue pour faire le travail et besogner la Louise à sa place !

— ... ce sera pas bien long, si c'est comme en 70...

— ... terminer les moissons, puis y a les labours. Je fais comment moi avec trois fils, s'ils sont tous partis ?

— C'est un gamin, il a même jamais tenu un fusil... »

La rumeur enfle, jusqu'à ce que Julien Beyries, le maire du village, paraisse sur le pas-de-porte et

148

qu'éclate un véritable brouhaha. Les villageois l'apostrophent et le pressent de répondre à chacune de leurs questions. Il tente de les apaiser d'un signe de la main, puis leur gueule enfin de se taire.

« C'est l'affaire de quelques mois, pour ce que j'en sais, dit-il. Poincaré affirme que ça n'est pas nécessairement la guerre. Ce sera en tout cas une guerre courte.

— Alors c'est la guerre, oui ou non ?

— Et qu'est-ce que tu en sais, d'abord, Beyries ? Une guerre, on sait jamais ce que ça dure !

— On va leur mettre une déculottée, et on rentrera avant l'hiver, c'est vite vu.

— Du calme ! La mairie restera ouverte cette nuit. Dès ce soir huit heures, tous les hommes de dix-huit à quarante ans doivent venir s'y présenter. Je dis bien tous, sans exception. Un livret vous sera donné, avec vos ordres d'affectation, votre régiment ou votre corps, l'heure et le numéro du train qu'il vous faudra prendre dans les prochains jours.

— Quand ça ?

— Moi, je partirai volontiers dans l'heure s'il le faut !

— Et c'est toi qui viendras pour finir de rentrer mon blé ?

— Les premiers d'entre vous partiront après-demain. J'ai un fils aussi, qui a l'âge du tien, Cazaux, si tu crois que je me réjouis.

— Et si on y vient pas, à la guerre, si on y répond pas, à l'appel ?

— Poltron !

— Alors tu refuserais de servir et de défendre la nation. Tu serais considéré comme un déserteur.

Tu serais jugé comme déserteur et probablement fusillé, voilà. »

Un silence abasourdi retombe un instant sur la place survolée par un vol d'oies sauvages dont les ombres portées passent sur les visages. Le maire est pâle, ses mâchoires sont serrées, ses yeux brillent plus que d'ordinaire et les télégrammes qu'il tient tremblent dans sa main droite.

« Il faut cacher nos enfants ! » crie une femme d'une voix étranglée.

Personne ne répond d'abord, puis Beyries dit :

« C'est impossible. Ils viendraient les chercher. Ils les trouveraient. »

Puis, se redressant :

« Nous ferons honneur à la France. Puy-Larroque fera honneur à la France. Pour celles et ceux qui veulent prier, l'église restera ouverte elle aussi toute la nuit. Allons ! »

Ils applaudissent et restent d'abord les uns avec les autres, regroupés autour de leur stupéfaction. Mis à part ceux qui gardent le souvenir de 70, la guerre leur est une abstraction, un mot vide, vertigineux et exaltant, les Allemands une race exotique et barbare, le front un territoire mystérieux, quelque part dans les limbes, bien au-delà de leur court horizon. Certains, impétueux et patriotes, disent : « On part à la guerre ! », et leur regard vole d'un visage à un autre comme celui des jeunes chevaux que l'on débourre, cherchant le sens de leurs propres mots. Ils savent qu'il faudra tuer, ils savent, c'est un fait acquis, une certitude, une vérité, la raison même, il faut tuer à la guerre, sinon quoi d'autre ? Ils ont enfoncé des lames dans le cou des porcs et dans l'orbite des lapins. Ils ont tiré la biche, le sanglier. Ils ont noyé les chiots et égorgé le mouton. Ils ont piégé le renard, empoisonné les rats, ils ont décapité l'oie, le canard, la poule. Ils ont vu tuer depuis leur naissance. Ils ont regardé les pères et les mères ôter la vie aux bêtes. Ils ont appris les gestes, ils les ont reproduits. Ils ont tué à leur tour le lièvre, le coq, la vache, le goret, le pigeon. Ils ont fait couler le sang, l'ont parfois bu. Ils en connaissent l'odeur et le goût. Mais un Boche? Comment ça se tue un Boche? Et est-ce que ça ne fera pas d'eux des assassins, bien que ce soit la guerre? Quelques bagarreurs et fanfarons se vantent par avance de ceux qu'ils dézingueront, se jetant sur eux à couteaux tirés, mais la plupart d'entre eux se taisent, réduits au silence. Ils s'éloignent bientôt, regagnent les maisons et les fermes pour y réunir au hasard un petit paquetage, quelques chemises, quelques bricoles, retrouver les visages et les lieux familiers qui leur seront bientôt soustraits, ou s'en retournent simplement, hébétés sous la lumière, aux travaux des champs.

Sur la place, Éléonore cherche Marcel du regard sous les bérets, les chapeaux et les visages pareils, mais il n'a pas attendu que l'assemblée des villageois se disperse et a rebroussé chemin sans un mot, ramassé la faux qu'il avait abandonnée au milieu du pré et dont la lame lui brûle les doigts, puis il s'est remis à l'ouvrage avec plus de rage et d'empressement encore. Éléonore quitte la place, court le long du chemin poudreux, retenant dans une main le tissu poussiéreux de sa robe, et parvient pantelante au bord du champ. Elle avise Marcel qui lui tourne le dos, occupé à balancer la faux, et le blé qui se couche en de larges andains, bruissant comme une cigale. Elle marche jusqu'à lui, reprenant son souffle, la gorge douloureuse, puis elle se tient un instant derrière Marcel. Il ne l'a pas entendue, mais lorsqu'il voit l'ombre oblique d'Éléonore, toute hérissée de chaumes, il s'interrompt et se retourne brusquement.

« Tu vois pas que j'ai du travail ?

— Tu peux pas partir. Tu dois rester, dit Éléonore.

— Et comment ? Si c'est pas pour m'aider, ne reste pas plantée là. Je peux terminer. Avant demain. Peut-être même avant minuit. Je peux… Allez, va, bon sang ! Je n'ai pas besoin de toi toujours fourrée dans mes pattes ? Va ! Va ! Va ! »

Il a crié, désignant quelque lointain horizon d'un geste violent et met en fuite une nuée de moineaux qui picoraient la terre. Éléonore accuse un mouvement de recul, comme s'il lui avait asséné une gifle, puis elle se retourne et s'éloigne en courant, trébuchant dans les pierres. La bouche tremblante, cillant, Marcel regarde sa silhouette s'amoindrir, s'effacer, disparaître. Pendant de longues minutes, il ne bouge pas. La faux miroite, les moineaux s'enhardissent et se posent à nouveau à ses pieds, entre les chaumes. Enfin, il lève le manche de l'outil.

Les portes ouvertes de l'église diffusent la lumière fragile des flammes votives que les bigotes éteignent chaque heure, car tous se trouvent des relents de foi, des urgences métaphysiques, et que les cierges viennent à manquer. Ils défilent au pied de la croix, se bousculent sur les bancs et les prie-Dieu, rallument une bougie à laquelle viennent s'immoler les insectes nocturnes, glissent un sou dans le tronc, puis s'en vont l'âme intranquille, de la poussière aux coudes et aux genoux. Les hommes quittent le bureau de permanence, le livret et l'ordre promis à la main, puis se rejoignent au café de Puy-Larroque pour s'étourdir, les plus vieux maussades comme des bêtes de réforme, les appelés impatients et soucieux. L'un d'eux monte sur un tabouret et lit un article de *La République des Travailleurs* :

« À cette heure solennelle qui a enseveli pour longtemps les querelles intestines, il n'y a plus qu'un parti, le parti de la France, et qu'un cri : "À la frontière !" »

Le cri est aussitôt repris en chœur, le poing levé, et ils entonnent une *Marseillaise* pour se donner du courage. Puis, ils boivent un dernier verre à la lumière des lampions, sous le vol bas et désordonné des chauves-souris. Ils regagnent les maisons. Ils bordent l'enfant endormi et posent une main sur son front moite. Ils étreignent le corps de l'épouse dans le lit conjugal ou celui de l'amante dans une grange à foin. Ils entrent dans l'étable, la bergerie, et observent les bêtes couchées. Ils goûtent leur odeur chaude et âcre. Ils flattent le chanfrein des chevaux, le pis nourricier des vaches. Ils bercent un chevreau qui leur tète les doigts. Ils s'allongent dans le foin, contre le flanc d'une pouliche. Ils contemplent la nuit calme et limpide, le ciel ouvert sur les constellations ardentes. Ils écoutent le chant d'un hibou, la dispute criarde de jeunes martres dans le bois. Ils sont gagnés par le sentiment, inconnu d'eux et anticipé, de la nostalgie. Certains se souviennent, l'âme lourde, des vers de Du Bellay qu'ils récitaient en classe et dont le sens maintenant les pénètre :

> Quand reverrai-je, hélas, de mon petit village
> Fumer la cheminée, et en quelle saison
> Reverrai-je le clos de ma pauvre maison,
> Qui m'est une province, et beaucoup davantage.

Rentrée tôt à la ferme après avoir erré le long des chemins, Éléonore est attablée et regarde la femme installée face à elle, à la droite de la veuve et dont le drôle de visage est éclairé par la flamme de la lampe. C'est une paysanne laide, sans âge, moins vieille en vérité qu'elle n'y paraît. Elle a le front bas, les paupières reposées sur des yeux proéminents et gonflés de larmes. Son nez a sans doute été cassé il y a longtemps et lorgne l'une des joues qu'elle a pourpres et réticulées, les angiomes faisant des rigoles vives et souterraines qui affleurent, se rejoignent, se séparent. La peau lui pend sous les yeux en miniatures de gibecières, comme si elle n'avait jamais dormi tout du long de sa laborieuse existence. Les cheveux qu'elle porte tressés comme une jeune fille ont été blancs, mais sont jaunis par la crasse et les graisses de cuisine. Sa tresse tient seule et serrée, sans pince et sans nœud. Elle a le corps sec et essoré, vêtu d'un chemisier maculé d'auréoles pisseuses, au col noir, et d'une jupe qu'on croirait cousue de chiffons. Elle se briserait sous un coup de talon, aussi simplement qu'un cageot à volailles, et prendrait feu tout aussi vite qu'un tas de broussailles. Ses mains sont courtes, larges, traversées de veines aussi épaisses que des orvets. Elle tient serré sur ses genoux, contre son ventre, un panier d'osier tressé, ses doigts aux bouts noirs comme de grosses larves de hannetons tout juste sorties de terre entrecroisés sur l'anse. Elle fixe la table. Elle ne dit rien, et la veuve ne dit rien non plus. Il semble parfois qu'une pensée la traverse, un mot qu'elle s'adresse à part elle, et elle hausse alors tristement les épaules, murmure quelque chose d'inaudible ou fait rouler le globe de ses yeux sous les paupières frangées de cils courts et humides. Parfois, elle avance une main et, l'air perdu dans le vague, passe le bout des doigts sur le bois de la table, suivant une nervure ou une entaille de couteau. La veuve la toise avec un mépris manifeste, presque une moue d'écœurement, car la paysanne est plus minable encore qu'elle, plus pauvre, plus laide, tirée de quelque enfer où rampent les tripières, les métayères, les putains, les folles, les mendiantes. *Au pays des aveugles, les borgnes sont rois*, répète pourtant la veuve lorsque, croisant quelqu'un de la ville ou d'une condition vaguement supérieure à la sienne, elle croit déceler de l'arrogance ou du dédain à son encontre. Quant à la charité chrétienne, son interprétation en est toute personnelle et sa propre pauvreté l'exempte d'en trop faire.

« Tiens, je boirais bien quelque chose, après tout ce chemin », dit finalement la femme d'une voix plaintive et graillonneuse, mais la veuve ne bouge pas, comme si elle n'avait rien entendu.

La visiteuse hausse de nouveau les épaules et retombe bientôt dans la contemplation de la table. Elle ramasse sous la pulpe de son index de petites miettes de pain qu'elle porte distraitement à ses lèvres. La soupe clapote sur le feu, embaume la pièce et fait gronder son ventre d'interminables gargouillis qui lui finissent dans la gorge. Par l'ouverture donnant sur l'étable, les vaches ruminent en observant les trois femmes immobiles, inquiétantes comme les Parques. Le bruit des roues de la charrette se fait entendre, le hennissement de la jument, et la veuve se lève, puis la femme à son tour, tenant toujours serré contre elle le panier d'osier recouvert d'un chiffon. La mèche de la lampe charbonne et la flamme vacille. Elle quitte alors la cuisine et traverse la cour, marchant à la rencontre de son fils occupé à dételer et Éléonore le voit s'interrompre et regarder la petite femme s'avancer vers lui, parler sans doute, tendre le panier dans lequel elle a apporté, en guise d'adieu, une chemise, un morceau de saucisse sèche, quelques billets. Marcel prend le panier par l'anse et accepte la main que sa mère pose un instant sur sa joue.

« Ne te fais pas d'illusions, ma petite, dit alors la veuve dans le dos d'Éléonore. Il rentrera pas. Il sera envoyé aux premières lignes. Il sera envoyé au feu, comme les gars qui n'ont pas fait leur service. »

Éléonore incline la tête dans sa direction.

« Ah, tu crois que je te vois pas, tourner autour de lui comme une chienne ? » ajoute la paysanne.

À cet instant, Marcel pousse la porte et fait irruption dans la pièce.

« Je vais ramener la petite mère », dit-il.

Ses lèvres tremblent un peu. La veuve ne répond pas.

« Bon », dit encore Marcel, puis il se détourne et sort, mais Éléonore le rattrape dans la cour et le saisit au coude.

« Tu reviendras, dit-elle.

— Je pourrai pas finir la moisson, répond Marcel.

— Est-ce que tu écriras ?

— Oui, sans doute, dit-il un peu hagard. J'écrirai. »

Il baisse les yeux sur la main qui tient son coude. Il regarde la veuve debout dans l'encadrement de la porte, noire et sévère comme un oiseau de proie, une buse prête à fondre, puis la mère fragile et pitoyable qui l'attend près du chariot.

Une émulation générale accompagne le départ progressif des réservistes qui rejoindront le régiment de Gascogne et le 288e régiment d'infanterie. Ne doivent-ils pas se réjouir de vivre quelque chose d'aussi exceptionnel, qui transcendera leurs vies ordinaires ? Chaque jour, une partie d'entre eux entassent leurs paquetages – *2 chemises de flanelle, un caleçon de rechange, 2 mouchoirs, 2 tricots, un jersey ou chandail, une ceinture de flanelle, 2 paires de chaussettes de laine, une paire de gants de laine, une couverture de laine, immédiatement remboursés dès leur arrivée* – sur un chariot mené par un ancien, un père, un ancêtre qui parfois conduit un ou deux ou trois de ses propres fils, et ils agitent leur main pour saluer la sœur, la mère, l'amante qui pleure sur la place de Puy-Larroque, les villageois qui les acclament, les enfants et les chiens qui courent derrière eux dans la poussière soulevée par les roues du convoi, criant et jappant jusqu'à ce qu'ils s'épuisent et renoncent et que le calme de la campagne succède aux cris et aux larmes, aux adieux fiévreux et déchirants ; le calme tranquille de la campagne immuable, indifférente, le bavardage des pies et des corneilles, la course furtive du lièvre dans le champ, l'ombre fraîche des arbres et l'odeur des résédas qui serrent leur cœur vaillant et patriote. Leurs épaules et leurs genoux s'entre-choquent, ils cherchent le contact d'une cuisse, d'un bras, d'un corps familier et qui rassure.

À Puy-Larroque, la vie est figée dans la stupeur laissée par la désertion des hommes, leur soustraction au paysage, le vide partout palpable dont naissent d'inédites superstitions : les fauteuils abandonnés où ils se reposaient de retour des champs et que nul n'ose emprunter, les assiettes et les couverts dressés contre le bon sens et pour conjurer le malheur, la porte fermée de la forge et l'enseigne immobile du maréchal-ferrant devant lesquelles on se signe comme devant un sanctuaire, l'habit retenant pour quelques heures, peut-être quelques jours encore une odeur de peau, devenu un suaire sur lequel on s'endort. Sous un appentis, un groupe de poules se perche pour la nuit sur une faucheuse mécanique. Des chauves-souris drapent leurs petits dans leurs ailes sèches et leurs silhouettes fragiles tremblent dans la tiédeur d'un grenier. Les branches des noyers bruissent et une pie-grièche empale sur une aubépine la dépouille d'une musaraigne au ventre d'argent. À la tombée du jour, les mères sortent sur le perron et hèlent leur progéniture. Un vent doux souffle sur le pays, portant loin le braiment d'un âne esseulé, l'âcre fumée de feux de broussailles, un parfum de soupe, un cri d'enfant. Un vieillard triste et inutile erre le long des terres de culture, tâtonnant le bas-côté du bout de sa canne et débusquant les poules faisanes des fossés et des buissons poussiéreux. Au cœur des premières nuits qui suivent le départ des soldats, des lumières se promènent, des flammes halètent sur les chemins noirs. Ce sont les femmes que le doute tire d'un sommeil fragile, qui tâtent le drap froid, le côté vide du lit, puis se lèvent et vont par la campagne, la lampe à la main, s'assurer qu'elles n'ont pas oublié de refermer l'enclos du cheval, de rabattre la clenche de l'étable, ou que les champs ne sont pas simplement partis eux aussi, évaporés, tout comme les hommes.

Aux cieux brûlés des soirs mornes succèdent ceux, métalliques, des matins torpides. Les femmes se réveillent et se vêtent à l'heure où se levaient et se vêtaient les hommes. Elles apprennent à aiguiser la lame des faux, elles empruntent le chemin des champs, le manche des outils sur l'épaule, vêtues de leurs robes grises. Elles fauchent, sarclent, bêchent, redoublant de force et de ténacité. Elles suent et crachent comme eux dans la poussière. Elles conduisent les charrettes, les brouettes à claire-voie, elles mènent les mules et les hongres. Elles nouent les javelles et hissent les ballots de paille. Elles s'endorment au crépuscule sur le bout de tissu qu'elles ravaudent, l'aiguille dont elles ne distinguent plus le chas planté dans la corne d'un pouce. Le 20 août, jour de la mort du pape Pie X, la veuve ne trouve pas le temps de s'émouvoir. L'absence des hommes ouvre une faille, une autre réalité possible. L'épuisement causé par leurs fonctions nouvelles dévoile aux femmes une autre image du monde, dans laquelle elles figurent libres et responsables. Ce n'est pour l'heure qu'une sensation, une impression brève, innommable, et qui surgit parfois dans la nuit. Leurs rêves voient revenir les hommes de la guerre, mais rien n'est alors pareil et avec eux semble s'en être allé un monde archaïque.

Elles regardent ceux restés au village, les vieux, les adolescents, le bossu, l'aveugle de naissance, l'idiot. Il arrivera qu'elles les désirent, d'un désir brutal, oublieux de leur tare et d'une fidélité promise devant l'autel. Elles dépucelleront certains, elles ramèneront d'autres à la vie dans des coins de granges, des buissons ombreux, sur des lits de fourrages, retroussant les robes pour faire vite, s'agenouillant sur la terre en tenant leurs cheveux d'une main levée, s'accroupissant dans les hautes herbes pour surveiller à l'entour. Elles enlaceront les vieux et étreindront leurs ventres mous et plissés comme une peau de coude. Elles avaleront les semences, les essuieront dans leurs jupons, les laisseront couler claires le long d'une cuisse, jusqu'au revers d'un bas qui les épongera. Elles les recueilleront dans leur main puis les jetteront au sol, avec dégoût, d'un geste sec, comme une glaire mouchée. Bien plus tard, certaines cacheront sous des bandages un ventre gros, puis donneront naissance à de petits bâtards informes dans une chambre silencieuse. Elles boiront des philtres en guise de purge. Elles iront voir « celles qui savent y faire ». Beaucoup resteront chastes, fidèles, chérissant l'image mentale de l'homme, quand ne leur reste pas même une de ces photographies sur papier albuminé. Le souvenir, fluctuant, émoussera les traits, les agencera au gré des jours, des humeurs et de l'oubli, en d'infimes nuances qui toutes composeront une galerie d'autres visages, d'autres corps, d'autres caractères. Même leur personnalité ne sera bientôt plus une certitude ; les ivrognes seront de bons vivants, les violents des passionnés, et les avares se révéleront économes. Avec déférence, on parlera aux plus jeunes de leurs pères, de leurs frères, de leurs oncles absents ; on louera leur courage et leur abnégation. Dans l'abîme ouvert par la guerre, la morale et le sens commun subiront un déplacement. Tuer et mourir seront glorieux et érigeront en héros les hommes ordinaires. Il y a toujours quelque mérite à être mort, mais plus encore si c'est au front. La guerre gravera leur nom dans l'Histoire alors même que la pierre des stèles du cimetière de Puy-Larroque ne l'aurait retenu. Leur existence se résumera à ce haut fait, « il est mort en soldat », et il n'y aura véritablement rien d'autre à dire.

Le gouvernement, le Conseil d'État et la Banque de France sont transférés à Bordeaux. Les nouvelles du front parviennent d'abord par voie de presse, et les femmes apprivoisent le vide laissé par l'absence des hommes. La veuve règne de nouveau sur la ferme. Au lendemain du départ de Marcel, comme Éléonore est partie cuire le pain au four banal, elle entre dans la chambre et saisit le corbillat engoncé dans ses plumes et qui dort sur l'anse du panier d'osier qui lui tient lieu de nid. Elle sort dans la cour ; elle hésite. Elle sent frémir entre ses mains les ailes fragiles qui cherchent à s'étendre, et le bec se frayer un passage entre ses doigts. Elle regarde le trou du puits, le billot sur lequel le père puis Marcel fendaient les bûches de bois. D'un geste brusque, elle lance l'oiseau dans les airs. Il déploie ses ailes, plane en cercles dans l'espace de la cour puis revient se poser au sol, à quelques mètres de la veuve. Elle se baisse alors et ramasse des cailloux qu'elle lui lance. D'abord manqué, le corbillat l'observe, la tête penchée de côté, puis un projectile l'atteint au bec et il s'envole jusqu'à la faîtière du toit, le long de laquelle il titube en croassant. La veuve s'en retourne alors dans la maison et la chambre de Marcel. Elle jette le matelas au sol, elle tire sur les lattes, elle soulève le sommier et le plaque contre le mur. Elle achève de dégager la pièce en transportant les meubles sous le toit de la remise, puis s'adosse, essoufflée, contre le mur de torchis.

À son retour, Éléonore trouve la chambre vide. Un simple carré de terre battue, dont la vision lui assène un coup de canif dans la gorge.

« Qu'est-ce que t'as fait ? demande-t-elle à la veuve qui prépare la ration du cochon et lui tourne ostensiblement le dos.

— J'en ai besoin, moi, de cette place, j'y mettrai le bois pour l'hiver. De quoi tu t'occupes ? »

Elle parle de sa voix sèche, soufflée, pleine d'exaspération.

« L'oiseau, où est l'oiseau ? » dit Éléonore.

La veuve fait volte-face. Sa fille se tient devant elle, au milieu de la pièce, pâle et frondeuse, les bras tendus et les poings serrés contre ses cuisses. Quelque chose a changé, dont elles n'ont pas pris plus tôt la mesure. À treize ans, Éléonore est désormais de la taille de la veuve. La mère n'a désormais plus de supériorité physique évidente sur sa fille. Elle la gifle pourtant du bout des doigts, la touche au menton, d'un coup formel et silencieux, laissant Éléonore immobile, puis elle se retourne et dit :

« Qu'est-ce que j'en sais, moi ? Parle-moi sur un autre ton ! »

Un filet de salive a jailli de sa bouche. Elle sent la présence hostile et contenue de l'adolescente dans son dos, la précision de chacun de ses propres gestes tandis qu'elle remue le gruau dont se repaîtra le porc. Éléonore avance alors vers elle, sans un bruit, comme elle glissait, enfant, dans la souillarde pour prélever une louche de crème dans la baratte. Elle saisit le poignet gauche de la veuve, si fermement qu'elle la contraint à lâcher la cuillère en bois qui tombe au sol et lui arrache un cri rentré, un gémissement tout juste audible.

« Écoute-moi bien, dit Éléonore, gagnée par un grand calme, à compter de ce jour, si tu lèves à nouveau la main sur moi, je jure que je te tue. Je te tue, tu comprends ? »

La veuve scrute son visage inexpressif. Elle bouge légèrement le poignet tenu dans l'étau inflexible de la main d'Éléonore, puis dit :

« Va nourrir les bêtes, maintenant. »

Éléonore desserre les doigts et la veuve ramène lentement son avant-bras contre sa poitrine. Elle passe le pouce sur la peau rougie de l'intérieur de son poignet, là où subsiste l'impression des doigts de l'enfant.

« Il est déjà tard », dit-elle encore.

Éléonore acquiesce, emporte le chaudron et quitte la maison.

Les femmes continuent la moisson. Les javelles reposent en bouquets dans les andains, sous le soleil des après-midi. Les buses planent, décrivant de grands cercles dans le ciel blanc, elles guettent les campagnols qui prennent la fuite, puis disparaissent, dissoutes dans le tison du soleil, puis resurgissent avant de fondre sur la terre. Les femmes et les enfants piétinent les éteules de blé sur l'aire de battage. Un âne les accompagne de ses petits sabots crevassés. La guerre a emporté le maréchal-ferrant. Les bêtes se déchaussent, abandonnant de vieux fers qui rouillent dans les pâtures, enfoncés dans la terre. Plus personne ne taille la corne des pieds qui se fendent et éclatent.

Bientôt les prés sont ras, nus et mordorés. Des nuages s'amassent en strates dans le jour finissant. Alphonse cherche un recoin tranquille à l'abri du regard des hommes. Il le trouve sous une planche inclinée contre un mur, gratte la poussière, tourne sur lui-même deux ou trois fois, puis s'allonge en soupirant. Lorsque, sur le chemin des champs, Éléonore passe près de lui, il sent son odeur et remue la queue, mais elle ne le voit pas et le chien meurt dans sa solitude et son silence de bête tandis que les pas de la jeune fille s'éloignent. Elle le trouve tard dans le soir, à la lueur d'une lampe, après l'avoir longtemps appelé depuis le perron. Ses yeux blancs sont ouverts sur la nuit. Éléonore enfonce une main dans le pelage rêche et tire à elle la dépouille déjà roide. Elle s'assied sur le sol et étreint le chien mort, mouillant de ses larmes sa tête lourde comme une pierre, puis elle va chercher la brouette et charge le cadavre, tire la carriole funèbre devant la veuve qui l'observe depuis l'embrasure de la porte. Près de l'endroit où elle a enseveli les chats, elle creuse la tombe d'Alphonse dans la terre caillouteuse. Elle fait rouler la dépouille qui tombe dans le trou, puis jette une première pelletée de terre sur les paupières rabattues. Le jour suivant, elle confectionne une petite croix en planches et l'enfonce près du tertre qu'elle recouvre de pierres lisses. Les nuages s'amoncellent et forment de grandes nappes, noires comme des flaques d'encre. Des éclairs de chaleur les illuminent par instants tandis qu'ils roulent pesamment sur le pays, enfonçant les terres dans une pénombre électrique. L'air est lourd et moite, les vaches immobiles sous les chênes et les marronniers. Dans une friche, des pruniers écuissés, au tronc vérolé, suintent leur sève à grosses gouttes. La pluie tombe soudain à verse, fait ployer les branches des arbres, frappe et déloge les tuiles des toits, précipite les bêtes dans les nids, les terriers et les bauges, sature les ruisseaux et les abreuvoirs, bat la croupe des chevaux résignés à l'herbage. Des enfants détrempés jouent dans de grandes flaques, soulevant sous leurs pieds des gerbes d'eau. Un saule balance sa longue tonsure dans le crépuscule.

Le plus âgé des curés de la paroisse, le père Benoît, assure désormais une messe par semaine, les autres prêtres n'ayant pas tardé à rejoindre le front pour servir dans les groupes de brancardiers ou les ambulances de l'avant. Face à une assemblée de femmes exténuées et d'enfants placides, il prêche mollement la valeur du travail, la bonté de la terre, l'omniscience de Dieu :

« Ô profondeur des richesses et de la sagesse et de la connaissance de Dieu ! Que Ses jugements sont insondables, et Ses voies incompréhensibles ! »

Le malheur de son veuvage érodé, supplanté, la veuve feint de souffrir de l'absence de Marcel et joint sa voix à celles des plaintes, des inquiétudes et des supplications. Bientôt, les premières lettres parviennent du front, lues et relues, précieusement gardées dans un corsage, parfois jusqu'à ce que l'encre fuse du papier, maculant une poitrine moite. Chaque jour, Éléonore, comme toutes les femmes, se précipite au bord des champs quand le vieux facteur descend lentement du village délivrer en main propre le courrier aux paysannes. Mais, de Marcel, rien. Elle regarde alors celles qui s'empressent de déchirer une enveloppe, déplient une lettre et s'éloignent pour parcourir avidement les lignes tracées de la main de l'homme. Certaines ont été biffées par le comité de contrôle, jusqu'à n'être plus lisibles, d'autres sont passées au travers du filet de la censure. Elles murmurent les mots pour les rendre plus réels encore, des bribes de guerre dont naissent des images, *il a fait bien beau hier... avons tant marché que certains avaient les pieds en sang... ne te fais donc pas de souci... partons lundi sans connaître notre destination... avons fière allure dans ces beaux uniformes... nous passerons sans doute par la Champagne où nous prêterons main-forte pour les moissons... il faut nous résoudre à dormir dans la paille et le froid comme des cochons... mangeons à notre faim et avons bu du bon vin en chemin... chère épouse... cher père... as-tu fini de rentrer le blé... comment se porte ma petite maman... des choses que nous ne pensions jamais voir et dont nous rêverons sans doute jusqu'à la dernière de nos nuits... mes très chers parents, je... l'aéroplane nous survolait comme un oiseau gigantesque... embrasse bien notre fils de la part de son père et dis-lui d'être sage et vaillant... je t'écris allongé dans l'herbe d'une clairière où j'ai composé un petit bouquet... dormons les uns sur les autres... quelques jours dans les tranchées, quelques jours en réserve... et le roulement des caissons de ravitaillement... impossible de se reposer véritablement sans être réveillé en sursaut par crainte d'un bombardement...*

avant d'être envoyé sous le feu, je t'adresse mes dernières volontés... j'aurai bientôt une permission et rentrerai peut-être... ma douce Sylviane, n'oublie pas que tu contemples les mêmes étoiles que moi... voilà qui me réconforte... et la pluie qui ne cesse pas... trempés jusqu'aux os... doigts blancs et fripés comme ceux des vieillards... qui lave au moins nos habits noirs de crasse... prie pour nous... prie Dieu pour qu'Il me délivre de cette souffrance... pour qu'une éclaircie... un silence sur cette campagne inconnue et dévastée... rien d'autre ne semble alors exister... comme si la paix était brusquement revenue en ce monde... l'attente bien longue de tes lettres... et combien de mois encore de jours qui n'en finissent pas... je pense à toi et je renonce à conter des choses tristes et qui ne serviraient plus tard qu'à réveiller les mauvais souvenirs, des heures d'angoisse de tristesse de lassitude physique et morale des découragements suivis d'exhortations à soi-même pour réagir... adieu chers parents... je vous embrasse tous affectueusement... votre fils qui vous aime, les répétant pour celles qui n'ont rien reçu ce jour-là, leur laissant vivre, par procuration, l'angoisse, le soulagement, quelque sentiment préférable au désespoir du silence. Les premiers avis de décès parviennent par un courrier ou un télégramme du régiment à l'attention du maire de Puy-Larroque, *j'ai l'honneur de vous prier de vouloir bien avec tous les ménagements nécessaires en la circonstance prévenir,* qui s'en va accomplir gravement son devoir, accompagné d'un membre du conseil municipal, traversant ensemble le village par un jour de septembre, tout empli du chant des oiseaux et du parfum des fruits écrasés au pied des figuiers, *du décès du soldat*

Lagrange Jean-Philippe matricule 8656 67ᵉ division d'infanterie 3ᵉ compagnie du 288ᵉ survenu dans les conditions suivantes, entrant dans la cour lumineuse d'une ferme où chante un coq, retirant leur béret, frappant à une porte grande ouverte, *vous serai très obligé de présenter à la famille les condoléances de Monsieur le ministre de la Guerre et de me faire connaître la date à laquelle votre mission aura été accomplie.*

Déjà, le mois d'août touche à sa fin. L'école de Puy-Larroque ne rouvrira pas en septembre ; partout les instituteurs ont eux aussi chaussé leurs brodequins cloutés ; plus de cent trente ont été mobilisés dans le département. Les enfants se griffent les mains et les bras aux lianes des ronccs alourdies par les mûres, leurs doigts et leurs lèvres sont pourpres. Insouciants, ils poursuivent leurs jeux et leurs cris résonnent sur les champs. Éléonore voit encore le corbeau se percher sur le toit du puits, le bord de la charrette, la branche d'un arbre. Il l'appelle d'un cri unique, lancé dans le petit matin, mais ne s'approche plus et disparaît sitôt que la veuve se montre. Elle déloge des vers du fumier et les lui abandonne dans un pot de terre cuite. Un épouvantail inerte veille les céréales mûres, les épis de maïs suspendus aux pieds ocre et friables. Les chiens clabaudent et mettent en fuite les sangliers qui quittent le sous-bois pour piller les terres de culture. Les soirs sont tièdes, puis frais, toujours écarlates, couvant le feu infernal et lointain de la guerre. Après avoir dîné d'une bouillie de maïs ou d'abats frits et de pain trempé dans du bouillon de poule, elles prennent place auprès du feu, dans le cantou, et Éléonore reprend la sempiternelle lecture des Écritures. Rien ne passionne plus la veuve que le livre de l'Apocalypse. *Je regardai et je vis un cheval verdâtre. Celui qui le montait avait pour nom « la Mort », et le séjour des morts l'accompagnait. Ils reçurent le pouvoir, sur le quart de la terre, de faire mourir les hommes par l'épée, par la famine, par la peste et par les bêtes sauvages de la terre.* Dans les allées du cimetière, au crépuscule, des moineaux frémissent sur les branches bleues des cyprès. Dans la tombe du père comme dans celle de l'enfant de chœur Jean Roujas, ne restent que des os pulvérulents et verdâtres, retenus encore par leurs habits de cérémonie.

Elles sortent les vaches de l'étable et les attellent au joug frontal. La veuve tient le double mancheron et guide l'araire en bois. Éléonore tire les bêtes de l'avant. Elles avancent le long du champ, enveloppées par les lambeaux d'une brume pâle, sous un ciel ventru qui semble toucher terre. Elles ne voient pas à plus de quelques mètres devant elles. Rien ne bruit de la nature autour, seuls le choc des roues de l'avant-train sur les pierres, le souffle des vaches et l'enfoncement du coutre font un frémissement assourdi par le brouillard. La lame tranche la terre sèche et amaigrie par les cultures, le soc soulève les mottes comme la proue d'un petit navire laborieux repousse les gerbes d'une écume noire, retournées par le versoir. Les femmes ne parlent pas. Leur souffle se condense dans l'air frais. Les contours d'une silhouette immobile se devinent dans la coulisse brumeuse ; c'est un daim qui les respire, puis détale. Les premiers jours, elles ne couvrent que quelques ares de lignes irrégulières. Pour beaucoup, les terres dont elles ont le fermage sont à flanc de vallon et il leur faut à grand mal labourer par-devers. Quand la pluie tombe, elles continuent d'avancer le long des sillons déjà creusés, le front battu, glissant dans la boue et souillant leurs bas et leurs jupes. Elles attachent ensuite une herse à l'attelage qui cahote et cliquette derrière les vaches, éclatant les mottes. Éléonore suit en poussant une brouette dans laquelle elle empile les pierres délogées de terre et dont elle élève de petits monticules funèbres en bordure des champs. Elles hument l'air du sol qui fume aux aurores, une odeur d'argile et de limons, d'ardoise humide et de racines arrachées, d'eaux troubles et de pierres broyées. Dans la cour de la ferme, le tas de fumier repose, semblable à quelque mastodonte ensommeillé, exhalant de pâles fumerolles ; il a digéré les excréments des bêtes et les excréments des hommes, les dépouilles fragiles, les rebuts annuels de la ferme. La veuve tire la charrette à claire-voie jusqu'à son pied et, armées de pelles, elles prélèvent et chargent leur dû, la boue noire, fertile et grasse, où grouillent les vers annelés et les insectes coprophages. Elles répandent le fumier dans les sillons creusés par l'araire. Elles amendent les terres appauvries à la chaux et à la marne. La gorge et le nez leur brûlent. Elles se penchent en avant, appuient de l'index sur une narine et, soufflant fort, expulsent de l'autre une morve grise.

Comme des nuées de mouettes traçant un chalutier, des bandes de corbeaux pareils et criards se disputent les vers qu'ils arrachent aux pelletées jetées par la veuve à mesure que la charrette avance. Leurs cris couvrent les encouragements qu'elles lancent aux vaches, et leurs plumes bruissent et luisent, métalliques. Éléonore croit reconnaître Charbon en chacun d'eux et voir un signe dans sa présence démultipliée : une preuve de la survie de Marcel.

Au même instant, les soldats tombent à Bertrix, près de Neufchâteau, dans les Ardennes belges, sous les obus allemands. Les lettres continuent d'arriver et de livrer les circonstances de la débâcle, l'ordre de retraite, la pluie de métal et de feu, les corps pulvérisés et la terre soulevée, les noms des morts, ceux des prisonniers. Un cri s'élève et retentit dans la campagne ; on sort sur le pas de la porte pour tendre l'oreille, on accourt. Les chiens aboient de concert. C'est une femme, une mère, une épouse, qui vient d'apprendre la mort au combat de son homme et, les jambes fauchées, tombe à genoux sur la terre dure. De jeunes enfants, qui n'ont pas de souvenir du soldat, pleurent parfois près d'elle par mimétisme. On redoute maintenant de voir Beyries quitter la mairie. On le maudit, lui et sa gueule de catastrophe. Mais la lettre d'un camarade devance souvent l'annonce officielle. Les femmes mettent en scène des veillées mortuaires. Elles réunissent un portrait, une chemise, un bâton de berger ou un coutelas, quelque relique aimée et délaissée, pour célébrer la mémoire de ceux qui pourrissent sur les champs d'honneur, disloqués, mangés par les rats, pulvérisés par les canons ou consumés sous une couche de chaux vive dans une fosse improvisée. Certaines élèvent des tertres, des mausolées, et chérissent des croix plantées sur des sépultures pleines de terre. Le facteur continue d'arpenter chaque jour les routes et les chemins, héraut maussade et funeste. «J'ai rien pour toi, la Léonore!» crie-t-il à la volée en passant devant la ferme, puis: «Toujours rien!», puis: «Rien!» ou: «Désolé!», puis il se contente de hausser les épaules, de détourner enfin simplement la tête, et Éléonore le regarde s'éloigner, cahotant, avant de s'en retourner à sa solitude toute peuplée d'images. Le silence de Marcel rend son absence plus vibrante et terrible. Son souvenir loge en toute chose et le monde n'apparaît plus que déformé par le prisme de son départ, la réalité enceinte de cette monstruosité qui la corrompt et la décale. Chaque lieu, chaque détail l'invoque: les chemins qu'il a pris, les mots prononcés, le seau auquel il étanchait sa soif, la jument dont il démêlait le crin. Éléonore croit retrouver sa voix portée par une bourrasque; ce n'est que le bruit du vent, une branche qui se brise, un vieux fermier qui, plus loin, rappelle son troupeau. Elle croit sentir son odeur couvée sous l'odeur des bêtes, dans leurs pelages, leurs sueurs douce-reuses, leurs plis chauds, la corne de leurs sabots. Quand elle croise un homme, quel qu'il soit, elle ferme les yeux et inspire l'air déplacé par ce corps, un effluve mâle que sa mémoire tâtonne dans l'espoir d'y associer ce visage déjà distant, incertain, fragile. Elle parle aux animaux. Elle parle aux porcs dont Marcel remarquait les yeux bruns et ciliés. Elle compose par bribes un souvenir, lui insuffle l'haleine d'un autre, le torse blanc d'un garçon vu au champ, la présence lointaine et grave d'un busard. Dans le petit bois, elle enlace un arbre. Elle caresse le tronc humide et froid, la protubérance soyeuse d'un amadouvier. Elle y colle la joue puis la bouche, elle entrouvre les lèvres, darde la langue et lèche l'écorce, les yeux clos. Elle garde au palais un goût de tanins et de mousses ; le goût, l'haleine de Marcel. Il possédait une faucille dont il a travaillé au couteau le manche en bois de noyer, sculptant une tête de cheval, ou une tête de bœuf, ou une tête de porc. Elle trouve l'outil empoussiéré dans la resserre. Elle le glisse entre le sommier et le matelas de laine. Dans la nuit, lorsque la veuve est endormie, Éléonore tire la faucille de sa cache et la pose sur son ventre, sous le drap. Le métal froid de la lame lui coupe le souffle. Elle en sent la courbe sous la courbe de son sein. Elle voit Marcel en bras de chemise, dans le champ, dans le soleil cru, sa main qui tient la faucille et l'abat sur les javelles. Elle passe le manche de l'outil entre ses cuisses. Elle enfonce en elle le bois poli par les paumes de Marcel, noirci par la sueur de ses mains. Elle mord sa joue quand le manche déchire l'hymen.

Sa foi n'est plus désormais qu'un assemblage confus de superstitions. Elle formule des prières par manie, de vains marchandages, des exhortations. Elle voit des oracles dans la présence de Charbon, mais aussi dans une éclaircie, ou les signes ésotériques qu'elle lit dans la forme d'un arbre, l'agencement de cailloux sur un chemin, la rémanence d'un rêve, un mot qu'elle entend prononcer. Tantôt la mort d'une bête – le cadavre d'un oiseau, la carcasse raide d'une vache dans un champ – lui semble un signe funeste, tantôt une diversion. Il en va de même pour celle des hommes : l'annonce de la disparition d'un garçon du pays laisse planer sur Marcel une ombre menaçante, mais la rassure honteusement, comme une manière d'exutoire, comme si la Mort ne pouvait en faucher qu'un d'entre eux à la fois. Au village, pourtant, on meurt aussi. La mère Fabre reçoit au ventre un mauvais coup de sabot qui lui explose le foie et elle se vide en dedans, d'une hémorragie, seule dans la paille moisie de l'étable. De la guerre, Éléonore sait ce que racontent les journaux et les correspondances que les femmes lisent, commentent et se font passer ; elle voit ce que montrent du front les photographies irréelles, parfois repeintes et factices, mais ce qu'elle imagine, ce sont les pluies de soufre et de feu de Sodome, des terres fumantes, éventrées et nues sur lesquelles marchent les chevaux des cavaliers de l'Apocalypse, les étoiles tombées du ciel au son des trompettes, la grêle et le feu mêlés de sang, les eaux corrompues et les montagnes incandescentes, la mer ensanglantée et la nuit perpétuelle.

Éléonore travaille dur et sans relâche. Son labeur lui rend l'absence de Marcel supportable.

C'est maintenant la peau de ses mains qui cloque, comme elle cloquait aux paumes de Marcel. Elle noue sur ses doigts des poupées de tissu. Si elle peut souffrir, tant mieux, peut-être le soulage-t-elle ainsi d'un peu de sa peine. Semé à l'automne, le blé donnera cinq pousses, cinq tiges, cinq épis, contre un seul pour celui qui serait planté à la sortie de l'hiver. Elles sèment un mélange de blé et de seigle dont la farine compose le pain bis. Le semoir sous le bras, elles marchent à quelques mètres l'une de l'autre, progressant au même rythme, plongeant la main droite pour empoigner le grain et le lancer à la volée en arc de cercle. La veuve s'arrête par moments et pose la main au sol pour s'assurer de la densité de la semence entre chacun de ses doigts semblables à des racines prêtes à se renfoncer dans la terre. Elle dénoue le châle de laine noire qui couvre sa tête, sur laquelle les cheveux depuis peu se font rares, révélant un crâne bosselé, puis elle court à travers champ, hurle et fait tournoyer le châle pour mettre en fuite les hordes pilleuses de pigeons, de moineaux et de verdiers. Elles passent le sep de l'araire pour enfouir le grain, piétinent le sol malléable, puis le tassent au rouleau. Elles contemplent enfin le fruit de leur labeur, la terre noire, luisante comme un velours côtelé, sur laquelle les cieux ouverts font ruisseler une lumière changeante. La veuve ramasse une branche et la brise. Elle soulève un pied puis l'autre et décrotte les semelles de chacun de ses sabots sous lesquels elle traîne un bloc de terre ensemencée, prenant soin de le faire tomber dans la limite du champ avant de tendre le bâton à Éléonore. Elles rejoignent la ferme à pas lents, douloureux, leur dos et leurs jambes raidis comme des planches par les crampes et les courbatures. Au-dessus d'elles passe un vol de canards sauvages, rouges dans le crépuscule flamboyant.

L'automne s'installe sûrement et la nature s'engourdit. Les arbres flamboient, puis brunissent, les feuilles fanent et tombent à terre. Les bogues des marronniers jonchent le sol sur les couches de feuilles écarlates que le vent emporte parfois. Des écureuils courent encore sur les branches dénudées, brèves convulsions de fourrure rouge, à la recherche d'une dernière provision. Les oiseaux se perchent, ébouriffés, dans les buissons gris et froids. Les prés en friche ont roussi et, bientôt, le gibier à découvert errera dans les chênaies à la recherche de glands bruns, de châtaignes. Les migrateurs ordonnent leur grand ballet, s'unissent en une masse mouvante, orageuse, forment des courbes majestueuses, des ondes sombres, sinusoïdales, puis éclatent et remplissent le ciel tout entier. Ils se regroupent en pépiant aux branches nues des arbres qui semblent retrouver pour un instant leur feuillage et frissonner. Ils fuient enfin vers d'autres latitudes, laissant la campagne muette et taciturne. Comme Albert Brisard repose dans une fosse commune, sur le champ de la bataille de la Marne, un trou noir entre deux yeux délogés par les corbeaux et la bouche remplie de chaux, c'est aux femmes que revient la tuerie du cochon. D'un geste incertain, elles enfoncent une lame émoussée dans la gorge des

177

bêtes grasses, ligotées et retenues par les plus fortes d'entre elles. Le mois de novembre dépose sur les terres les premiers frimas, scintillants dans le jour pâle. Les corvidés picorent les mottes dures comme des pierres et les sangliers labourent les champs et les fossés pour déterrer les bulbes et les racines atrophiés. Avec l'approche de l'hiver, l'espoir du retour des hommes et d'une guerre brève s'estompe. Fin septembre, quatre-vingt-dix soldats blessés ont été rapatriés à Auch et admis dans un hôpital de fortune installé dans l'Hôtel-Dieu et l'ancienne préfecture, mais aucune nouvelle de Marcel ne parvient à Éléonore. La veille de ce retour, dix-sept soldats gascons, membres de la 23e compagnie du 288e régiment d'infanterie, placée sous le commandement du lieutenant Alain-Fournier, sont portés disparus. Massacrés par l'ennemi et enterrés à la hâte, leurs cadavres reposent au sud de Verdun, dans les bois de Saint-Remy-la-Calonne, sous une terre ensanglantée et tassée à grands coups de semelles. Un groupe de prière est organisé à l'initiative d'une bigote ; malgré l'absence des hommes, l'église fait salle comble pour la messe dominicale. La guerre retape leur foi vacillante. Ils croient en Dieu comme ils croient en la Patrie. Ils deviennent mystiques et, même à l'arrière, ont le sentiment de mener une croisade, une guerre sainte contre le Mal qui les menace, eux, la Nation et la terre. La guerre, c'est le Léviathan qu'il faut terrasser une bonne fois pour toutes, et ils consentent à tous les sacrifices. Ils bricolent des croyances, des cultes, allument des cierges à tout-va, fabriquent de petites amulettes, embrassent des médailles de métal à l'effigie des saints, des ex-voto. Ils deviennent animistes, polythéistes, nécromanciens, prient la Sainte Vierge, saint Antoine, Jeanne d'Arc et sainte Thérèse de Lisieux. Ce qu'il faut, c'est croire. Les soldats meurent au front comme sur le Golgotha, en martyrs, crucifiés par les éclats d'obus et les balles de Mauser. *Ma mort sera ma dernière messe et mon sang je l'unirai à celui que Jésus a versé sur la croix.* Sur les murs, les commodes, dans les chambres et les cuisines, les portraits des soldats sans tombe commencent de trôner, semblables à de petites idoles entourées d'un crucifix, de reliques, d'images saintes, de couronnes de fleurs et d'offrandes, comme logées au cœur d'un retable baroque. Ils règnent désormais, depuis leur éternité silencieuse, leur souvenir transcendé, sur le chagrin et la survie laborieuse des leurs.

Le froid se fait rude et tranchant. Il cisaille les muscles, larde les visages. Les paysans ont déterré les derniers tubercules, puis le sol a gelé. Le gibier, à découvert, se cache dans les sous-bois bruns et fragiles. Un épais brouillard repose au matin sur les terres, effaçant toute perspective. La veuve et sa fille ne sortent plus que pour puiser l'eau, nourrir le bétail et rentrer le bois. Des chaudrons suspendus à la crémaillère clapotent tout le jour sur le feu. Elles y font cuire des soupes de chou et de lard, des ragoûts et des civets. Éléonore envisage maintes fois d'atteler la jument et de rendre visite à la mère de Marcel qui a peut-être reçu une lettre, un avis ; mais elle ignore tout de cette femme, comme de ce pan de leur lignée maladive avec lequel le défunt père et la veuve n'ont jamais entretenu de lien. Enfin, le doute lui semble par moments préférable, et l'absence de Marcel la plonge maintenant dans une forme de torpeur, un engourdissement. Elle ne parle plus, pas même pour répondre aux rares apostrophes de la veuve. Elle mange peu et maigrit, car elle n'éprouve ni la faim ni la soif, mais seul le sentiment d'une ivresse sans joie, d'une hébétude. Elle quitte la ferme chaque après-midi et marche à travers champs, longeant les chemins, revenant sur ses pas. Elle rentre au soir sans souvenir des lieux traversés, des distances parcourues, des heures passées, simplement terrassée par la fatigue et le froid. L'inanition la fait tituber et coule des traînées floues dans son champ de vision. La veuve se plaint de son comportement, la traite de folle. Elle lui rappelle sa faible constitution, comment elle a failli mourir aussitôt née et comment, la croyant condamnée, on s'est empressé de la faire baptiser. De fait, lorsqu'elle surprend le reflet de son visage dans le miroir, elle voit à son tour affleurer sous ses traits le visage de la veuve. Abandonnant des mues successives, elle la laisse reparaître à travers elle. Éléonore continue d'arpenter les terres, le visage si bien enfoui dans ses châles qu'on ne distingue plus que son regard vide et sombre. Elle passe en revue les tombes, celle du père, celles des bêtes ; elle les réarrange avec un soin égal. Elle n'attend plus le facteur qui, la croisant sur le chemin de Puy-Larroque sans qu'elle semble le voir, met un

180

pied à terre et tourne la tête pour la regarder longuement s'éloigner. Elle n'écoute plus les récits et, sans fuir la compagnie des femmes, s'y soustrait volontiers. Les jours se confondent bientôt sans que rien les distingue, longue scansion d'heures pareilles et mornes, aux seules variations climatiques. Les cognassiers ploient sous le poids de leurs fruits. La neige tombe, pèse sur les arbres et brise les branches en claquements d'arme à feu qui font sursauter dans leur lit les paysannes, amenant à leur porte le fantôme de la guerre. Elle s'amoncelle sur les champs, laissant les bêtes errantes, transies et affamées. Elle efface le monde connu sous des lignes informes, étincelantes au hasard d'une éclaircie. Les nuits sans nuage donnent à voir des astres en fusion, des constellations électriques qui brillent indifféremment sur les terres blanches et silencieuses, sur le cloaque du front, les tranchées de la Marne dans lesquelles se terrent les soldats, sombrant sous les obus dans un sommeil de proie, et la même lune les éclaire. Pour dégourdir les membres de la vieille jument, Éléonore l'emmène parfois avec elle, tenue en longe, mais ses fers sont tombés à l'automne et la bête est fourbue malgré l'avoine qu'elle lui donne et les couvertures déposées sur son dos chaque soir. Il lui sera bientôt impossible de se ressouvenir des gestes accomplis, de l'ordre, sinon de la logique, des semaines et des mois. Seule subsistera l'impression d'un temps compact et immobile, obéissant à ses propres lois. Le père semble être mort depuis toujours, Marcel s'en être allé la veille et pourtant depuis une éternité. L'oubli érode leur souvenir. Les scènes, les lieux s'atténuent, puis disparaissent. Restent des vestiges, des images rémanentes qu'Éléonore ressasse et que chaque évocation transforme imperceptiblement; elle n'est bientôt plus certaine de se les rappeler, eux ou les autres hommes inconnus d'elle. Ce qu'ils ont vécu lui revient comme reviennent les impressions d'un rêve. La douleur s'est assourdie. Elle n'a pas disparu, mais laisse place au sentiment d'un vide algide, d'un trou creusé en elle, sans fond et sans lumière, autour duquel s'élèverait son corps et qu'elle sonde à l'aveuglette, au long de ses interminables marches à travers la campagne. Hors d'elle, les saisons passent pourtant et la vie opiniâtre sourd à nouveau sous le dégel.

Depuis le mois d'août dernier, les denrées de première nécessité sont taxées. Au mois de mars, les deux vaches, le veau et les trois cochettes sont réquisitionnés au prix suggéré par la commission départementale de perquisition, puis fixé par l'autorité militaire. La jument est inspectée, mais jugée trop vieille pour rejoindre les rangs de cavalerie ou finir à l'abattage. Déjà, la plupart des chevaux nés sur le sol de France ont versé leur sang sur le front, et les soldats montent des mustangs importés d'Amérique, des étalons tout juste débourrés et jetés sous le feu. La veuve et sa fille voient une voiture automobile pétarader en tirant une remorque jusque dans la cour de la ferme, puis d'illustres inconnus en uniforme ouvrir les portières à la volée, mettre pied à terre et inspecter le minable corps de ferme et les minables paysannes. Ils vont et viennent de la soue à l'étable. Le martèlement de leurs semelles met en fuite les rares volailles et leurs couvées. Le coq crie, perché sur le tas de fumier qui s'est considérablement tassé. Les hommes tâtent les bêtes, soulèvent une paupière pour voir le blanc de l'œil, abaissent une babine et inspectent la gencive. Ils parlent haut et sans façon. Ils tirent des cordes et nouent le groin des porcs et les pattes des bêtes. Le veau hurle après sa mère qu'ils emportent. Ils vocifèrent et frappent pour les charger pêle-mêle dans la remorque, puis remontent en voiture, claquent les portières. Le moteur vomit une fumée noire dans la cour de la ferme et les femmes portent la main à leur nez. Éléonore n'a jamais vu pleurer la veuve. Son visage est pourtant baigné de larmes quand elle voit s'éloigner ses bêtes et elle triture dans ses mains une liasse de petits billets et de bons du Trésor à échéance de six mois avec intérêts. Elles sont seules maintenant, avec leurs poules qui toussotent dans la fumée, seules avec leurs billets moites, sous le ciel strié de bas lambeaux de nuages. Elles écoutent le silence laissé par le départ des bêtes. Rien ne frissonne, rien ne meugle ni ne grogne. Le veau n'appelle plus. Une grue passe, elle fend l'air, sans un bruit.

Le bétail dont l'œil tournoie entre les planches vissées de la remorque est débarqué en gare d'Agen, puis chargé de force à nouveau, contraint par des cris, des coups et des cordes dans des wagons affrétés pour son transport, poussé sur des sols branlants et disjoints, grossièrement paillés, contre d'autres flancs pantelants, d'autres têtes assoiffées et écumantes. Les portes sont rabattues sur les cris des hommes, leurs voix éraillées, et sur les ordres du chef d'intendance des étapes. Les bêtes se retrouvent livrées à elles seules dans la pénombre viciée de leur souffle et des déjections que la peur leur fait déverser sous elles ; la pénombre où ne filtre presque rien du printemps frais, seulement un jour ligneux qui étend par moments sur les pelages des courbes mobiles et chaudes. La locomotive se met en marche, empuantissant le quai d'une vapeur charbonneuse aux relents de soufre et d'huile de moteur, puis s'ébranle en quittant la gare tandis que le bétail cherche déjà l'air aux ajours, écrase groins et naseaux contre les planches pas même poncées. À la gare suivante, les hommes remontent les quais, font coulisser les portes en gueulant, éventant des bouffées de vapeur acide. Ils rafraîchissent les bêtes au jet d'eau avant de faire monter dans les wagons de nouvelles têtes de bétail, d'autres chevaux ici, d'autres porcs là, soulevant un concert de cris et de ruades dans les parois. Les langues lèchent l'eau qui coule le long des planches ou sur les encolures. Une jeune génisse frappée à l'abdomen fait une fausse couche, délivrant un veau inachevé et aux os souples que les vaches pressées contre elle piétinent jusqu'à le liquéfier sur le sol à travers les interstices duquel défilent les madriers du chemin de fer. Puis la nuit tombe, plongeant les bêtes dans le seul murmure des rails, le roulis des bielles et le souffle de baleine de la locomotive. Certaines bêtes lèvent la tête pour happer une goulée d'air tiède, d'autres somnolent un instant puis s'éveillent en sursaut, ballottées ou tenaillées par la faim. Le voyage à travers la nuit et le jour nouveau ne semble plus finir dans leur temporalité singulière, jusqu'à ce qu'elles soient débarquées encore, chargées encore, emportées dans le matin brumeux et froid du nord de la France vers le troupeau de bétail du corps d'armée stationné près d'un village, sur une plaine glauque, poussées alors une dernière fois au grand jour du matin, quand le soleil perce enfin les nues. Sous les ordres d'un officier d'administration gestionnaire et d'officiers du cadre auxiliaire, des toucheurs par dizaines s'abattent sur le bétail, le mènent vers de grands enclos aménagés à quelques kilomètres du front dans la campagne rase et étrangement paisible, n'était l'infernal murmure élevé de cette géhenne, fatras de grondements de moteurs, de hurlements indissociables d'hommes et de bêtes. L'odeur est acide et ferreuse. Les relents mêlés d'un abattoir, d'une étable immonde et d'un charnier. L'encombrement des bêtes est sans nul autre pareil. Les excréments et le pissat saturent le sol martelé par le piétinement des sabots. Ce lisier débonde au-delà de l'enceinte des enclos en vagues successives de lave fécale. Les blessures infligées aux bêtes par le transport s'infectent et suppurent. Les mouches et les taons obscurcissent l'air et s'abattent frénétiquement comme la quatrième plaie sur l'Égypte, s'agglutinent aux yeux, aux lèvres des entailles, se repaissent de sueur et de sang et de bouse dès que les bêtes débarquées se précipitent vers les abreuvoirs. Les plus faibles d'entre elles luttent en vain pour se ménager une place à leur bord, et leurs yeux roulent plus grands encore. On voit partout surgir le blanc des orbites. De longues traînées de salive coulent des gueules et écument sur les flancs et les croupes. Les naseaux saignent. La gale de boue ravage les jambes des chevaux. Les mouches plates colonisent les entrecuisses et même les hommes les arrachent de leurs propres replis, de leurs aisselles, de leurs fesses, avant de les décapiter d'un coup d'ongle. Les corbeaux survolent le parc par centaines. Un vétérinaire abruti par le vacarme longe les clôtures de fil barbelé et désigne les bêtes à abattre ; d'abord celles qui ne tiennent plus sur leurs pattes. Elles ne survivent ici pas plus de deux jours. La seule vocation du parc est de les maintenir en vie le temps nécessaire. Alimenté par l'arrière, le troupeau de bétail n'a pas de fonction d'engraissage ni de reproduction et n'est qu'un lieu de transit, un assemblage de clôtures branlantes plantées sur des prés bourbeux et de tentes consacrées aux quinze équipes de bouchers qui y officient tout le jour pour devancer la demande des officiers d'approvisionnement à ravitailler. Souvent, ils envoient la viande en de trop grandes quantités. Si elle est retournée à temps, elle sera livrée de nouveau avec les abats du lendemain. Sinon, elle pourrit au plein soleil de l'après-midi. Des chiens errants aux mâchoires rouges se disputent de longs boyaux avant qu'on y verse un bidon d'essence pour y mettre le feu, soulevant un empyreume de bûcher funéraire. Des voitures automobiles crachent elles aussi leur fumée, s'enlisent dans les boues des ornières creusées par leurs trajets incessants. Chargées à heures fixes, elles emportent chaque jour les deux mille kilos de viande qui serviront à nourrir un régiment d'infanterie. Le rythme d'abattage est tel qu'aucun des hommes n'en a auparavant connu de semblable, même ceux qui, dans les villes, ont travaillé aux abattoirs. Les deux vaches, le veau et les truies sont conduits sous les tentes de boucherie, sanglés par des cordes ou contenus par des planches, assommés, égorgés, trépanés parfois avant d'être saignés, puis dépecés et découpés. Il faut entraver la bête qui se débat en une dernière tentative de survie, puis la frapper à l'aide d'une massue, à de multiples reprises, jusqu'à dessouder les os de son crâne, réduire en bouillie le cerveau qui jaillit par l'oreille lorsque l'animal tombe sur le flanc et meurt en convulsant sur un lit de boyaux encore chauds. Les lames des hachoirs sont émoussées à force de découper les os et les tendons. Les couteaux ne tranchent plus les gorges ; alors, les bouchers les scient. Des agneaux hurlent le jour et la nuit durant tandis que leurs mères sont attachées par les pattes, suspendues et éventrées vivantes. Le sac de leurs fressures frissonne dans la plaie, puis coule et tombe pesamment sur leur poitrail tandis qu'elles bêlent encore. Les bouchers et tous les hommes sont couverts d'excréments, de bile et de sang. Leurs yeux à eux aussi jaillissent sous un masque de boue. Ils en viennent à haïr les bêtes qui mettent si peu de bonne volonté à mourir. Ils les battent quand elles renâclent. Ils lardent leur croupe de coups de lame pour les faire avancer. Ils perdent leurs couteaux dans les plaies ouvertes, leurs tenailles sous des amas de tripes. Ils enfoncent leurs bras jusqu'aux coudes dans les ventres. Ils dérapent et se vautrent sur les abats. Le sang et la merde giclent souvent dans leurs rictus malades et même leurs blouses et la toile des tentes coagulent. Un garçon de vingt ans s'est effondré en pleurs. Il tient dans ses bras la dépouille d'un chevreau qu'il vient de pourfendre et qui posait sa tête contre son cou et lui suçait le lobe de l'oreille tandis qu'il le portait vers les tentes d'abattage. Quand, le soir venu, ils cherchent le sommeil, leur nuit intérieure est rouge. Le cri fantôme des bêtes résonne à leurs oreilles. Ils ont dans la bouche un goût de mort. Puis, le troupeau réduit de moitié peut être déplacé suivant le mouvement des divisions. Les hommes et les bêtes laissent alors derrière eux un paysage de boue et de désolation dans lequel errent les chiens faméliques et de petits charognards.

Elle est assise près du feu depuis un temps indéfini. Le visage impassible, elle fixe les braises qui clignotent sous la cendre lorsqu'un bruit de sabots la tire de sa rêverie. Éléonore voit la veuve se lever et s'avancer vers la fenêtre. Elle dit :
« Reste là », resserre son châle sur son cou de dindon et quitte la pièce.
Éléonore retombe dans la contemplation du feu. Ses yeux ne cillent pas et la chaleur les assèche. Elle bat des paupières, passe les mains sur son visage. Elle entend parler dans la cour. Elle se

lève pour se tirer de sa torpeur; ses jambes sont ankylosées et ses mains sont froides. Ce doit être la fin de l'après-midi, elle ne sait plus. Les soirées sont encore fraîches et la lumière a décliné. L'étable vide est un gouffre noir et froid. Elle s'avance vers la fenêtre et écarte le rideau crocheté du dos de la main. Elle voit une charrette attelée à un petit âne gris, conduite par un garçon un peu plus jeune qu'elle. Elle ne l'a jamais vu mais ses traits, bien qu'indistincts, ne lui sont pourtant pas étrangers. La veuve, qui lui tourne le dos, cache la vue à Éléonore. Elle devine qu'elle s'entretient avec une femme dont la voix et les mots restent inaudibles. La veuve écoute, opine parfois du chef. Éléonore perçoit l'hostilité de son dos raide, de sa tête redressée. Enfin, elle se détourne et marche vers la ferme, dévoilant, comme elle s'éloigne, le visage de la mère de Marcel qui attend un moment sans bouger, essuie ses yeux avec un mouchoir tiré de sa manche de chemisier, puis saisit la main que lui tend le plus jeune de ses fils, le seul resté auprès d'elle, et remonte sur la charrette. Le rideau crocheté glisse entre ses doigts à l'instant où la veuve passe la porte, dénouant son châle. Elle défait le nœud de laine, plaque ses cheveux fragiles sur son crâne, essuie la goutte de morve à son nez d'un revers de main, puis retourne simplement à la chaise, près du feu, sur laquelle elle a abandonné un linge qu'elle ravaude. Éléonore saisit la poignée de la porte et la tire à elle, puis sort dans la cour. Déjà, la charrette est sur le chemin. Elle voudrait courir, mais ses jambes se dérobent et elle se retient d'une main sur la margelle du puits. Quand elle rentre, la veuve est affairée à sa couture. Les flammes jaunissent sa joue, son profil taillé à la serpe. Éléonore dit :

« C'était sa mère. »

La veuve ne répond pas. Elle pique le tissu et l'aiguille cliquette contre le dé à coudre.

« C'était sa mère », dit encore Éléonore, et elle voit la veuve hausser imperceptiblement les épaules.

Éléonore traverse la distance qui les sépare, lui arrache l'ouvrage des mains et le jette dans le feu où il s'enflamme un instant avant de se rabougrir sur le tison des bûches.

« Tu as perdu la raison, balbutie la veuve, levant vers elle son visage blême.

« Il est mort, ton Marcel. Voilà ! T'es contente ? Et moi qui voulais t'épargner. »

La hanche d'Éléonore heurte la table comme elle recule et tombe sur le banc.

« Il s'est fait tuer comme tous les autres ! Je te l'avais bien dit. Et il ne t'a jamais écrit, pas une fois ! crie maintenant la veuve à pleins poumons.

« Est-ce que tu vas enfin arrêter de l'attendre, maintenant ? Tu ne comprends pas qu'il ne reste plus que nous. Il est mort ! »

Les mains serrées sur le ventre, sciée par la douleur, Éléonore garde la bouche ouverte, sans parvenir à respirer ni à émettre un son. La veuve qui s'est levée se tient près d'elle. Elle a le souffle court. Elle regarde sa fille. Elle semble hésiter, puis tend une main qu'elle pose à l'arrière de son crâne. Une paume rêche et froide qu'elle

190

applique jusqu'à la nuque, comme une caresse. Le silence se fait un moment dans la pièce, puis elle cite l'Ecclésiaste à voix basse :

« Toutes choses ont leur temps, et tout passe sous le ciel dans les délais qui lui ont été fixés. Il y a un temps pour naître, et un temps pour mourir ; un temps pour planter, et un temps pour arracher ce qui a été planté. »

Éléonore marche longtemps, hébétée, sur les chemins arpentés mille fois. L'eau est noire au bord des champs, dans les fossés et dans les abreuvoirs de pierre. Elle longe les sentiers qu'enfument les cheminées fendues par les flambées de l'hiver. Elle marche dans l'ombre humide d'un moulin démâté. Chaque inspiration est une déchirure. Elle rauque comme une noyée, une bête tirée hors des eaux primordiales et jetée là sur la terre. Elle happe l'air et bat son sein du plat de la main. Elle perd ses souliers dans les flaques. Elle s'effondre, son pied pris dans une racine. Elle ne sent rien des pierres qui s'enfoncent dans ses tibias, ses paumes et ses genoux pelés. Elle se relève simplement et avance. Les nuages font de grandes nappes marmoréennes dans le crépuscule. À la tombée de la nuit, elle s'arrête sur la place du village. Elle reste immobile, les mains le long des cuisses. Autour d'elle passent des femmes. Des enfants donnent des coups de pied dans des mottes d'herbe. Aucun ne semble la voir. Des chiens reniflent ses pieds noirs et nus. Le village continue de bruire de son incessante rengaine. Les marronniers ne tarderont pas à bourgeonner à nouveau et leurs branches font sur le sol des nervures ombreuses. Trois vaches regagnent une étable noire et moite. L'église sonne six coups. Éléonore lève le visage vers le clocher pointant un trou dans le ciel, vide de nuées, vide d'étoiles, d'un bleu profond, et elle le scrute un moment. Elle avance jusqu'aux marches du parvis et les gravit d'un pas lent, laissant l'empreinte de ses pieds sur la pierre. Elle pénètre la pénombre froide et referme la porte derrière elle, réduisant au silence le murmure de Puy-Larroque. La flamme souffreteuse des derniers cierges se reflète dans les vitraux gris. Le bénitier est plein d'une encre immobile. Éléonore y penche son visage. Elle laisse glisser entre ses lèvres un filet de salive translucide qui s'étire et fait frissonner l'eau lorsqu'il y disparaît. Elle pose la main sur le dossier d'un banc du premier rang. Elle y appuie le poids de son corps et le renverse. Elle soulève le suivant et le repousse, l'envoyant heurter le mur sur la tranche. Du talon, elle fracasse l'assise en paille des prie-Dieu. Elle ouvre les missels dont elle arrache les pages. Elle jette aux murs les ciboires, les patènes et le pique-cierge. Une tapisserie encrassée, représentant une indéchiffrable scène liturgique, prend feu et les flammèches s'élèvent et rongent l'obscurité nichée dans le creux des ogives. Éléonore décroche du mur le grand crucifix qui s'abat au sol, répandant le visage du Christ en une multitude d'éclats de plâtre. Elle n'a pas entendu la grande porte s'ouvrir et les femmes du village, alertées par le vacarme, se précipiter sur elle. La tapisserie est mise à terre et piétinée. Les femmes empoignent l'hérétique aux bras, aux épaules, aux poignets, cherchant à la maîtriser. Même leurs voix et leurs cris ne lui parviennent pas. Elle éructe et crache au sol, sur le dos de la croix renversée, tandis que les femmes l'entraînent, la tirent vers la sortie, la jettent au bas des marches du parvis et lui versent au visage un seau d'eau froide puisé au lavoir. Éléonore enserre ses jambes entre ses bras, enfouit le visage dans ses genoux et se laisse glisser sur le flanc dans une flaque de boue. Les femmes l'encerclent maintenant. L'une d'elles lui assène un violent coup de pied dans les reins. Elle reste longtemps trempée, transie, jusqu'à ce que la veuve, que l'on a envoyé chercher, écarte la foule silencieuse des paysannes. Elle voit sa fille recroquevillée, souillée. Une pierre, une souche, une bûche. Elle regarde un à un les visages pleins de sang et rébarbatifs des femmes. Elle entend les paroles haineuses, les menaces couvées, les accusations qui la désignent, elle et sa fille maudite. Elle ne dit rien, s'agenouille près d'Éléonore, passe une main sous son aisselle, l'assied, puis la relève. Elle s'éloigne en supportant le poids de ce corps reposé sur le sien. Elles marchent cahin-caha, à pas mesurés sur le chemin de la ferme. Les plaies d'Éléonore sont vives à présent, ses pieds douloureux, meurtris par les cailloux. Ses muscles sont fourbus. Bientôt, elles sont englouties par la nuit. Devant le feu qu'elle a ravivé, la veuve déshabille Éléonore et laisse tomber au sol ses vêtements souillés. Elle trempe un torchon dans un baquet d'eau et la nettoie. Elle frotte les entailles, les ecchymoses. Elle dit :

« On a pas idée de se mettre dans un état pareil. »

Éléonore lui abandonne les bras qu'elle soulève, les membres qu'elle étire. Elle suit du regard les gestes vifs et appliqués de la veuve.

« Ce que tu as fait, c'est une profanation. Un sacrilège. »

Sa voix est basse, mais sans colère. Elle lève par instants les yeux sur Éléonore, un regard habité par l'effroi et une forme de respect. Elle sèche patiemment la peau d'Éléonore. Elle peigne ses cheveux sans ménagement, tire sur les nœuds jusqu'à ce qu'ils cèdent, tenant sa tête fixe du plat de la main. Elle voit, sous la boue sèche dont elle la débarrasse, qu'une mèche de cheveux blancs est apparue au sommet de son front. Elle se recule d'un pas devant le corps nu de sa fille et dit, les yeux écarquillés :

« Il faut donc que tu sois possédée… »

Elle retrousse une chemise de nuit, passe la tête d'Éléonore par le col, les bras par les manches. Elle fourre un chapelet entre ses mains et l'enroule à ses poignets.

« Tu feras pénitence. Prie. Prie, maintenant. »

Elle l'assied sur une chaise, près du feu, puis s'agenouille à ses pieds et, tenant les mains d'Éléonore entre les siennes, sur ses cuisses jointes, elle récite un Notre-Père, opinant du chef quand Éléonore esquisse, en vain et par atavisme, la prière du bout de ses lèvres exsangues :

« Pardonne-nous nos offenses comme nous pardonnons aussi à ceux qui nous ont offensés. Et ne nous soumets pas à la tentation, mais délivre-nous du Mal. Amen. »

Éléonore continue de se laisser dériver dans une langueur brumeuse. Elle ne s'oppose plus à la veuve qui se satisfait peu à peu de son asthénie. Depuis le départ du bétail, l'activité de la ferme est circonscrite aux menus travaux. Elles surveillent la pousse du blé et redoutent les saints de glace. Les terres noires, azotées par les neiges, se sont couvertes d'un velours tendre et la primevère fleurit au bord des champs. La veuve et sa fille bêchent et désherbent le potager. Elles plantent, sèment et repiquent. Sortie de son engourdissement, la nature frémit à nouveau. Les feuilles tendres bourgeonnent, les branches bruissent du pépiement et de l'ébrouement des oiseaux. Les villageois balaient l'escalier du cimetière et déblaient les tombes des scories de l'hiver. Depuis le début de la guerre, les ronces, les orties et l'ivraie ont envahi l'orée des bois, le bord des champs et les fossés. Effondré sur lui-même, le corps du défunt père est une chose indicible, revêtue d'un costume bourbeux, duquel commencent à saillir les os. Figée un temps par les gelées, la dépouille mortuaire de l'enfant de chœur Jean Roujas recouvre sa lente déliquescence. Amaigri par son jeûne, le gibier quitte sa retraite aux aurores et à la tombée du jour. Blaireaux et renards sortent de leurs terriers. Les daguets frottent leurs bois contre le tronc des arbres, puis les perdent. Mise à l'herbage, la vieille jument est retrouvée morte, renversée sur le dos, les antérieurs raides comme des piquets. Puisqu'il n'y a plus d'équarrisseur et que ni la veuve ni Éléonore n'ont la force de creuser une fosse, il leur faut se résoudre à laisser la carcasse gonfler au plein air et empuantir la campagne, jusqu'à ce que, venu d'un village voisin, un vieillard apporte enfin un attelage et tire la baudruche infecte qui laisse derrière elle une traînée de magma putride et noir où convulse la vermine. Lorsqu'une des jambes, liée à l'attelage par une corde, se disloque à hauteur d'épaule, le vieux conseille de brûler la charogne sur place. Elles disposent des brassées de foin et de petit bois sous les flancs et l'angle étrange de l'encolure roide. Elles enfouissent leur visage dans des foulards, respirant les miasmes par la bouche. La veuve arrose la dépouille de pétrole et allume le bûcher qui flambe laborieusement deux jours et deux nuits durant, élevant dans l'air vif une colonne de fumée grasse.

Il est arrivé, dans l'enfance, qu'elle se demande ce qu'est le temps des bêtes, celui de la tique immobile sur la tige d'herbe dans l'attente du passage d'un hôte, celui de l'éphémère aux ailes dentelées dont toute la vie tient en quelques heures, celui de la cistude à la carapace verdie par les algues et les mousses et que les anciens du village disent voir se chauffer depuis toujours dans les racines nues des saules, près les berges de la réserve d'eau. Éléonore ne discerne plus les mois ou les saisons. Elle continue d'accomplir les tâches qui lui reviennent, sans zèle et sans empressement. Elle jette le grain aux volailles, elle remplit l'abreuvoir des clapiers à lapins. La veuve ne donne plus d'ordre. Elle voit aller et venir le fantôme de sa fille, traîner ses sabots derrière elle, répéter les gestes las et désincarnés. Des lumières glissent sur la cour de la ferme, des jours d'ardoise, gris et plats, des cieux bas, des feux d'automne, des matins éclatants et dorés de pollens. Des hommes rentrent. Ils ont laissé sur le front un bras, une jambe arrachés par les obus ou rongés par la gangrène. Ils retournent au champ et apprennent à manier les outils d'une main. On les voit clopiner sur la terre nourricière, dans l'aube et le couchant. Les femmes apprivoisent les moignons, touchent du bout des doigts les sutures pâles, les peaux tumescentes. Elles surmontent leur dégoût. Les limaces ont rongé le petit banc de bois clouté et vermoulu sur lequel s'installait le père des premiers soirs du printemps aux dernières veillées de l'automne. L'assise est maintenant ensevelie à demi dans la terre de la cour, les orties et les pissenlits. Un matin de 1917, à la fin du mois de mai, Éléonore s'arrête et contemple ce qu'il reste du banc. C'est une épave friable et minable dont une planche noire saille au milieu des touffes d'herbe. Lorsqu'elle la soulève et l'arrache du sol, la planche craque. Dans l'empreinte découverte qui leur servait de monde, détalent les cloportes et les scolopendres, entre les rhizomes vert pâle et les œufs d'escargot translucides. L'odeur de moisissure et de micelles blanches monte jusqu'à elle. Elle croit sentir un instant l'âcre relent du brûle-gueule que fumait le père, mais ce n'est qu'un feu de broussailles allumé non loin dans une ferme, et dont l'effluve lui parvient. Elle n'est plus la petite fille qui s'asseyait contre le grand corps souffreteux et bien-aimé du père. Ce qu'il s'est passé depuis, elle n'en est pas sûre. Il lui semble posséder la mémoire d'une autre, charrier des souvenirs qui ne lui appartiennent pas. Les images lui reviennent et la raison voudrait qu'elles constituent une preuve irréfutable de ce qui a été ; mais elles sont pourtant fragiles et se délitent sitôt qu'elle cherche à préciser leurs contours, sans plus de consistance ni de valeur qu'un rêve ou un mirage. Peut-être la petite fille n'a-t-elle pas véritablement existé. Peut-être est-elle depuis toujours cette adolescente maigre et dévastée, traversant à l'aveuglette des jours semblables. Elle traîne la planche jusqu'au mur arrière de la ferme et la jette de toutes ses forces dans les hautes herbes. Elle reste un moment, à les écouter ployer et bruire. Au loin, elle entend gronder un moteur sur le chemin qui mène à la ferme. Des paons de jour flottent sur les fleurs de pissenlits et des aigrettes s'élèvent dans le vent puis retombent en pivotant sur elles-mêmes. Des nuées font par moments galoper leur ombre pâle sur la terre. Un corbeau s'est perché sur le faîte du toit et croasse dans l'air vif. Éléonore se détourne en essuyant les paumes de ses mains sur sa jupe. Elle longe le mur aveugle de la ferme. Là-bas, dans le potager, la veuve ramasse des fanes. Elle est petite et sombre dans son châle de deuil. Ses gestes sont désormais empêchés par l'arthrose. Elle a la grâce fragile et inattendue des vieilles femmes. Arrêtée dans l'ombre, Éléonore l'observe un instant s'affairer. Elle tourne à l'angle du corps de ferme et marche vers la maison quand elle voit l'homme immobile.

Elle est éblouie par le soleil et porte une main en visière pour mieux distinguer la silhouette dans un nuage de poussière soulevé sur le chemin de terre. Il se retourne et semble regarder la cour paisible. Il porte un habit propre de soldat, une capote de drap bleu boutonnée sur le col d'une vareuse. Il a déposé à ses pieds un léger paquetage. L'œil du corbeau perché au faîte du toit reflète sa silhouette concave. Ni l'officier, ni Éléonore, ni rien alentour ne bougent. Le temps semble avoir fini d'agoniser et s'être enfin suspendu dans l'étale clarté d'un matin. Puis, c'est lui qui s'avance, et son pas ample et lent fait éclater le cœur d'Éléonore sous son sein. Il expose sa tête terrible dans la lumière. Comment le reconnaît-elle? Comment met-elle un nom sur ces traits ravaudés, ce masque barbare et primitif? Quelque chose s'épanche en elle, lourd et froid comme une hémorragie. Marcel l'a saisie au bras et la retient contre lui. Son visage était celui d'un enfant; il n'est même plus celui d'un homme. Une barbe rousse couvre en partie ses joues, mais le côté gauche est un amas de tissus cicatriciels, lisses et blêmes par endroits, flétris et tuméfiés par d'autres. La pommette saccagée fait une dépression sous l'œil aveugle, car il n'y a plus à la place qu'une orbite vide et condamnée, sur laquelle la paupière est cousue. La joue est barrée par le relief d'une suture qui court sur le menton et descend dans le cou. Il respire violemment. La commissure de ses lèvres se tord quand une plainte s'élève de la gorge d'Éléonore, un murmure guttural, un râle arraché des tréfonds d'une douleur sourde. Il pose une main à l'arrière de sa tête et enfonce le visage d'Éléonore dans le col de sa capote. L'odeur du foin, des bêtes et de la sueur a laissé place à celle de l'alcool et de l'éther, de la morphine et de l'huile de camphre, du tabac froid et de la gnôle. La veuve a quitté le potager, lâché le couteau et les fanes que le vent fait rouler sur le sol de la cour. Marcel embrasse le crâne qui, tout entier, tient dans sa main. Il respire la chevelure. La mèche blanchie file entre ses doigts. Il tient le corps immobile dans la lumière du soleil jailli entre deux nuages furtifs. Son profil est hanté par l'œil unique et noir.

Elle ne pose aucune question. Elle ne cherche pas à savoir comment il peut être revenu d'entre les morts, puisqu'elle-même est ramenée à la vie à l'instant où ses bras se referment sur ses épaules. Son visage est la chose la plus épouvantable qu'il lui ait jamais été donnée de voir. Ce visage dont elle a oublié les traits, mais dont elle gardait l'impression d'une douceur, sinon d'une beauté, et qu'elle retrouve ravagé, les blessures réduisant à néant le souvenir qu'elle avait cru garder.

«Je ne veux pas que tu me regardes», dit Marcel.

Éléonore détourne les yeux pour ne plus jamais les poser sur lui autrement qu'à la dérobée, observant alors de biais cette paupière terrible cousue sur un vide, un trou, un globe oculaire aveugle et atrophié, elle n'en saura jamais rien, mais scellé sur des choses inavouables, des images indicibles qui le tirent chaque nuit hors de son lit comme un diable jaillissant de sa boîte. Elle croit le retrouver, mais elle ignore encore ce qu'elle a véritablement perdu. Il porte un grand chapeau, au large rebord, qui protège du soleil ses cicatrices blêmes et le dissimule au regard des autres quand il penche le visage. Comme ils marchent vers la maison et qu'il tourne la tête en direction de la veuve, elle voit que la peau de son profil mutilé ne bouge plus de la même manière et forme des plis, des accidents. Même sa démarche et la façon de mouvoir son corps tout entier sont elles aussi changées. Il affecte des postures pour se soustraire à la vue des gens. Il se déporte et s'incline dans les ombres avec lesquelles il a appris à composer. Dès qu'ils franchissent le seuil de la maison, il se décale d'un pas hors du faisceau de lumière qui entre dans la pièce. Il pose son bagage et s'avance vers l'ancienne souillarde, vidée par la veuve et encombrée par le bois de l'hiver. Éléonore se tient droite et chancelante derrière lui. Il retire sa veste, remonte ses manches de chemise, puis charge les bûches dans ses bras et entreprend de déplacer les stères sous l'appentis, passant et repassant dans la pièce principale et dans la cour de la ferme où la veuve est restée près du potager sans oser s'avancer vers eux.

Il réinstalle le lit au même emplacement qu'autrefois. Il rallume le feu dans l'âtre, puis s'en va inspecter l'étable. Éléonore le suit, poussée de l'avant par la crainte de le voir disparaître à nouveau, passer une porte et ne jamais revenir. Elle se mord l'intérieur de la joue pour s'assurer de ne pas rêver ou de n'être simplement pas devenue tout à fait folle. Elle lui parle pour dissiper toute cette peur. Elle lui raconte comment les bêtes leur ont été enlevées, sauf la jument morte de vieillesse dans la pâture ; puis la mort d'Alphonse qui s'en est allé lui aussi et qu'elle a enterré par là-bas. Marcel contemple l'étable triste et froide, la soue du cochon, ouverte et silencieuse. Il la suit jusqu'au petit tertre de cailloux déjà recouvert par les ronces et sous lequel les os d'Alphonse percent ce qu'il reste de son vieux pelage. Il continue de marcher en direction des champs, comme les hommes déjà rentrés avant lui, pour aller voir les terres et, tandis qu'elle marche près de lui, Éléonore contemple cette campagne comme si elle la voyait pour la première fois. Là où il n'y avait plus que la mort, l'ennui et le désespoir nichés en toutes choses, elle voit la vie à nouveau : le vol des oiseaux, le frémissement des cultures, l'appel d'un âne, le parfum des herbes moites. Elle sent un vent tiède glisser sous sa jupe, sur ses jambes nues, gonfler ses poumons, et elle sent aussi l'odeur de Marcel tandis qu'il tire de sa poche un paquet de ces cigarettes que les hommes se sont mis à fumer à la guerre puis qu'il en allume une. Il s'arrête devant les terres sur lesquelles la veuve et Éléonore ont trimé pour arracher autant de céréales que la main des hommes, et elle croit voir son œil de cyclope briller d'un éclat de convoitise ou de satisfaction. Il porte la cigarette à la commissure droite et épargnée de ses lèvres avant d'exhaler une fumée âcre.

« Les récoltes ont été bonnes. Les femmes de Puy-Larroque… On a travaillé dur », dit Éléonore.

Marcel hoche brièvement la tête, puis il s'accroupit au bord d'un champ et ramasse une poignée de terre, comme elle a vu son père le faire bien avant lui. Il la soupèse dans le creux de sa main et l'émiette de la même façon, avant de dire :

« Tout est bien. »

Ces seuls mots tout juste murmurés, adressés à lui-même. Puis, il se relève dans un craquement de genoux et repart en direction de la ferme, promenant son étrange silhouette sur la ligne profonde du coteau. Éléonore ne marche plus derrière lui, mais à sa gauche. Le dos de sa main frôle par instants, comme autrefois, le dos de la sienne.

Il se remet au travail dès le jour suivant, plus ardemment, plus impitoyablement, comme s'il lui fallait rattraper le temps perdu ou regagner une légitimité sur la terre. Lorsque Éléonore le voit trimer au loin, au beau milieu d'un champ, sans plus rien distinguer de son visage dissous par la lumière, il lui semble qu'il n'est jamais parti, qu'il n'y a pas eu de guerre et que tout cela n'était qu'un interminable cauchemar. Elle s'applique à la cuisine. Elle ouvre grand les fenêtres et repousse dans la cour des tempêtes de poussière. Elle lessive et étend les draps. Seule dans la souillarde, elle respire l'odeur de Marcel dans ses vêtements, pour l'apprivoiser, portant ses culottes à son visage avant de les enfoncer dans l'eau trouble d'une bassinoire. Elle continue de travailler aux champs, comme les autres femmes. Les hommes démobilisés s'ébahissent de les voir charrier les outils, manier la faux ou harnacher une mule en un tournemain. Elles gagnent leur respect. Rien ne semble résister à Marcel. Il travaille sans faiblir de l'aube à la tombée de la nuit, suant toute l'eau de son corps. Il relève un mur de pierre tombé en son absence, scelle l'ouverture de la pièce unique par laquelle le vent s'engouffrait depuis l'étable vide et froide dont il pave aussi le sol. Il remplace les tuiles qui ont glissé du toit et se sont brisées sur le sol de la cour. Il fauche la friche et dégage les fossés envahis de joncs et d'épines. À l'automne, il tire la charrue en lieu et place des vaches perdues, rugissant comme une bête.

Jamais il ne mentionne le lieu de sa convalescence, le nom de l'un de ses compagnons d'infortune ; jamais un détail, un souvenir, une allusion à la guerre, et Éléonore ne peut qu'imaginer ces grandes salles blanches empestant l'éther, le tabac et la nécrose, avec des fenêtres ouvrant sur un parc aux arbustes et parterres bien ordonnés, les lits à l'armature de métal blanc, les paravents et les rideaux blancs rabattus sur toutes les plaies rouges, les trous dans les corps, suintant et dégorgeant le sang, le pus et la glaire, désinfectés, méchés et pansés par des infirmières en blouses blanches, l'expression de ces femmes, douce ou sévère, avec laquelle elles ont appris à masquer l'effroi que leur inspirent ces épaves d'hommes. Le travail le requinque. Il retrouve ce corps rustique et nerveux qu'elle lui connaissait, mais animé d'une force nouvelle et mystérieuse, qui le ragaillardit et le consume à la fois. L'été suivant son retour, lorsque Éléonore lui apporte une gourde de métal pour qu'il s'abreuve, il lui tourne le dos et applique le goulot à la commissure la plus mobile de ses lèvres, déjà jaunies par le tabac comme les dernières phalanges de son pouce et de son index. Un filet d'eau échappe souvent de sa bouche, coule sur son menton et dans son cou, ou goutte sur le tissu de sa chemise. Le soir venu, il refuse de manger avec les femmes. Il emporte dans sa chambre l'assiette, referme la porte et mange seul, assis sur le bord de son lit, honteux de sa mastication laborieuse, des grimaces auxquelles le force l'ankylose de ses mâchoires, des morceaux de nourriture qu'il laisse échapper malgré lui et qui se prennent aux poils de la barbe rouge et broussailleuse qu'il a laissée pousser pour tenter de dissimuler les sillons imberbes des cicatrices, et déjà parsemée de poils blancs, scintillants dans la lumière. Éléonore se contente de laisser son assiette couverte près du feu, d'attendre son retour et de le regarder l'emporter comme un animal que l'on tente d'apprivoiser, un chat sauvage auquel on abandonne un bol de lait, un chien farouche qui fuit avec son os pour le mastiquer à l'abri des regards. Elle dépose un broc d'eau et une corbeille de pain sur la commode installée près de son lit, puis la débarrasse le lendemain, après son départ. Un matin, elle entre dans la pièce pendant son absence. Elle observe la chambre : le seau d'aisances, la cendre qui frissonne sur les braises, le lit toujours fait. Elle remarque la proéminence de l'un des oreillers rembourré de plumes d'oie. Elle s'avance, le soulève et trouve l'écarteur de mâchoires, sans comprendre ce qu'elle tient entre ses mains, cette chose toute faite de caoutchouc, de métal et de ressorts, pareille à un instrument de torture, un petit piège à loup. Elle le repose, gagnée par un sentiment de gêne, rabat l'oreiller et quitte précipitamment la chambre.

Ils retrouvent un quotidien. La vie paraît continuer. Un jour, Marcel revient avec un chiot sous le bras. Il lui construit une niche qu'il installe dans la cour, et la bête apporte pour un temps un peu de joie, jappant et bondissant autour d'eux. Elle suit Marcel, comme le suivait Alphonse, mais Éléonore ne le voit pas flatter sa tête. Il s'exaspère vite de ses bêtises, de ses fêtes, et finit par l'enchaîner près de la niche. Quant à Charbon, il continue de leur rendre visite durant quelques semaines, de voler autour de la ferme et de sautiller près de Marcel, puis il disparaît, lassé par son indifférence et par celle d'Éléonore, qui avait pourtant été si prompte à lire des augures dans l'obstination de l'oiseau à revenir inlassablement après son départ et durant tout le temps de son absence. Puis, c'est la fin de la guerre. Les cloches sonnent à la volée par un matin de novembre. Éléonore sort sur le perron, le cœur battant, pour se précipiter vers Marcel. Elle le voit, de l'autre côté de la cour, se redresser très brusquement au milieu des poules qui picorent et s'ébrouent à ses pieds. Il s'appuie de ses deux mains au manche d'une pelle, découvre sa tête, et tient son grand chapeau contre son torse, le menton incliné. Il semble se recueillir un bref instant, puis se recoiffe sans attendre que les cloches aient fini de retentir, continue son chemin et disparaît dans la pénombre de la remise. Éléonore est restée immobile, sa joie amère coincée en travers de la bouche ; stupéfaite, aussi, que la guerre puisse se terminer comme cela, comme elle a commencé, avec un simple battement de cloches balancées dans un jour ordinaire, brumeux et froid. Elle referme la porte et regarde la veuve assise dans le cantou, qui ne dit rien et fixe ses doigts noués par son chapelet. Éléonore traverse la pièce, sort du buffet une bouteille d'armagnac et trois verres qu'elle dépose sur la table, puis elle attend que Marcel passe le seuil de la pièce, guettant sa silhouette par la fenêtre. Lorsqu'il entre enfin, elle se relève. Marcel voit les verres et la bouteille d'alcool. Il lui adresse ce long regard plein de consternation, qui la force à détourner les yeux, puis il s'avance vers la table, prend la bouteille et l'emporte, la laissant seule avec la veuve croupissante. Il disparaît durant de longues heures, tandis que des éclats de joie retentissent depuis Puy-Larroque et à travers la campagne. Lorsqu'il repasse la porte, à l'aube du lendemain, il se glisse dans la maison comme une ombre défaite, passant près d'elle sans un regard, traînant derrière lui une odeur de sueur, de tabac et de bile. Il rabat derrière lui la porte de sa chambre et Éléonore entend le poids de son corps s'effondrer sur le lit.

Plus tard, la pierre de granit du monument aux morts portant gravés les noms des hommes de Puy-Larroque tombés sur le front est apportée sur une charrette tirée par deux chevaux de trait à l'entrecuisse écumant. Les villageois la lèvent à grand-peine, retenant son poids par des cordes enroulées à leurs avant-bras, puis ils la scellent à l'emplacement décidé par le conseil municipal réuni en séance extraordinaire. Marcel tranche des bûches sur un billot, sous l'appentis, lorsque, toutes de noir vêtues, Éléonore et la veuve quittent la maison. Elles s'arrêtent un long moment pour regarder Marcel qui abat la hache avec la régularité d'un métronome sans faire cas de leur présence, et elles finissent par s'éloigner sur le chemin du village, poursuivies par le son des bûches fendues. Il ne se montre pas non plus aux messes de commémoration. Les villageois commencent à jaser, s'offusquent de son indifférence, de son mépris, de son égoïsme : son malheur vaut-il mieux que le leur ? Sa souffrance le dispense-t-il d'être solidaire ?

Durant l'année qui suit le retour de Marcel, la veuve s'efface sensiblement. Elle se tait tout d'abord, comme réduite au silence. Elle s'assied près du feu ou devant la porte et reste durant des heures à fixer quelque point devant elle, passant et repassant entre ses doigts les perles de son chapelet. Elle continue d'entretenir le potager, de jeter le grain aux poules et de ramasser les œufs. Parfois, elle s'arrête au milieu de la cour et regarde autour d'elle, comme si elle ne savait plus où elle se trouve ni dans quelle direction aller. Elle lève le regard au ciel, plissant les paupières, les lèvres relevées sur ses gencives édentées. Elle observe la lente progression des nuages, puis baisse la tête, cligne des paupières, aveuglée, et regagne la maison à petits pas. Elle marmonne des paroles inintelligibles et, lorsque Éléonore s'adresse à elle, elle ne peut réprimer un sursaut. Elle réfléchit alors avant de répondre, puis parle d'une voix rétive, fragile. Elle néglige bientôt le potager, reste agenouillée dans la terre, sa robe salie aux genoux, une bêche à la main, le soleil brûlant la peau tannée de sa nuque, ou bien elle arrache indistinctement les mauvaises herbes et les jeunes plants de légumes. Éléonore la surprend, un jour qu'elle a saccagé une parcelle de salades. Jusqu'à présent, les oublis et les manquements de la veuve lui ont semblé être des mesquineries, des représailles. Elle lâche le tablier dans lequel elle essuyait ses mains, se précipite sur la vieille, l'attrape par le bras et la secoue vertement.

« Quel est ton problème, à la fin ? lui hurle-t-elle. Tu feras tout pour m'empoisonner la vie jusqu'au bout ? Est-ce que tu ne peux pas crever simplement, une bonne fois pour toutes ? »

La veuve est tombée sur ses fesses et semble sonnée. Elle regarde la terre retournée, puis balbutie :

« Je voulais… Je voulais… », avant d'éclater en sanglots et d'enfoncer son visage dans ses mains noires.

Elle oublie les œufs que les poules délaissent et qui pourrissent. Elle erre avec son panier d'osier sous le bras, sous l'œil flegmatique du menu bétail. Quand il lui faut saigner un poulet, elle le manque. La bête lui échappe et tourne en rond, aspergeant de son sang le sol de la cour, soulevant des bouffées de terre sèche et les hurlements des autres volailles. Lorsqu'elle se retrouve face à Marcel, ses yeux s'écarquillent et elle laisse entendre un gémissement de terreur.

« Espèce de vieille folle », dit-il.

La veuve bat en retraite dans le cantou, tremblant et marmonnant des bribes de prières.

Elle maigrit plus encore. Elle n'a désormais que la peau sur les os. Elle confond les jours de la semaine, les mois, les saisons, les années. Éléonore la lave, l'habille et la coiffe, et elle se laisse faire, petit être brisé. La flamme d'une lampe à huile se reflète sur son crâne à demi chauve. Puis, elle retrouve l'usage de la parole ; elle n'a même plus l'idée de résister et de se taire. Elle, qui était si avare de ses mots, bavasse désormais tout le jour. Elle tient Éléonore par la main pour traverser la cour, puis tourne le visage vers elle et lui dit :

« Excusez-moi, vous n'avez pas vu ma fille, non ? Ma petite fille ?

— C'est moi, ta fille », répond Éléonore.

La veuve hausse les sourcils et ricane :

« Mais bien sûr, voyons. »

Lorsque Marcel passe la porte, elle le confond parfois avec le père défunt et dit :

« Ah, te voilà. Où étais-tu ? Prends garde à ta poitrine avec ce froid. »

Puis, lorsqu'il se décoiffe, elle s'écrie :

« Bon Dieu, mais qu'est-ce qu'ils t'ont fait ? » ou,

ne le reconnaissant simplement pas, soupire : « Pauvre diable… », avant de retomber dans la contemplation d'un napperon entre ses mains, dont elle ne parvient plus à crocheter une seule maille.

Elle se perd dans la campagne et il faut aller la chercher dans d'autres fermes. Ou bien, les paysans la raccompagnent, et Éléonore la récupère couverte de griffures, du gaillet et des épillets fichés dans ses vêtements et dans ses cheveux. Elle se parle à elle-même, marmonne des mots, invoque tour à tour sa mère, son père, son époux, comme s'ils se trouvaient dans la pièce, puis des histoires de saints, de malédictions, de soue et de truie dévorantes ; un laïus à n'y rien comprendre. Un après-midi d'hiver, comme Éléonore épluche des légumes sur la grande table et que la veuve est assise près de l'âtre, elle l'entend dire :

« … bien sûr, je sais bien qu'il est pas mort… m'a dit qu'il était salement amoché, mais qu'il reviendrait… elle préfère ça, comme toutes les autres… un éclopé plutôt qu'un macchabée… qu'il remette pas un pied chez moi, ça ! Jamais ! »

Éléonore pose son couteau sur la planche à découper. Elle revoit la mère de Marcel, son frère dont elle reconnaît les traits et qui conduit la carriole, les deux femmes se parler à voix basse, la veuve regagner la maison avant de se remettre à son ouvrage, piquer le tissu, l'aiguille cliquetant contre le dé à coudre. *Il s'est fait tuer comme tous les autres ! Je te l'avais bien dit. Est-ce que tu vas enfin arrêter de l'attendre, maintenant ?*

« Qu'est-ce que tu as dit ? » demande-t-elle.

La veuve tourne vers elle son visage osseux. Elle semble la reconnaître.

« Qu'est-ce que tu viens de dire ? » répète Éléonore.

La vieillarde secoue lentement la tête d'un air incertain, puis dit :

« Elle l'a dévoré… Cette bête l'a dévoré, et elle n'a rien laissé… Pas la moindre petite miette… »

La douleur ne laisse à Marcel que de rares instants de répit. Au mieux, elle s'atténue et devient un écho lointain qui bat en sourdine au rythme de son pouls, quelque part dans ses terminaisons nerveuses démolies. Même en sommeil, il la sent logée en lui, comme un organisme à part entière, un parasite, tantôt à l'arrière de sa mâchoire rafistolée, tantôt au fond de son orbite vide, tantôt fichée dans ses cervicales, enfonçant ses mandibules dans ses os, ses tendons, sa moelle, pour les ronger patiemment et s'en repaître. Lorsqu'elle s'apaise, son absence laisse un vide, une aura tout aussi redoutable que la réplique qu'elle annonce. Il scrute cette analgésie nauséeuse, puis les premiers signes annonciateurs de la nouvelle vague qui le terrassera. Plus que nerveuse, la douleur lui semble osseuse, térébrante, une forme de carie qui lui dévorerait le maxillaire et le zygomatique. Il refuse de lui céder du terrain, il travaille contre elle, qui le voudrait infirme, incapable. Il repousse par la force les limites de sa tolérance, pioche, bêche, fauche comme si chaque coup d'outil devait être asséné à ses souffrances, et qu'importe si les gestes brusques, les chocs encaissés, la font croître, jamais il ne veut reculer, capituler. Il arrive que, dans la solitude d'un champ ou l'ombre de l'appentis, il tombe à genoux et prenne entre ses mains son crâne sur le point d'exploser. Il applique sur sa tempe la tête d'un marteau ou la lame d'une faux dans l'espoir que la fraîcheur le soulage un instant. Ses glandes salivaires se détraquent, comme au temps des plaies vives. Il lui faut alors déglutir des litres de salive ou cracher à tout-va et dormir avec une bassine. Il tâtonne de la langue les formes redéfinies de ses gencives, les renflements, les protubérances tout au long de la greffe d'os et de périoste prélevés sur son tibia pour recomposer la mandibule. Le tabac insensibilise vaguement ses muqueuses ; certains jours, il fume trois paquets de cigarettes. La douleur contamine les rares heures de sommeil qu'il s'octroie. Elle infuse dans ses rêves et le ramène toujours à la scansion des mêmes lieux, des mêmes instants. Il retrouve alors ses deux yeux ouverts sur des visions cauchemardesques. Elle le réveille brusquement, irradiant son crâne entier. Il presse doucement la peau de sa joue, commande en vain aux nerfs, aux tendons et aux muscles de s'apaiser. Il se frappe la tête contre l'armature du lit. Il quitte la chambre pour trouver la fraîcheur de la nuit. Il tire l'eau du puits et enfonce son visage entier dans le seau. Il rôde, allant et venant dans l'espace de la cour, sur les chemins, au milieu des terres, coiffé de son chapeau, sa chemise de nuit à demi rentrée dans un pantalon lâche, comme un épouvantail descendu de son piquet, comme la *camo cruso* des fables pour enfants. Il arrive que les hommes se croisent dans le cœur de la nuit ; ils s'adressent alors tout juste la parole, baissent la tête et s'éloignent, l'un perclus dans ses douleurs, l'autre poursuivi par ses fantômes, se tenant à distance respectueuse de leurs solitudes.

L'alcool est traître : tantôt l'ivresse l'apaise, tantôt elle décuple sa souffrance, la distord, la ramifie. Il s'endort saoul dans son vomi, adossé au tronc d'un arbre contre l'écorce duquel il s'est broyé les phalanges à force de coups de poing. Les chirurgiens lui ont arraché des molaires broyées. Il se souvient des éclats de dents sur sa langue. Ils ont fouillé la gencive pour en déloger les morceaux d'émail, les racines tranchées. Par moments, il a l'impression que les dents ont été replantées, mélangées dans la viande labourée et remodelée de sa gueule. Dans le secret de sa chambre, il tire d'une boîte des clous de girofle qu'il mâchonne et dont il enfonce la pointe dans sa gencive. Éléonore retrouve les épices engluées de sang et de salive dans une écuelle glissée sous le sommier du lit. Elle s'assied sur le matelas, une main plaquée sur la bouche pour ne pas crier. À cinq heures du matin, Marcel quitte la maison, réveillant le coq qui s'ébroue sur son perchoir. Il charge sur son épaule le premier outil venu. Il s'en va faire expier la terre. Lorsque, durant l'hiver, il déloge du sol une pierre ronde et gelée, il la frotte contre son pantalon, entre la paume de ses mains, puis la glisse dans sa bouche, entre ses gencives molles, et savoure un instant de sursis. Il n'a pas eu besoin de demander qu'elle retire les rares miroirs de la maison. Éléonore les a remisés, retournés et enveloppés d'un drap, dans l'un des tiroirs de l'armoire. Elle ne garde qu'un petit miroir à main, cerclé de fer, dont le tain est piqué et dans lequel elle observe parfois son reflet. Elle contemple alors une femme de dix-sept ans qui paraît en avoir vingt-cinq, une fermière sèche, aux traits maintenant épais. Deux fins sillons creusent sa peau, près des lèvres. Elle ne voit plus son corps nu autrement qu'en baissant les yeux sur une poitrine maigre, aux aréoles larges et brunes, un ventre très blanc, plus rond sous le nombril, puis ce sexe noir, broussailleux, dont la toison s'évase sur l'intérieur des cuisses; ce sexe dont l'appétit, jamais satisfait, ne s'est pourtant pas tari. La laideur de Marcel ne l'a pas découragée. Elle finit au contraire par considérer cette jeunesse saccagée pour l'aimer plus encore. Elle garde pour seul relief de son éducation bigote le goût du sacrifice, de la culpabilité, de la dévotion aux causes perdues. Elle trouve dans cette souffrance la source infinie de son abnégation. Elle choisit de tout embrasser: le corps brisé, l'incompréhension, le silence.

Il ne lui témoigne plus l'affection d'autrefois. Il ne prend plus sa main. Son œil se détourne d'elle, ou passe sur elle sans la voir. Ils ne se parlent plus que pour échanger des phrases arides. Elle se console et se fourvoie en pensant qu'ils se connaissent trop intimement pour trouver encore une raison aux mots. Elle croit l'approcher par son dévouement quand elle le tient en vérité à distance, et même le rebute par ses attentions, son zèle servile. Il méprise ce qu'elle est devenue. Lorsqu'ils travaillent ensemble aux champs, il arrive qu'il la regarde, même brièvement, et qu'il sente alors un élan de fureur dirigé contre elle, une violence aveugle, immédiate, contre ses gestes, ses habits de gueuse, sa dégaine rustre, sa silhouette plate, son opiniâtreté, sa déférence, tout ce qui la compose et l'anime ; puis, il réalise par instants sa propre désaffection, comme si la douleur du corps ne laissait place qu'à l'indifférence du cœur et de l'âme, un acide rongeant patiemment le moindre de ses sentiments qui ne soit ni la colère ni la rancune. Il n'a touché qu'une femme et il l'a oubliée. Cette prostituée alsacienne blonde, tout juste nubile, que les gars se passent et qu'il enlace à son tour dans le fenil puant l'urine de rat d'une fermette éventrée par un obus et dont ne subsiste justement, au milieu des éclats de pierre, de poutres de charpente et de meubles disloqués et renversés, que la grange sous laquelle ont dormi les hommes, comme en atteste l'ancien foyer noirci d'un petit feu de camp délimité par un cercle de cailloux. Il grimpe à sa suite l'échelle faite de bois piqué, de clous rouillés et de barreaux brisés qu'il faut enjamber pour accéder à l'ouverture du fenil refermé par deux volets claquant dans le vent froid, puis au plancher de lattes pulvérulentes reposées sur des solives rongées par l'humidité. Il reste d'abord immobile, le cou penché sur son épaule droite car le toit est trop bas pour qu'il puisse tenir debout et ses cheveux se prennent dans les toiles d'araignées, tandis que la fille s'allonge sur une couche de foin déjà disposée pour d'autres que lui. Elle remonte sa robe sur ses jambes de paysanne couvertes de poils clairs, sur ses cuisses blanches veinées et parsemées de quelques ecchymoses déclinant toutes les teintes possibles et qu'elle s'est probablement faites en se heurtant soit aux angles d'une table d'auberge, aux brancards d'une charrue ou à la boucle des ceinturons des soldats, puis sur son pubis dont la toison de chaque lèvre se rejoint en son centre pour former une crête pareille à celle des coteaux quand le blé a séché et frissonne, blond et cendré, dans le matin sombre ou la fin du jour. Elle dévoile ses seins lourds, aux mamelons pourpres, presque bleus, sa peau grêlée tout entière par la chair de poule et, gardant ses grosses chaussettes de laine remontées sur ses chevilles, se donne à voir, puis l'invite à la rejoindre. Il s'étend près d'elle sur ce lit de foin pourrissant, la laisse défaire la boutonnière de ses pantalons, les descendre sur son caleçon tissé, souillé, puant, sur ses cuisses piquées par les parasites, puis souffler dans sa main glacée pour tenter de la réchauffer avant d'empoigner son sexe craintif, de le malaxer longuement en le regardant, muette, dans les yeux. Il voit son reflet dans sa pupille noire, son visage encore intact de jeune homme effrayé, acculé par la violence des hommes, tandis que leur parviennent les aboiements d'un chien, les voix portées des soldats du régiment en faction dans le hameau voisin, de lointains claquements d'armes à feu. Lasse, la fille l'enfourche et glisse en elle son sexe à demi mou. Elle va et vient sur son bas-ventre. Leurs souffles conjugués moutonnent devant leurs lèvres. Elle ne se donne pas la peine de simuler le plaisir. Elle s'applique à le faire venir vite et en silence, à faire exulter ce corps sale, fourbu par la marche, le combat, les nuits impitoyables, à faire jouir ce corps dont la vie ne tient pas même à un fil et dont le sursis n'est désormais qu'une question de probabilité. Il jouit en elle, d'une éjaculation mécanique, honteuse. Elle se retire, libérant son sexe luisant qui retombe aussitôt sur sa cuisse et essuie avec une poignée de foin la semence inutile, avant de s'empresser de se rhabiller *parce qu'y fait un froid de loup*. Marcel soulève ses fesses en prenant appui sur ses omoplates et se refroque à son tour, tremblant maintenant de tous ses membres, claquant des dents, songeant que c'est bien ce qu'il vient de faire, perdre sa virginité dans le pire des froids qu'il ait jamais connu, cerné par les loups. Oui, il n'a jamais touché qu'une femme, puis il a oublié le désir qui le traversait quelquefois, au temps d'avant la guerre, et dont il s'épanchait sur son ventre, sous le drap, à la lueur du petit feu. Il ne faisait alors pas de doute qu'il posséderait le corps des femmes, d'une femme.

La peur, la douleur et la honte ont saccagé le désir. La vision des corps ouverts sur le champ de bataille. Comment les vouloir encore en sachant ce qu'ils renferment? Partout, il ne voit que des sacs ambulants de peau, de tripes fumantes, bleues, jaunes, vertes, d'excrétions, de boues et de jus organiques. L'infirmière qui se penche sur lui pour panser son visage, la poitrine serrée par sa blouse blanche, et se presse par instants contre son épaule. Le dégoût que lui inspire le cœur qui bat dessous les côtes, ses convulsions spasmodiques. Le dégoût que lui inspire son propre visage lorsque le chirurgien lui tend le miroir et qu'il contemple son reflet difforme. Il fait pourtant partie des *moins pires, des plus beaux*, de ceux qui, dans cette galerie de monstres, ont encore apparence humaine, contrairement aux baveux, à ceux dont il ne reste rien, sinon des plaies béantes et pourtant cicatrisées, des gouffres et des failles au milieu de la face qui ne se refermeront jamais plus, creusés sur des glottes à découvert, des gorges palpitantes comme des sphincters, des sinus alvéolés. On tente en désespoir de cause de cacher ces masques grotesques avec des prothèses malléables qu'il leur faut apprendre à façonner de leurs propres mains pour se recomposer chaque jour une contrefaçon de visage, mais elles fondent ou se décolorent au soleil et sous la pluie, et le contact avec la pâte et la colle devient vite intolérable. Il peut *s'estimer chanceux*, comme le dit le chirurgien qui a prélevé l'os et le périoste de son tibia pour en recomposer son maxillaire inférieur. De son orbite gauche, le médecin a retiré le globe oculaire crevé et délogé du fond de la cavité un morceau d'os. Sans doute provenait-il de l'un des soldats qui, sous l'explosion de l'obus, se sont retrouvés non pas mis en pièces, comme ceux dont on a pu rassembler les membres et rajuster tant bien que mal les dépouilles avant de les enfourner dans un cercueil avec un uniforme neuf sacrifié pour l'occasion, puis de les renvoyer à leurs familles – il n'est pas exclu, bien que nul ne l'ait vérifié, que l'un se soit alors retrouvé avec le bras, le corps ou la tête de l'autre –, mais pulvérisés et répandus à l'entour, leurs os se fichant comme les balles des shrapnels dans le corps des autres hommes.

Il la voit tourner pourtant autour de lui, rechercher sa présence, la proximité de son corps. Il ne comprend d'abord pas ce qu'elle lui veut, son application à le frôler, sa prévenance, sa façon de délaisser soudain ses attitudes rustaudes pour se faire languissante, soupirer en laissant son chemisier s'ouvrir sur l'angle aigu de son épaule, sur ses clavicules et le méplat de sa poitrine. Au plus chaud de l'été, elle s'éponge le front, dévoilant une aisselle sombre et odoriférante. Elle attache ses cheveux en chignon au-dessus de sa nuque. Elle soulève sa robe sur ses genoux pourpres et calleux. Comme il se baigne un jour dans le baquet qu'il installe à l'abri des regards, dans l'étable, il sent une présence peser sur sa nuque. C'est Éléonore qui l'observe par le jeu de la porte. Marcel tourne la tête et voit son ombre prendre la fuite. Il se souvient d'un soir de fête de la Saint-Jean, avant la guerre ; du feu qu'ils ont allumé près du village, au sommet de la friche. N'a-t-il pas eu, à cet instant, l'impression de voir en elle autre chose qu'une simple gamine, la petite cousine qu'il aimait bien et qui lui tenait compagnie ? Si ce n'est de la pitié, son attirance lui semble receler quelque perversité – que peut-elle encore vouloir de lui, de ce corps mutilé ? –, mais il éprouve, dès lors, cet agacement sexuel, cette nervosité qui sous-tend leurs échanges. Il pose sur elle un regard nouveau ; il voit maintenant son sexe.

Un matin du début de novembre, il déloge les topinambours et les patates de la terre poisseuse du potager. Éléonore traverse la cour et passe l'entrée de la soue toujours vide, dans laquelle les poules vont parfois pondre leurs œufs. Elle lui lance un regard furtif avant de disparaître. Marcel lâche son outil et se relève. Il s'avance à grands pas, frottant ses mains noires contre ses jambes de pantalon. Il passe à son tour la porte de la soue. Éléonore l'attend là, assise dans le foin moisi, près du nid ménagé et abandonné par une volaille, au creux duquel reposent deux œufs tièdes, la coquille souillée. Ils restent un instant à s'observer, puis Marcel s'avance vers Éléonore qui s'allonge. Il l'aide à retrousser sa jupe et à retirer ses bas. Il tente de déboutonner le col de sa chemise. Ses doigts gourds se prennent dans la boutonnière et il finit par tirer sur le tissu jusqu'à la faire céder. Les boutons roulent dans la litière. Elle essaie de le caresser, mais il attrape sa main et la repousse. Il respire un instant l'odeur de ses seins, puis, relevant la tête, voit qu'elle le regarde. Il la saisit alors par la hanche et la contraint à se retourner. Elle sent ses mains gelées sur ses cuisses, le sexe qu'il presse, tâtonnant, contre les lèvres du sien. Il crache dans sa main pour l'humecter et entre en elle si brusquement qu'il lui arrache un cri. Il remonte le chemisier sur ses reins, l'empoigne par le bassin, les flancs, les épaules, la nuque. Elle sent le frottement rêche de sa veste sur ses reins. Elle griffe le sol et se soulève un ongle sur la terre tassée et dure sous la fine couche de fourrage. Marcel convulse en elle avec un souffle profond, avant de s'effondrer sur son dos, la forçant à ployer sous son poids, sa joue mutilée, dont elle éprouve le renflement pour la première fois, reposée contre la sienne. Elle inspire maintenant son haleine. Elle voit apparaître et disparaître un morceau de la cour par la porte de la soue qui claque paisiblement. Elle sent l'odeur fade des œufs et des fientes sèches dans le nid délaissé près de son visage. Sur le plafond bas, les toiles des araignées vibrent sous leur souffle commun et la chaleur que leurs corps éventent. Marcel se met à genoux. Il voit le sang, écarlate sur son sexe pâle. Il renfonce les pans de sa chemise dans son pantalon, referme sa braguette, rajuste le chapeau qu'il n'a pas retiré, et quitte la soue pour rejoindre le potager. Restée seule, Éléonore passe une main entre ses cuisses. Elle se rhabille avec peine, puis ramasse les deux œufs. Elle reste agenouillée un moment, une main posée sur son bas-ventre, avant de prendre appui contre le mur pour se relever en grimaçant. Lorsqu'elle sort de la soue, elle voit Marcel fumer près du potager. Il lui adresse un petit signe de la main. Éléonore lui répond, puis s'en retourne vers la maison. Elle porte les œufs à son nez pour les respirer.

Marcel installe la nouvelle génisse à la robe gris perle dans l'étable lorsqu'elle vient le trouver et patiente sur le seuil en le regardant répandre du fourrage au pied de la bête qui rumine.

« Eh bien, dit-il en la voyant tordre son tablier entre ses doigts, parle donc, qu'est-ce qui t'arrive ? »

Elle comprend à sa nervosité qu'il devine ce qu'elle s'apprête à dire.

« Je crois bien que je suis enceinte, voilà. »

Il pose sa fourche, se tourne vers elle et l'observe un instant depuis l'ombre de son couvre-chef. Lorsqu'il s'avance et prend ses mains entre les siennes, elle réprime un mouvement de peur. Marcel dit :

« Alors, il va falloir se marier. »

Puis, il demande :

« Pourquoi tu trembles ?

— Parce qu'il fait froid », ment Éléonore.

Il l'épouse au printemps ; par un jour de grand soleil que le vent d'autan empoussière. Elle retrouve la robe de mariée que la veuve portait pour ses noces et qu'elle avait soigneusement empaquetée, puis remisée dans une boîte afin que les mites ne la rongent pas. Profitant de l'absence de Marcel pour ressortir l'un des miroirs et le poser contre l'assise d'une chaise, elle l'essaie en présence de la paysanne. Elle n'a pas assez de recul et contemple son reflet morcelé : le visage recouvert par le voile, le plastron et les poignets de dentelle jaunie, les plis de la robe. Elle tourne sur elle-même devant la veuve qui mâchonne sa gencive supérieure.

« Je vais me marier, lui dit-elle.

— Oh, je vois bien, je vois bien », répond la veuve en acquiesçant d'un air réprobateur avant de désigner son ventre rond, puis d'ajouter :

« Ma pauvre, j'espère au moins que, dans votre malheur, ce sera un garçon. »

Lorsque Éléonore demande à Marcel pourquoi, contrairement aux hommes qui se marient fièrement revêtus de leur uniforme et parés de leurs décorations, il préfère acheter un costume d'occasion dont il fait reprendre les manches et les ourlets, il lui répond :

« Et pourquoi je le porterais ? Par fierté ? Par patriotisme ? Par reconnaissance pour la pension misérable que me verse la France ? »

Beaucoup de ceux qui sont rentrés saufs croient devoir leur survie à la miséricorde divine, qu'ils ont implorée avec ferveur. Lui, n'a pas remis un pied à l'église depuis l'avant-guerre. Quant à Éléonore, elle hésite : doit-elle voir dans le retour de Marcel la preuve de l'inexistence de Dieu, ou celle de son indulgence ? Après avoir saccagé sa Maison, elle s'en est farouchement tenue à distance. Elle ne s'est plus montrée au village depuis que les femmes l'ont traînée dans la boue, sur la place, sinon pour la seule occasion de l'érection du monument aux morts. On parle d'elle, à Puy-Larroque, la soupçonnant d'avoir hérité de la folie de sa mère dont on a toujours su qu'elle ne tournait pas rond, et ce, bien avant qu'elle ne commence à perdre la tête pour de bon. Marcel et Éléonore sacrifient pourtant à la tradition d'une cérémonie religieuse à laquelle n'assistent, dans l'église aux trois quarts vides, que la veuve vêtue de sa robe de deuil, les parents de Marcel qu'Éléonore ne rencontre qu'à cette seule occasion, une poignée d'autres cousins, tantes et oncles, et quelques lointains amis de la famille. Au moment d'échanger leurs alliances devant l'autel – celle que ne portait pas le défunt père de crainte de l'abîmer aux champs, celle tombée de l'annulaire amaigri de la veuve un jour qu'Éléonore la savonne près du feu –, Marcel tremble en prenant sa main et, comme il la laisse poser le regard sur lui, elle voit son œil humide et pense qu'ils trouveront bien un peu de paix ici-bas.

Un bref élan de bonheur la traverse quand ils sortent sur le parvis de l'église. Les villageois se tiennent sur le pas de leur porte ou trouvent à faire dans les parages, offusqués de n'être pas de la noce, comme l'usage le veut, et, lorsque Marcel fait monter Éléonore sur la charrette – celle qui a porté les aïeux pour leur mariage, puis la dépouille du père vers sa dernière demeure – tirée par la génisse au collier de laquelle elle a noué quelques rubans, puis installe près d'elle la veuve qui croit peut-être revivre ses propres épousailles car elle sourit et salue maintenant à la ronde, plus joviale qu'on ne l'a jamais vue, les habitants, piqués et interdits, commentent à voix basse le cortège qui s'en retourne bringuebalant vers les Plaines sans autre clameur que celle du heurt des sabots de la jeune bête et du grincement des roues. Vertueux, ils glosent sur leur union douteuse, consanguine, la grossesse qu'elle a cru pouvoir leur cacher sous cette vieille robe ; leur avarice, enfin – car pourquoi ne les avoir pas invités si ce n'est pour éviter la dépense d'un banquet ? Sur le chemin de la ferme, Éléonore regarde la route, les champs recouverts d'un duvet mouvant, vert d'absinthe, le profil de Marcel depuis lequel on pourrait croire son visage intact et, sous le chapeau qu'il retient par moments d'une main pour le protéger d'une bourrasque, son œil fixé droit devant a quelque chose d'intraitable, comme si rien ne pouvait désormais l'atteindre ni le détourner du but qu'il s'est assigné, et qu'elle ignore à peu près. Elle sent l'épaule de la veuve qui chantonne près d'elle et l'épaule de Marcel la toucher au gré des cahots. Derrière eux, les convives dispersés discutent. Un enfant les devance en courant. La joie s'est évaporée avec le vol des milans qui tourbillonnent au-dessus d'eux, portés par les courants.

Ils installent la veuve dans l'ancienne souillarde, jusqu'alors occupée par Marcel. Ils investissent ainsi le lit clos, autrefois conjugal, puis consacré à l'agonie du père, et remisent le sommier du lit pour enfant sur lequel Éléonore dormait encore, jambes repliées, la nuit précédant leurs noces. Ils se retrouvent allongés l'un près de l'autre, attentifs à leur souffle, à la chaleur de leurs corps sous l'édredon, songeant à toutes les nuits à venir. Il arrivera bientôt qu'elle puisse toucher son corps, mais par hasard seulement, lors de leurs brefs accouplements, et elle sentira la cicatrice sur sa jambe dure. La seule esquisse d'une caresse semble l'effaroucher. À quelques reprises, il rabroue la main qu'elle voudrait poser sur lui. Une nuit, elle est éveillée par des gémissements. Tenaillé par les douleurs ou tourmenté par un cauchemar, Marcel gémit dans son sommeil. Elle veut passer sa paume sur son front pour l'apaiser, mais il se réveille brusquement, saisit son poignet et le plaque sur l'oreiller.

« C'est moi, c'est moi ! » lui dit-elle.

Il la regarde de son œil fou, soufflant comme une bête acculée par les chasseurs, avant de la lâcher. Le lendemain, comme il la voit masser distraitement son poignet bleui par une ecchymose, il lui demande :

« Qu'est-ce que c'est ? »

Elle tire sur sa manche avant d'éluder :

« Je ne sais pas. J'ai dû me cogner. Rien de grave. »

Dès lors, elle se tient à l'affût de ses sursauts, de ses lamentations, sans oser faire un geste, confinée à l'autre bout du lit, veillant à laisser entre eux le plus grand espace possible. Il ne dort que quelques heures, puis repousse la paroi du lit clos et s'assied au bord du matelas en tenant sa tête entre ses mains, y assenant parfois des coups de son poing fermé, puis il se lève, s'habille et quitte la maison. Les douleurs le préviennent du temps qu'il fera. Sans avoir mis un pied dehors, passant deux doigts le long de sa mâchoire, il peut prédire qu'il pleuvra. À mesure que la grossesse d'Éléonore avance, il s'inquiète de l'enfant qui naîtra. Il la voit, en rêve, mettre au monde un petit être au visage difforme, un avatar à la bouche semblable à une plaie ouverte sur l'intérieur d'un crâne mou et cabossé, et pour lequel il conçoit une épouvante sans nom.

Comme la douleur, les images et les impressions sont persistantes. Quand il ferme les yeux, il voit les hommes parmi lesquels il avance sur un chemin de campagne, tous vêtus de leur beau pantalon rouge, de leur belle capote bleue dans lesquels ils transpirent déjà sous le soleil de l'été. Il y a quelque chose d'irréel et d'envoûtant à marcher tous ensemble sous le regard plein de respect des badauds qui agitent des mouchoirs sur leur passage. Le ciel est d'un bleu tranquille. Les oiseaux s'égosillent aux branches des arbres. La guerre au-devant de laquelle ils vont comme un seul homme semble impossible sous cette lumière. Leurs souliers à clous frappent le sol en cadence, soulevant un immense nuage de poussière qui leur plâtre le nez et la gorge. Ils dégagent une odeur de cuir neuf, de cordonnerie et de troupeau. Le poids des armes leur cisaille déjà l'épaule. Ils marchent à n'en plus finir, droit devant, même s'ils ne savent pas où ils vont. Ils quittent les villes, les villages d'une campagne étrangère, ils traversent d'interminables champs, piétinant choux et betteraves. Ils dépassent d'autres régiments, des poteaux télégraphiques abattus comme des arbres par une tempête et tombés en travers de la route. Des hommes, déjà épuisés maintenant que l'exaltation des adieux les déserte, se reposent à l'ombre de grands noyers. Bientôt, ils voient venir vers eux des charrettes en fuite, tirées par des chevaux dont la robe est assombrie par la sueur. Ils emportent avec eux des meubles, des matelas, des caisses de bois, du menu bétail, des poules hurlantes ou haletantes, le tout pressé pêle-mêle dans de petites cages. Souvent, un chien, une mule, une vache et son veau suivent le convoi. Des vieux, des femmes, des enfants sont montés sur les charrettes et les regardent passer de leurs yeux hagards. Marcel voit un cheval renversé dans un fossé. Ses quatre jambes sont tendues vers le bleu du ciel. Quelque chose semble avoir explosé à l'intérieur de la bête, emportant la moitié de son abdomen dont les viscères sont répandus à la ronde, accrochés aux branches des arbres, pareils à des guirlandes de fête votive. La plaie, d'où s'échappent des halliers de mouches à viande, est un grand trou sombre à l'odeur insoutenable. Les hommes se sont tus. Ensuite, viennent l'attente et l'ennui des cantonnements, l'habitude et la peur. Les chariots qui emportent des blessés étendus sur des litières gluantes de sang. Les chemins liquéfiés par le pas des hommes, celui des bêtes et les roues des voitures. Ils piétinent dans la boue, une semelle s'enfonce : c'est du sang qui suinte de la terre. Les uniformes sont alourdis par la transpiration, la crasse, l'eau des averses. Lorsque le soleil brille à midi, les épaules des soldats sont surmontées de fumerolles. La barbe mange leur visage ; ils ont des airs de sauvages quand ils lustrent la lame de leur baïonnette. Il y a de lointains claquements, comme si quelqu'un marchait là-bas, sur du petit bois sec et fragile. C'est le bruit des culasses, avant que ne viennent le sifflement des balles, le chuintement puis l'éclat des obus, le *tac-tac-tac-tac-tac* appliqué des mitrailleuses. Ils ne savent plus où ils vont. Ils rampent sous les débris, les rafales, l'ombre des ballons pareils à de gigantesques et flegmatiques bestioles qui veillent sur le champ de bataille et guident le tir des canons. Une taupe déterrée par un impact tente de galoper sur le sol avant qu'un soulier ne l'écrase. Les hommes cherchent le sommeil en scrutant des cieux vides, empestant la poudre. Un grand corps de ferme en feu et qui n'en finit plus de se consumer embrase la nuit. La charpente noire tient encore sous les flammes. Ils grelottent sous leurs uniformes poisseux, durs et froids. Ils fument pour se réchauffer, mais leurs blagues sont humides et le tabac brûle mal. Ils sirotent des bouillons à la surface desquels flottent des amas de graisses, des bouts de lard. Un soldat aspire goulûment la moelle d'un os ; ses lèvres luisent, obscènes. La dysenterie n'en épargne aucun ; ils se déculottent et chient sans pudeur, l'un près de l'autre, l'un en face de l'autre, s'observant dans le blanc des yeux, puis se relèvent sans se torcher. Lors d'une permission, les hommes s'en vont retrouver un fils, une épouse, une mère. Alors qu'il s'apprête à prendre le train, Marcel reste immobile sur le quai et regarde la locomotive souffler comme une bête de trait asthmatique. L'image d'après le propulse sur le front : il creuse la terre de ses doigts, le plus vite possible, dans la paroi d'une tranchée, pour ménager un trou dans lequel il s'abrite. Il tremble et ses mâchoires claquent si fort qu'il crache dans sa paume un morceau de joue. D'autres hommes se sont enfoncés dans la terre, tenant leurs genoux serrés entre leurs bras, en position fœtale, semblables à des bulbes qu'on aurait plantés là. Un aumônier erre dans le dédale des fossés, le visage couvert de boue et d'autres choses innommables. Les mains levées devant lui, aveuglé par les fumées qui lui ont brûlé les yeux, il avance à tâtons, psalmodiant une prière inaudible. Il se heurte aux murs qui s'éboulent et trébuche sur la dépouille d'un soldat, puis s'effondre et s'évanouit, ou s'endort, mais en tout cas ne bouge plus. Partout, il y a des cadavres d'hommes, des cadavres de chevaux, des cadavres de mules, les uns mêlés aux autres, des cadavres de centaures à demi ravalés par la terre. Des tirailleurs rampent dans la boue sous un ciel qui n'a plus rien d'un ciel, obstrué par des nuages aux formes et aux couleurs anormales derrière lesquels le soleil couve comme l'œil d'une créature assoupie ou le cœur même de l'enfer. Le soir, pour s'égayer un peu, ils jouent aux cartes à la lueur d'une lampe à acétylène, tout en s'épouillant. Un soldat est parvenu à apprivoiser un petit rat qui fait maintenant sa toilette, juché sur son épaule, et cache dans son col les morceaux de pain dur que les hommes lui tendent. Des fumées éclairantes gravissent le ciel, magnifiques, puis il pleut brusquement autour d'eux des mottes de terre. Un matin, lors d'une avancée, le détachement de Marcel parvient sur une petite clairière comme préservée de la folie de la guerre. L'herbe y est verte et grasse ; il y pousse même des fleurs. Un ruisseau serpente là. Les hommes s'arrêtent, saisis par l'étrange beauté. Sont-ils morts ? Est-ce le jardin merveilleux qui leur est offert malgré leurs mains couvertes de sang ? Non : l'étrangeté du lieu tient à la couleur du ruisseau qui est rouge car, en amont, cachés par un bosquet, les corps de soldats allemands ont été jetés les uns sur les autres dans le ru et s'y vident doucement. Comme ils s'approchent, une nuée d'oiseaux s'envole des cadavres et fait bondir leur cœur. Ils rient tout bas, un peu honteux. Tandis qu'ils sont en cantonnement dans une ferme, une odeur acide parvient à Marcel. Il suit la trace et découvre les clapiers entassés, effondrés, dans lesquels les lapins sont morts de faim et de soif. Leur fourrure soyeuse a glissé sur leurs os. Certains blessés se voient prescrire de l'opium pour apaiser les douleurs que leur causent de profondes blessures. Emportés par les ambulances, ils gémissent désormais dans un sommeil artificiel qu'ils voudraient ne jamais plus quitter. La jambe d'un caporal est mangée par la gangrène et la vermine : il a rempli d'une poignée de boue une entaille faite au couteau sur sa cuisse. Marcel pense quelquefois à la ferme. Il se souvient de la terre natale. Malgré son pied bot, Albert Brisard s'est engagé. Puisqu'il sait recoudre les porcs, on lui demande parfois de suturer les plaies des hommes, de ceux tombés à terre sur un bout de ferraille, de ceux mordus par les rats, de ceux frôlés par les éclats d'obus ou les balles. Louis Bertrand – un des soldats du régiment, dont ils ont fêté la veille les dix-neuf ans – tombe à genoux près de lui, sa vareuse et sa chemise tranchées net. Le sac de ses viscères sort de la plaie de son ventre et tombe dans ses bras réunis comme dans ceux d'une mère qui se retrouve à bercer l'enfant tiré hors d'elle. Il dit :

« Faut me recoudre, Brisard, regarde-moi ce bordel. »

Il tente en vain de rentrer les intestins dans son ventre avec ses mains rudes, pleines de cals et de boue. Brisard sort la bobine de fil et le jeu d'aiguilles de sa trousse de cuir, bonne à châtrer les truies, mais pas à rapiécer les hommes. Il allonge Louis Bertrand sur le dos, arrache le lambeau de chemise et entreprend de recoudre cette plaie ouverte comme une bouche hilare sur le ciel plein de fumées noires et de fumées jaunes et de mottes de terre en suspension.

« Je crois que je me suis chié dessus, dit le garçon aux yeux grands ouverts.

— Tais-toi, gamin, répond Brisard, tu demanderas plus tard à ta mère de te torcher, comme au bon vieux temps. »

Le jeune soldat ricane et répète d'une voix rêveuse :

« Regarde-moi ce… »

Puis, il ne dit plus rien. Albert Brisard continue pourtant de coudre, malgré l'aiguille qui glisse entre ses doigts tremblants et rendus visqueux par le sang, la graisse et les muqueuses, avant qu'une balle ne le frappe en plein front et ne l'allonge à son tour, tête-bêche, tout contre Louis Bertrand. Il arrive qu'un de ces éclats de métal arrache la tête d'un homme, et le corps de celui-là continue alors de cavaler droit devant, pareil aux canards que la veuve décapite et qui courent encore vers la petite mare à demi asséchée, pleine de fientes et de plumes, à l'arrière de la ferme. Lorsqu'un tirailleur allemand se montre à découvert devant lui, Marcel le met en joue. Il pense : *c'est comme une bête, c'est rien d'autre qu'une bête, c'est une bête.* Puis il tire. Il est secoué de tremblements si violents que le canon dévie. Le Boche est touché à la gorge. Il est encore vivant quand Marcel s'approche à quatre pattes. Du sang d'un rouge très vif jaillit à gros bouillons entre les doigts de la main que le garçon presse à son cou. Marcel ne pourrait jurer que le soldat ait plus de dix-sept ans. Ses yeux sont d'un bleu profond et soulignés de grands cernes mauves. Il porte une moustache d'adolescent et ses joues sont blanches et glabres. La peau de ses mains semble douce. Marcel pense : c'est sans doute un gars de la ville. Le petit Boche regarde Marcel ; il essaie de dire quelque chose. Ses lèvres s'ouvrent sur une bouche pleine de sang. S'excuse-t-il du triste spectacle qu'il donne à voir, de sa nullité au combat, ou de ce souvenir de lui, avec lequel le Français devra vivre à présent ? Il tend à Marcel la main qui compressait la plaie, mais celui-ci reste les bras ballants, incapable de la saisir. Il voit l'enfant se vider de son sang, murmurer encore quelque chose du bout de ses lèvres, puis son regard se voiler et s'éteindre.

Par une fin d'après-midi du mois de juillet 1921, Éléonore met au monde un garçon en parfaite santé auquel ils décident de donner, en hommage, le prénom du défunt père : Henri. Marcel contemple le nouveau-né, dont l'accoucheuse a noué le cordon ombilical, reposer sur le ventre de sa mère. Lorsque la sage-femme le lui confie, le temps de faire la toilette d'Éléonore, et qu'il s'éloigne un peu avec son fils dans les bras, une larme trace un trait sur sa joue : le visage de l'enfant est intact. La veuve est amenée, guidée par l'accoucheuse, près du lit de sa fille qu'elle paraît alors reconnaître. Elle regarde Henri, puis Éléonore. Elle tend une main tremblante et difforme, du bout de laquelle elle effleure la joue de l'enfant. En peu de temps, son état a décliné. Elle confond les noms, les visages, les époques, le jour et la nuit. Elle peine à articuler ses phrases et sa voix s'enroue, puis s'éteint. Ils ne cherchent plus à la comprendre et lui posent seulement des questions auxquelles elle répond parfois par oui, parfois par non. Elle ne mange plus que de petites bouchées qu'il faut réduire en purée et porter à sa bouche, car elle s'étouffe lorsqu'elle déglutit. Elle rapetisse et se courbe de l'avant, rappelée par la terre. Elle fait sur elle, ses robes empestent l'urine. Éléonore la nourrit et la change comme elle change le bébé ; elle est mère deux fois.

Éléonore a tôt fait de comprendre qu'il lui faudra s'interposer entre le père et l'enfant. Une nuit, comme les douleurs l'assaillent et qu'Henri pleure sans discontinuer, Marcel lui demande à plusieurs reprises de le calmer.

« Je t'en supplie, fais-le taire. »

Elle va et vient dans la pièce, avec l'enfant sur l'épaule, lui tapotant les fesses. Elle lui masse le ventre, passe un doigt sur ses gencives, lui donne une carotte à sucer, mais rien ne l'apaise. Attablé devant un verre d'alcool, Marcel tient sa tête entre ses mains, les pouces enfoncés dans les oreilles. Les pleurs lui vrillent les tympans, l'élancent dans ses dents comme le bruit d'ongles griffant de l'ardoise. Tandis qu'Éléonore tente de coucher Henri, l'enfant crie de plus belle. Marcel se lève alors, s'avance vers le berceau et assène trois grands coups du plat de la main contre la paroi du lit en hurlant :

« FAIS-TAIRE-CE-PUTAIN-DE-GOSSE ! »

Éléonore s'est baissée sur Henri. Elle fait rempart de son corps et reste sans bouger. Lorsqu'elle lève les yeux, Marcel a reculé de quelques pas. Il contemple la paroi fendue du lit clos, baisse le regard sur son fils congestionné dans le berceau, puis sur le visage blême d'Éléonore. Il s'éloigne, attrape sa veste et quitte la maison. Bien plus tard, au petit matin, il les observe par la fenêtre, sans oser passer la porte : elle s'est assoupie sur le lit, l'enfant contre elle, et il s'en va dormir dans le fenil.

Une nuit de l'hiver suivant, la veuve quitte sa chambre et passe près d'eux, spectrale dans sa chemise de nuit souillée dont le tissu colle à ses cuisses maigres, mais ils sont assoupis et ne voient pas qu'elle les regarde un moment. Des images, des fragments parviennent à sa conscience détruite et se superposent. Elle distingue Marcel et Éléonore dans le lit et croit se voir elle, allongée auprès du père. Elle se penche sur le couffin en osier dans lequel repose Henri, et c'est Éléonore qu'elle contemple. Mais les choses ne sont pas telles qu'elles devraient l'être. La pièce est changée, le mur ouvert sur l'étable n'existe plus, la disposition des meubles est toute chamboulée. La veuve sort dans la cour et contemple la ferme étrange et bleue dans la lumière de la lune. Le froid la transperce, elle enserre ses épaules de ses bras filiformes. Elle marche à petits pas, pieds nus, sur le sol gelé, jusqu'à la margelle du puits, contre laquelle elle se repose. Elle entend alors un son flûté, provenir de l'intérieur du puits. Le vent qui s'y engouffre lui semble être une voix qui l'appelle. Elle se penche en tremblant et, voyant le contour de son visage se dessiner sur la surface étale et noire du fond du puits, elle le reconnaît : c'est le père qui s'adresse à elle, au bout de ce tunnel, c'est le père qui lui parle depuis son long exil, par-delà le temps et l'espace, et qui l'invite à le rejoindre. Elle se brise la nuque dans sa chute, en heurtant la paroi. Lorsque son corps touche l'eau, un léger bruit remonte jusqu'à la cour, aussitôt emporté par le vent. La surface froissée retrouve bientôt son calme, et la lune s'y reflète à nouveau.

Ils constatent la disparition de l'aïeule au petit matin. Depuis ses dernières fugues, son état s'est détérioré et ils s'étonnent qu'elle ait pu marcher au-delà de la cour. Ils la cherchent à l'entour, mais elle demeure introuvable. Marcel s'en va frapper aux portes des fermes les plus proches. Comme il répugne à aller prévenir au village, Éléonore lui laisse la garde d'Henri et s'en va questionner les habitants de Puy-Larroque. Personne n'a vu passer la vieillarde. Ils s'inquiètent alors qu'elle puisse errer dans la campagne, seulement vêtue d'une chemise de nuit. Comment pourrait-elle survivre à ce froid plus de quelques heures ? En fin de matinée, une battue s'organise. Avec l'aide d'un groupe de villageois, ils

parcourent les terres à l'entour, fouillent les pou-
laillers, les étables, songeant que la veuve a pu s'y
réfugier. Ils renoncent après la tombée de la
nuit, lorsqu'il leur faut s'éclairer à la lampe. Restée à la ferme avec Henri, Éléonore fait les cent
pas, l'enfant dans les bras. Elle sait déjà qu'il est
trop tard pour espérer encore la retrouver, mais
lorsque Marcel passe la porte, retire son chapeau
et secoue la tête, elle ravale un sanglot douloureux. Les jours suivants, ils continuent de parcourir la campagne avec l'aide du garde champêtre,
ne s'attendant plus qu'à trouver la veuve morte et
gelée dans un fossé ou derrière un buisson. Elle
semble s'être évaporée. Au bout d'une semaine,
ils se découragent et les battues s'espacent. Il faut
reprendre les travaux de la ferme. On parle beaucoup de ce mystère au village. Le nom de la veuve
est sur toutes les lèvres. Jeanne Cadours, l'épicière,
est la première à laisser entendre qu'il pourrait
bien « y être arrivé autre chose que ce qu'on
croit », laissant à leurs conclusions les clientes pré-
sentes. Au vingt et unième jour de la disparition
de la vieillarde, le mystère est cependant levé.
Éléonore est seule avec Henri qui vient de s'assoupir. Elle est assise près du couffin et regarde par la
fenêtre tomber sur la cour les premiers flocons de
neige. Elle se lève et se verse un verre d'eau
qu'elle porte à ses lèvres. Elle sent l'odeur, avant
le goût. Une odeur fade, douceâtre, écœurante.
Le verre glisse de sa main et éclate sur le sol,
réveillant Henri en sursaut. Éléonore se précipite
dans la cour.

Les hommes attachent Marcel et le descendent dans le puits. De l'eau jusqu'à la taille, il lui faut harnacher à tâtons la dépouille détrempée de la veuve. Saisi par une puanteur de charogne et de flaque croupie, il tousse et éructe dans son poing. Il retrousse les manches de sa chemise et, sondant le fond de l'eau, parvient à la repêcher, puis à la soulever le temps de glisser le lien sous ses bras raides. Les hommes le hissent ensuite hors du puits et, tandis qu'il reprend son souffle, entre-prennent de tirer sur l'autre corde, nouée au cadavre étonnamment lourd, et qui racle contre la paroi. Ce qu'ils extraient alors et déposent à même le sol de la cour, dans la lumière du jour terne, semble être l'une de ces poupées de chiffon délaissées par les petites filles et qui finissent par pourrir au fond d'un grenier humide. La tête est informe et cabossée. Ils ont maintes fois laissé tom-ber le seau sur elle durant les trois semaines précé-dentes, puisant l'eau souillée au fond de laquelle la veuve a sombré et dont ils se sont abreuvés et ont abreuvé leurs bêtes. Des moisissures ont commencé de recouvrir de soies verdâtres la che-mise de nuit autrefois ample, et qui enserre main-tenant les chairs gorgées d'eau comme une éponge. Éléonore emporte précipitamment Henri pour lui soustraire la vue de l'épave. Ils mettent en terre la dépouille de la veuve deux jours plus tard, après que le garde champêtre a conclu à une mort accidentelle ; deux jours de soudain grand froid, durant lesquels le corps, enfermé dans un cercueil de bois de pin, a gelé dans la remise du presbytère. Il leur faut renoncer à l'habiller, mais, avant que le couvercle de la bière ne soit condamné, Éléonore demande que l'on étende sur sa dépouille mortuaire la robe de deuil qu'affectionnait la veuve, que l'on glisse son chapelet entre ses mains et que l'on dépose près d'elle le missel à la couverture éreintée. Le fossoyeur rouvre la fosse au fond de laquelle reposent les restes disloqués du père. Il réunit les os retrouvés et les recouvre pudiquement d'une couche de terre. Exaltés par l'affaire, oubliant le mépris que la veuve nourrissait pour eux, les villageois se pressent aux portes de l'église pour assister à la cérémonie. Lorsque le père Benoît invite Éléonore à lire un passage de la première épître de saint Paul aux Corinthiens, elle reste assise sur son banc, le regard bas, paralysée, incapable de se lever malgré le coude que Marcel enfonce dans son flanc, et un murmure parcourt l'auditoire avant que le curé ne lise lui-même :

« "Mais, dira quelqu'un : comment les morts ressuscitent-ils ? avec quel corps reviennent-ils ?" Insensé ! ce que tu sèmes ne reprend pas vie, s'il ne meurt auparavant. Et ce que tu sèmes, ce n'est pas le corps qui sera un jour ; c'est un simple grain, soit de blé, soit de quelque autre semence : mais Dieu lui donne un corps comme Il l'a voulu, et à chaque semence Il donne le corps qui lui est propre. Toute chair n'est pas la même chair ; autre est la chair des hommes, autre celle des quadrupèdes, autre celle des oiseaux, autre celle des poissons. Il y a aussi des corps célestes et des corps terrestres ; mais l'éclat des corps célestes est d'une autre nature que celui des corps terrestres : autre est l'éclat du soleil, autre l'éclat de la lune, et autre l'éclat des étoiles ; même une étoile diffère en éclat d'une autre étoile. Ainsi en est-il pour la résurrection des morts. Semé dans la corruption, le corps ressuscite incorruptible… »

Dégelée par les cierges et la chaleur des ouailles, la bière, dont le bois est encore perlé par l'eau de l'aspersion, coule sur le catafalque et goutte tout le long de la nef lorsque Marcel et trois autres hommes du village la chargent sur leurs épaules, la sortent de l'église, la hissent sur la charrette stationnée devant le parvis. Éléonore tient Henri dans ses bras et, quand le cortège funèbre se met en marche en direction du cimetière où le fossoyeur fume en contemplant la fosse, appuyé sur le manche de sa pelle, Marcel pose une main sur son dos pour l'inviter à marcher près de lui derrière le cercueil. Les villageois qui ont précédé leur sortie se joignent à la procession. Tandis qu'ils traversent la place, Éléonore entend murmurer sur son passage :

« Pour sûr, elle a pas la conscience tranquille… »

Elle reconnaît la voix de Marie Contis, celle qui a profité qu'elle ait été traînée à terre sur cette même place, deux ans plus tôt, pour lui assener un coup de pied, puis proférer des menaces à l'encontre de la veuve. Elle serre les dents, son fils assoupi contre son sein, continue de marcher un moment, puis se tourne vers Marcel, lui plaque l'enfant entre les bras avant de fendre le cortège à contresens. Elle la trouve dans le fond, en compagnie de Jeanne Cadours et de quelques autres gorgones. Marie Contis semble surprise de voir

Éléonore approcher de ce pas ample et jette un regard en direction de l'église, songeant qu'elle y a peut-être oublié quelque chose, mais Éléonore marche droit sur elle et lui assène une gifle qui la projette contre l'épaule de Jeanne Cadours. Quelques cris éclatent, un cercle se forme aussitôt. La procession s'interrompt. Le nez de Marie Contis saigne sur sa lèvre et goutte sur sa robe.

« Elle m'a frappée ! Elle m'a frappée ! » balbutie-t-elle, tremblant et tendant ses mains écarlates sous les yeux des témoins.

« Sale vipère, répond Éléonore. Tu crois que je t'ai pas entendue ? Tu crois que je sais pas ce que tu colportes sur moi, espèce de salope ? »

Elle regarde les femmes et les hommes autour d'elle et les désigne du doigt un à un.

« Tenez-vous-le pour dit : si l'un d'entre vous s'avise encore de répandre son venin sur moi, ma famille ou la mémoire de la mère, il finira lui aussi crevé au fond d'un puits. »

Marie Contis gémit et tombe à genoux, soutenue par deux femmes qui pressent leurs mouchoirs sur son visage. Nul n'ose bouger, jusqu'à ce qu'une main prenne Éléonore par l'épaule. C'est Marcel qui vient de la rejoindre. Il contemple Marie Contis, le visage de sa femme, les badauds interdits, puis dit :

« Allons. »

Ils regagnent ensemble la tête du cortège funèbre dont la procession se remet en marche. La dépouille mortuaire de la veuve est descendue dans la terre froide de Puy-Larroque, puis déposée sur les débris, planches et os, du père qu'elle écrase et tasse sous le poids de sa bière. Tandis que le cortège se disperse, Éléonore reste longtemps à regarder le fossoyeur jeter dans le trou des pelletées de terre, jusqu'à ce que, la fosse pleine à nouveau, il n'ait plus qu'à tasser le tertre avec le plat de l'outil.

Quelques jours après les funérailles, ils vident l'armoire qui contenait encore les affaires de la veuve. Éléonore trouve les vêtements recouverts d'une fine couche de sciure. Ils éclairent l'intérieur du meuble à la lampe et constatent les trous et les sillons creusés dans le bois par la petite vrillette. Marcel sort les portes de leurs gonds.

« Il va falloir la démonter, la poncer, la traiter et la cirer à nouveau », dit-il.

En soulevant les étagères, ils découvrent que l'une des planches du fond est mobile, maintenue seulement par l'équerre de la tablette qu'ils viennent d'extraire. Éléonore fait basculer la planche et met au jour une niche obscure, aménagée dans le mur par l'extraction d'une pierre, et à l'intérieur de laquelle repose une boîte à sucre en métal corrodé. Ils la regardent un instant, sans prononcer un mot, puis Éléonore tend la main et saisit la boîte dont le contenu tinte lorsqu'elle la tire à elle. Elle s'assied sur l'une des chaises, la pose sur ses genoux, soulève le couvercle et contemple les quelques pièces d'or, les pièces d'argent et les poignées de pièces de cuivre entassées et nouées par du raphia ; le pécule patiemment ponctionné par la veuve, durant près de quarante ans, sur les ventes des produits de la ferme, en prévision des temps mauvais, des disettes, des pénuries, des apocalypses, ou pour la seule satisfaction de l'économie, puisqu'elle ne s'est jamais résolue, même durant la guerre, à piocher dans son bas de laine. Ils déposent l'argent sur la table.

« Nom de Dieu », dit Marcel en faisant rougeoyer la cigarette plantée au coin de ses lèvres.

Le lendemain, il s'en va trouver le propriétaire de la ferme, un vieillard aveugle et docile qu'il convainc de lui vendre, en viager et pour une somme dérisoire, les bâtiments d'habitation et les sept hectares de terres qu'ils exploitent. Bientôt, les bêtes peuplent la ferme à nouveau. Ils achètent un hongre mérens débourré à l'attelage, quelques oies de Toulouse. Dans les allées du marché aux cochons de Miélan, il a vu un énorme verrat large white, cette race importée d'Angleterre. Il achète deux jeunes truies et les met à l'engraissage.

La harde

(1981)

Qu'est-ce que tu as fait, espèce de diable, pour te couvrir de boue comme ça ? Viens donc là que je te lave. Enlève ce T-shirt, tends les bras, penche ton visage. Où es-tu encore allé traîner ? Qu'est-ce que tu as fait, sale bête, animal, démon ? Tu ne crois pas que les choses vont assez mal comme ça ? Tu ne vois donc pas ce qu'il se passe là-dehors ? La fin qui arrive, qui est déjà là ? Pourquoi faut-il que tu prennes part à tout cela ? Est-ce que tu ne pouvais pas te tenir à distance, te cacher dans un de ces trous que tu affectionnes ? Viens donc ici que je te sèche, que j'éponge ton visage de petit barbare. On dirait que tu as vieilli. Non pas que tu as grandi, mais vieilli, d'un seul coup, comme si tu étais un petit vieux prisonnier dans le corps d'un enfant. Moi-même, je me suis un jour retrouvée vieille du jour au lendemain, une longue mèche de cheveux blancs qui me barrait le crâne, apparue comme ça, en un instant. Je croyais pourtant qu'ils t'épargneraient. Je n'avais pas de certitude, mais je pensais qu'il te serait possible d'y échapper, de passer au travers de toute cette folie. Ne dit-on pas ça des simples d'esprit, qu'ils sont bienheureux ? Mais non, avec toi, c'est autre chose. Tu ne me trompes pas, tu

sais. Tu ne m'as jamais trompée. J'ai eu tout le temps
de t'observer, de te voir faire. Bien sûr, ça ne tourne
pas rond dans ta petite tête, et Dieu seul sait ce qui s'y
trame, mais elle n'est pas vide. C'est peut-être même le
contraire ; elle est pleine à craquer, toute faite de nœuds,
de bizarreries, de choses qu'on aurait peine à imaginer.

Allons, assieds-toi, assieds-toi je te dis, qu'est-ce que
tu veux faire d'autre ? Il n'y a rien que l'on puisse faire,
ni toi, ni moi, que s'asseoir ici et attendre. Quelqu'un
finira bien par venir… Toute cette fumée, tous ces cris,
tout ce chaos finiront bien par alerter ceux du dehors.
Alors, ils viendront et ils verront. Je ne peux pas te dire
ce qui se passera ensuite. Je suis bien trop fatiguée pour
chercher à penser à ce qui adviendra. Tout ce que je sais
pour l'instant, c'est qu'il nous faut attendre ici, assis
l'un face à l'autre dans ce fauteuil, dans ce canapé ; toi,
l'enfant, face à l'aïeule que je suis, sans plus d'envie,
sans plus d'espoir, sans plus rien de ce qui tient normalement en vie les êtres humains, mais avec un cœur
qui continue pourtant de battre, malgré moi, crois-le,
car j'aurais préféré ne rien voir, ne rien savoir de
tout cela… Je suis pourtant bel et bien là pour y assister,
la seule, avec toi, à me tenir encore debout au milieu
de cet enfer pour constater ce que nous avons fait, pour
voir de mes yeux ce à quoi nous avons été réduits. C'est
là ma pénitence : voir venir, impuissante, inutile, le
temps de cette récolte funeste. Oh, je ne suis pas surprise.
Tu ne liras aucun étonnement sur mon visage. Ou
alors, ce que tu pourrais prendre pour de l'étonnement
n'est rien d'autre que de la peur. La peur d'une vieille
femme fragile et pitoyable, la peur de la vieille Éléonore,
incapable de se défendre contre quoi que ce soit, incapable de se défendre même contre les siens, et qui le sait

depuis si longtemps qu'elle le sait sans doute depuis toujours, mais qui, le temps aidant, l'a oublié par moments, car les choses finissent par paraître moins redoutables avec l'habitude, la menace plus ténue et familière. Pourtant, lorsqu'elle se dévoile, cette menace couvée, cette violence que l'on croyait apprivoisée, on la reconnaît comme une très vieille ennemie dont on a cru faire une confidente. Elle nous saute au visage, brisant en un instant les chaînes dont on a mis une vie entière à entraver ses multiples pattes de bête infâme, les muselières avec lesquelles on a pris soin de rabattre une à une ses innombrables mâchoires hérissées de crocs, et tout vole en éclats, y compris la chape de silence pourtant plus épaisse que la plus épaisse des chapes de plomb. De la peur, oui, une peur terrible, mais pas de surprise, car, au fond de moi, j'ai toujours su que l'on ne pouvait pas semer impunément tant de discorde, tant de douleur, tant de secrets et tant de haine... J'ai seulement pensé que je ne le connaîtrais pas, ce temps venu de la récolte, que je serais morte bien avant, jetée à mon tour dans une fosse, avec ce qu'il subsiste des racines de notre lignée, profondément enfoncées dans la terre de Puy-Larroque.

J'ai tenu bon, envers et contre tout, envers et contre moi qui voulais mourir jeune, car j'ai tôt compris qu'il ne me restait rien à vivre sinon cette vie de réclusion au milieu de mes chats, au milieu de vous, bien qu'à distance, dans la vieille peau d'une vieille femme que l'on nourrit et sur laquelle on veille avec le sentiment du devoir, mais dont on aimerait que la fin se hâte pour nous épargner le spectacle de sa décrépitude. Oui, j'ai continué de survivre tout ce temps, sans trop savoir pourquoi, cédant là encore à l'habitude, à la répétition consolante des heures, trouvant par instants le temps effroyablement long, implorant la mort pour qu'elle m'emporte pendant mon sommeil et qu'il n'y ait pas de lendemain, puis m'éveillant avec le sentiment qu'un autre jour ne serait finalement pas si terrible et même désirable... Jusqu'à maintenant. Jusqu'à ce moment qui me voit assise face à toi, mon arrière-petit-fils, incertaine de ce qui se passe réellement par-delà les murs, mais sans besoin de savoir pour comprendre que les choses – et lorsque je dis les choses, je ne veux pas seulement dire les années, les événements, mais toutes les choses, les détails, les mots, les gestes, les moments les plus insignifiants dont aucun de nous ne garde même pas l'esquisse d'un souvenir – ont engendré ce qu'elles devaient engendrer, ont mené notre famille à sa perte définitive, l'élevage et le monde tout autour à leur effondrement.

Et je ne m'étonne pas non plus que cet héritage mortifère ait pu confluer en toi, le dernier de la harde, le pareil-à-l'oncle, le bâtard mutique, indomptable et crasseux; que la multitude de petits ruisseaux vénéneux qui ont pu arpenter les veines de chacune des générations de notre lignée coule aussi dans les tiennes, si fines et délicates soient-elles, et peut-être même plus vénéneuse et mortifère encore. Jusqu'à te faire commettre l'irréparable, ce je-ne-sais-quoi que tu as bien dû accomplir de tes mains d'enfant qui n'en sont plus, qui n'en ont même jamais été, car elles n'ont rien d'innocent et qu'elles ont été irrémédiablement souillées. Et que pourrais-je te reprocher, de quoi pourrais-je donc te blâmer alors que je me tiens devant toi comme la plus ancienne des responsables? Celle par qui est venue la débâcle. Il faudrait fouiller la boue de notre mémoire, les limons de cette généalogie, tirer à la lumière du jour ces racines dont je te parle, aussi difficiles à déloger que les racines des genêts, et peu importe désormais que la faute me revienne ou revienne à d'autres avant nous. C'est moi qui suis là aujourd'hui, prête à te rendre des comptes, à répondre de nos actes. Non pas que j'attende une absolution, non pas que j'espère de ta part un pardon ni même de la sollicitude, mais parce que c'est simplement la moindre des choses que je puisse faire : essayer, si tant est que cela soit possible, de recomposer cette histoire, la nôtre, et donc la tienne, à toi qui n'as rien demandé et dont la vie et les gestes ont été pourtant guidés par quelque main invisible – pourquoi ne pas dire le destin, puisque tout a été décidé à ta place –, tenter de restituer cette mémoire commune, insinuée en chacun de nous, pourtant insaisissable et mensongère.

Et peu importe si je ne suis pas certaine que tu la comprennes ; il me semble que dire ces mots, les prononcer à haute voix devant toi, sera te rendre un peu justice. Il te suffit alors de rester là, assis à m'écouter comme tu l'as fait tous ces jours durant, pendant toutes ces années, lorsque tu venais t'asseoir à cette même place et que nous ne parlions pas, préfigurant en quelque sorte ce que nous supposions devoir advenir un jour ou l'autre, toi me questionnant par ce sempiternel silence et moi retranchée dans le mien, sachant pourtant qu'il me faudrait parler, pour moi, en mon nom, mais pas seulement, parler aussi pour tous les autres, pour tant d'autres, économisant alors ma voix, intimement persuadée que le jour viendrait où tu frapperais à ma porte comme tu l'as fait aujourd'hui pour me signifier que le moment est venu de dire, de libérer cette parole qui me laissera sans doute pour morte ou pour le moins vidée de la dernière de mes forces.

J'ignore s'il est possible de survivre à cela, à une confession qui n'en est pas une, mais plutôt une purge, un vomissement. Je te le redis, je n'attends rien de toi, aucun pardon, aucune grâce, je n'ai que le vague espoir que ces mots puissent alléger ta conscience plutôt que la mienne, pour laquelle il est déjà bien trop tard. Je n'ai même pas la certitude d'en être capable. Bien sûr je saurai parler, même si cela me coûte, parce que, il y a longtemps, lorsque j'ai compris l'impuissance à laquelle l'âge et la domination des hommes m'ont réduite, mon incapacité à infléchir la course de cette fatalité qui est la nôtre et s'accomplit avec toi, j'ai choisi d'économiser ma salive, et elle a fini par se tarir, et ma voix par vaciller, trembler et se briser pour devenir cette voix geignarde de vieillarde, qui ne parvient à mes lèvres que comme noyée par une avalanche de cailloux.

Oui, je saurai parler, même si je dois perdre pour de bon cette voix et être réduite à nouveau au silence. Mais comment le faire ? Comment restituer cette histoire, à la fois si simple et si banale qu'elle en devient vulgaire, mais aussi enchevêtrée, nébuleuse ? Comment rendre ce qu'il faudrait percevoir, pour le comprendre, en une vue, non pas sous une forme horizontale, la ligne du récit que je m'apprête à te faire faute de mieux, mais simultanée, à la manière d'un point ? Il faudrait pouvoir saisir tous les instants qui la composent d'un seul regard, comme au travers de l'un de ces kaléidoscopes de carton qui te fascinaient tant quand tu tenais à peine sur tes jambes, approcher l'œil et tout embrasser du regard. Peut-être se dégagerait-il de tout cela une vérité sur ce que nous sommes, sur ce que tu es, bien que je ne puisse en jurer, et que ce me soit de toute façon impossible, car je n'ai que ma voix et ma vieille mémoire, traîtresse et pleine de trous, et ce temps qui se déroule devant nous.

Alors, en quelque sorte, tout ce que je dirai, toute cette entreprise, est bien sûr voué à l'échec. Je ne peux que faire de mon mieux et espérer que quelque chose parvienne jusqu'à toi et ôte un peu de ce poids qui repose sur tes frêles épaules sans même que tu le saches, car tu es venu au monde et as grandi en supportant cet héritage terrible, mais si nous pouvions alors connaître toi et moi un peu de ce soulagement, un peu de cette paix, même l'espace d'un bref instant, je suppose que je pourrais me considérer satisfaite. J'aurais alors ce sentiment d'avoir fait quelque chose de ma triste existence...

Dans la nuit traversée par un filet de lune, lové au creux d'une combe, à flanc de vallon, à la lisière d'une chênaie bruissante, le corps de ferme est tout juste discernable par la ligne du toit, le reflet des tuiles, le grain roux de la façade. Les fenêtres sont des trous d'ombre dans lesquels sont figés des rideaux en cotonnade grise. Les assiettes de faïence épaisse reposent entassées dans l'évier. Des mouches sommeillent sur les éclaboussures de la toile cirée, tendue sur la table. Sur le bâtiment principal de la porcherie, les plaques en fibrociment frissonnent comme une eau glauque. Le quartz des pierres plates enfoncées à demi dans la terre noire scintille faiblement. Des lames de silex tranchent l'humus à l'orée du bois, et cloportes et mollusques rampent dans les mousses et dans les tourbes. Un renard se faufile entre les racines et les ronces, les babines rosies par le sang du lièvre poisseux de salive qu'il tient entre ses mâchoires. Il se fige, hume le vent d'est. Ses yeux sont deux sphères de bronze. Son pelage frémit sur ses flancs ; il disparaît sous une souche noire. L'ombre efflanquée d'un chien traverse la cour d'une ferme. Une chouette effraie hulule à la cime d'un arbre, puis prend son envol en silence. Dans la porcherie où la nuit opaline ne filtre pas, les porcs reposent sur des caillebotis. Les truies sont affalées dans les stalles les unes contre les autres, hanches, cuisses et flancs maculés par leurs déjections. Le vent siffle entre les plaques de fibrociment. Quelques verrats somnolent dans leurs enclos. Sous des lampes infrarouges, des porcelets se pressent en couinant aux mamelles des femelles allaitantes et entravées par les sangles et les barres de métal. Elles sont assommées par le sommeil; leurs yeux roulent dans leurs orbites sous des paupières ciliées. Des truies gestantes dorment et leur abdomen rond et dur bouge sous l'impulsion des gorets encore à naître. Dans leurs rêves s'esquisse la silhouette des hommes.

Jérôme émerge de rêves peuplés de serpents mythologiques, de trous d'eau noire dont il déloge des insectes aux pattes filiformes et velues qu'il empoigne à pleines mains et qui lui griffent le visage, d'animaux rugissants, de chimères changeantes. Il repousse le drap, s'assied au bord du lit, pieds ballants au-dessus du sol, dans l'obscurité de la chambre. Les jumeaux, ses cousins, dorment à poings fermés, Thomas avec cette respiration sifflante, laborieuse, entravée par l'asthme et son nez toujours pris; Pierre, blotti sous l'édredon dont il ne se sépare jamais. De cette nippe grise et informe à laquelle son corps semble attaché, comme s'il traînait aux quatre coins de la ferme un appendice, une tripe disgracieuse échappée de lui, l'enfant tire, avant de s'endormir, le calamus de plumes d'oies perçant le tissu pour s'en chatouiller le nez et la lèvre supérieure.

Jérôme est immobile, seul à veiller parmi les siens, son corps en suspension sur le matelas, enveloppé par la stridulation des insectes et le chant des crapauds. Il observe la silhouette des jumeaux. Ils pleuraient lorsque, nouveau-nés, Jérôme caressait leurs crânes mous, leurs fronts bombés et pelucheux, et leur mère finissait par les soustraire à sa main pour les presser contre son sein. Quand ils se couchent désormais près de lui, une fois la lumière éteinte, après que Gabrielle a embrassé ces mêmes fronts maintenant lisses et chauds, Thomas se parle à lui-même, marmonnant sous le pli du drap durci de morve, et Pierre agite ses mains pleines de duvet d'oie. Les jumeaux meublent de leurs paroles indistinctes le perpétuel silence de Jérôme.

Il est attentif aux bruits de la maison. Elle montre dans la nuit son vrai visage, meut son ossature de vieux navire, son squelette de bois vermoulu et centenaire, démultiplie ses pièces froides, étire sa charpente rompue, décline ses couloirs vides en canevas d'ombres. Jérôme perçoit, sous le battement du pouls à ses tympans, le souffle d'une douce brise dans les tuiles branlantes, le claquement des bâches étendues sur la toiture, la course d'une fouine dans les combles, les couinements d'une portée de rongeurs nichée dans un creux du torchis, la rate brune dans le nid savamment composé de soies de porcs dérobées, de toile de verre et de brins de paille, allongée comme les truies, mamelles offertes à une dizaine de ratons roses dont la peau translucide laisse paraître les veines pourpres et l'estomac gonflé de lait.

L'enfant se laisse glisser du lit et la plante de ses pieds touche le parquet sablonneux, couvert de poussière, d'infimes morceaux de terre, de gravier et de foin qu'ils traînent sous leurs chaussures, entre leurs orteils, sous leurs ongles trop longs, dans les nœuds de leurs cheveux et les ourlets de leurs pantalons jusque dans la maison, leur chambre et leurs lits, et dont sont souillés même les draps qu'ils époussettent au soir d'un geste impatient avant de s'y étendre. Il ramasse les vêtements jetés au pied du sommier, enfile le short en velours côtelé vert et le chandail de grosse laine aux mailles distendues, sur les manches duquel il tire pour qu'elles s'allongent au rythme de la croissance de ses bras. Son corps croît depuis peu de manière disharmonieuse, saccadée. Ses membres l'élancent. Quelque chose en lui s'agite, remodèle insidieusement ses organes, ses os et ses cartilages. Souvent, devant le reflet de sa nudité sur l'eau du lavoir ou du bassin d'irrigation, il surprend le changement tout juste perceptible de son allure.

Il connaît les faiblesses du parquet, sur quelles lames poser le pied sans bruit ; il sait sans le voir où se situe le brusque renfoncement du plancher rongé par les infiltrations et sur lequel les pères, par sécurité, ont cloué une planche. Jérôme s'avance vers la fenêtre, l'ouvre pour respirer les parfums de la nuit et le remugle des bêtes. Un souffle frais glisse sur la peau de ses jambes, de ses bras et de son cou. Il passe la paume de ses mains sur ses cuisses maigres, sent ployer chacun des poils minuscules, puis glisse une main sous son maillot de corps, caresse du bout des doigts la peau lisse de son ventre, le renfoncement de sa cage thoracique à l'endroit du plexus. La torpeur dissipée, les rêves flottent désormais au-dessus de lui, quelque part entre le plafond et le sommet de son crâne. Jérôme retrouve l'étrangeté familière de son corps à l'état de veille. La fenêtre ouverte découpe un bloc de ténèbres sur le mur couvert d'un papier peint fleuri dont les bandes cloquent et tombent en lambeaux. Des tipules sont entrées et volent au-dessus des lits, dans la chambre, frôlant la joue et les cils de Jérôme.

Il marche vers la porte. Son regard se pose sur Pierre. Le garçon s'est éveillé et tous deux s'observent un moment sans ciller. Les yeux de l'enfant sont gonflés par le sommeil. Un filet de salive retient une plume sur sa joue. Jérôme tend le bras, pose une main sur son front moite et les fins cheveux bruns collés en accroche-cœur sur ses tempes. Il sent l'odeur des suées nocturnes et de l'édredon crasseux, l'haleine alourdie par la nuit et le bol de lait que les garçons avalent chaque soir avant de se coucher. Il se souvient du renfoncement de la fontanelle sous ses doigts, décolle la plume de la joue de l'enfant et passe une main sous ses reins, sur la housse de lit et l'alaise poisseuses.

Chaque jour, des paires de draps lessivés par Julie-Marie ou Gabrielle sèchent sur les étendoirs, à l'arrière de la ferme. L'été, lorsqu'ils jouent dans les prairies, ils sucent les fines fleurs de trèfle qu'ils délogent une à une de leur capitule. Jérôme tend alors un bouton-d'or sous le menton de Pierre et de Thomas, dont le reflet colore bien sûr la peau lisse et pâle, l'assurant ainsi qu'ils ne cesseront pas de sitôt de faire pipi au lit et que sa sœur aînée continuera de laver et d'étendre leurs draps sous la fenêtre de sa chambre, et qu'il la verra encore, les épaules nues et la poitrine débraillée dans la lumière diaphane du matin, ajuster les pinces à linge sur les fils de nylon. Il tire à lui le drap et l'alaise, les roule en boule, déculotte Pierre – lourd et torpide, l'enfant se laisse manœuvrer avant de s'assoupir instantanément –, le recouvre de son édredon, puis s'en détourne et quitte la pièce.

Il remonte le couloir à pas mesurés, s'arrête devant la chambre de Julie-Marie. Il approche son visage et hume le bois du chambranle. Il colle sa joue contre la porte, à l'affût d'un souffle, d'un froissement, du relent doucereux d'un lit défait, mais tout est silencieux. Jérôme pourrait entrer comme le font parfois les jumeaux de bon matin ; comme lui-même le faisait autrefois, avant que le grand-père ne le lui interdise, se glisser contre le corps chaud de Julie-Marie, et elle passerait son bras lourd et blanc sur ses épaules, avant de l'embrasser dans la nuque. Il sentirait le rebond ferme de ses seins et celui de son ventre contre ses omoplates, contre ses reins.

La cuisine est une vaste pièce attenante au salon, meublée par une gazinière, une table en bois massif et une commode en Formica. Une couche de graisse de cuisson, de poussière et de cendre recouvre la hotte d'aspiration et les murs à la couleur indécise. La pièce sent les effluves de cuisine, l'odeur du menu bétail et le pelage humide des chiens. Les nuits sont encore fraîches et la maison mal isolée ; un feu rougeoie dans le poêle installé dans l'ancien foyer de la cheminée.

Si le père et l'oncle se dévêtent chaque soir au retour de la porcherie dans la salle de bains où trônent une baignoire à pieds et un lavabo de faïence fendue ; s'ils exposent leurs nudités respectives à leurs regards indifférents et flegmatiques, donnant à voir le contraste éclatant de leurs corps – immense et brisé pour l'un, massif et râblé pour l'autre –, puis tour à tour se savonnent et se shampouinent derrière le rideau de plastique blanc comme ils le faisaient enfants lorsque leur père les y enjoignait, endossant alors le rôle de la mère disparue ; s'ils versent enfin à leur cou les giclées d'un même flacon d'eau de toilette, ce n'est plus dans l'intention de masquer cette odeur de céréales moisies et de scatol, mais comme ils accompliraient et perpétueraient un rituel au sens depuis longtemps oublié. Tous portent sur eux, en eux, depuis les jumeaux jusqu'à l'aïeule, cette puanteur semblable à celle d'une vomissure, qu'ils ne sentent plus puisqu'elle est désormais la leur, nichée dans leurs vêtements, leurs sinus, leurs cheveux, imprégnant même leur peau et leurs chairs revêches. Ils ont acquis, au fil des générations, cette capacité de produire et d'exsuder l'odeur des porcs, de puer naturellement le porc.

Jérôme recueille une louche de jus froid et de caillots graisseux à la surface d'un large fait-tout délaissé sur la gazinière, la porte à ses lèvres et aspire. Il enfourne dans ses poches des quignons de pain sec. Il chausse, pieds nus, une paire de bottes en caoutchouc, puis abaisse avec précaution la poignée de la porte donnant sur l'extérieur. Jérôme traverse la cour et entre dans le chenil attenant au hangar. Les chiens dorment dans leurs niches, roulés en boule. Certains haussent une paupière à l'approche du garçon. Il distribue à chacun d'eux un morceau de pain que les braques saisissent du bout des dents et mastiquent.

Le long du chemin de terre battue, creusé par deux profondes ornières, les bosquets de ronces et de joncs forment des masses et des lignes ombreuses. Jérôme inspire le parfum des herbes courbées par la rosée, des fossés dans lesquels copulent les grenouilles dont le chant brusquement se tait à l'approche de ses pas, de sorte qu'il semble escorté par un bloc de silence ou une aura réduisant au silence les bruits de sacs vocaux et les bruits d'élytres, se mouvant avec lui et autour de lui dans l'espace dense et profond où le devance et explose à sa suite le concert des bêtes nocturnes. Jérôme n'éprouve aucune crainte de la nuit, de ses créatures et des mystères qu'elle recèle. Il s'y sent au contraire assuré, dérobé aux yeux des siens, conscient de la tension de chacun de ses muscles dans la marche, du mouvement de son corps projeté dans la campagne assourdissante.

Porté par la brise, un relent de purin lui parvient. Le bourdonnement lointain et diffus d'un moteur lui rappelle les nuits d'épandage durant lesquelles, assis près de l'oncle, du père ou du grand-père, sur le dos des machines dont il sent gronder le ventre mécanique, il est fier d'être parmi les hommes, autorisé à veiller parmi eux, à partager leur labeur dans la cabine étroite, saturée par l'odeur du carburant, des engrais déversés sur les terres de culture. Sur les vitres se condensent leur sueur, leur souffle et la fumée de leurs cigarettes.

Le chemin descend et longe les champs de blé tendre. Des mulots prennent la fuite sous ses pieds et l'humidité de la nuit perle sur la tige des plants, le pelage argenté des rongeurs et la peau de Jérôme. Les formes silencieuses des pipistrelles passent et repassent devant son visage. Dans quelques mois, les lampyres brilleront dans les arbustes, illuminant de petites niches d'obscurité, et Jérôme songe à sa sœur, à sa peau pâle et immaculée sur laquelle il voudrait déposer ces lueurs sublimes, au rebond adipeux de son ventre sous lequel s'est installée une toison brune dont Julie-Marie lui dérobe maintenant la vision.

Il pressent, il sait, sans être capable de le nommer, qu'elle glisse inexorablement vers un autre état, quitte le monde de l'enfance ; ce monde qu'ils ont investi, dans lequel ils ont régné sur la ferme, la nature et les animaux. Il marche d'instinct. La pupille noire et dilatée mange l'iris de ses yeux et donne à son visage l'air exalté des bêtes en chasse. Il bifurque à travers un pré en friche, à flanc de coteau, qu'il remonte en direction d'une futaie de trembles et de sureaux noirs.

Là, ménagé par ses passages, un chemin, presque un tunnel, s'enfonce parmi les ronces denses, épaisses, lancées à l'assaut des arbres, formant un mur hostile, a priori infranchissable, derrière lequel s'élève encore, maintenue par le lierre et le buis, la ruine d'une antique chapelle dont même les anciens du pays ont oublié l'existence. Pour d'obscures raisons d'héritage ou de division du cadastre, la terre en friche par laquelle Jérôme accède n'appartient plus à personne et les enfants de son âge ont depuis longtemps renoncé à le suivre dans ses pérégrinations, lassés par son mutisme, ses jeux auxquels ils n'entendent rien, son odeur nauséabonde, comme un doigt invisible posé sur leur trachée, sa façon de fureter sans cesse sous la moindre pierre, la moindre tôle, le moindre tronc moussu et pourrissant à la recherche de toutes sortes d'animaux qu'ils jugent plus répugnants les uns que les autres, et que l'Idiot – par dérision, ils le nomment parfois l'Heureux – enfourne aussitôt dans l'un de ses pots en verre.

Jérôme s'arrête un instant pour reprendre son souffle. À ses pieds, la campagne semble irréelle, figée dans une pâleur lunaire, blême, ténue, succession de vallons et de dépressions obscures d'où remontent vers lui, en un souffle, l'odeur des cultures gorgées d'eau et d'engrais, le remugle des tas de fumier à l'arrière des fermes. L'enfant se tient là, immobile, petit seigneur haletant, humant le parfum de ses terres, puis il disparaît dans les broussailles.

*

À l'aube d'un matin d'avril, c'est une vallée ondoyante et verte où sinue une route départementale grise, comme un orvet dans les mousses. Le jour se lève à peine, dégageant un ciel mauve et printanier, parcouru de nuées éparses. Au loin, la fumée d'un feu tardif s'élève d'un toit, à la verticale, et de fins amas de brume s'attardent encore par endroits aux branches des arbres.

Henri ouvre les yeux sur le plafond mansardé de la chambre. Il suit du regard les lignes des solives, l'arête du toit du hangar visible par les carreaux de la fenêtre. Il observe un couple de corbeaux freux, venu se percher là, et dont le croassement vient appuyer le sentiment funeste avec lequel il s'éveille.

Depuis plusieurs semaines, la fièvre ne décroît plus. D'abord fluctuante et supportable, elle rayonne désormais de jour comme de nuit. Ses rêves n'ont plus de forme et composent un enchevêtrement de visions hallucinées, une scansion de mots, de lieux, de visages énigmatiques. Son T-shirt et son pantalon de pyjama sont trempés par les suées nocturnes qui l'assoiffent.

Il passe une main sur le matelas humide et froid, puis grelotte. Il cherche à tâtons sur la table de nuit les boîtes d'ibuprofène, d'aspirine, de paracétamol qu'il consomme et assortit pour apaiser ses maux de tête. Le dos de sa main heurte la petite photographie en noir et blanc encadrée et posée sur la table, depuis laquelle Élise, l'épouse défunte, le regarde, comme nimbée par le jaunissement du papier.

Assise sur le banc, sous un noisetier aux feuilles veloutées qui poussait non loin de là, elle est vêtue de sa robe noircie par le temps. L'arbre promène ses ombres sur ses bras nus. Serge, leur fils aîné, passe en courant derrière elle, gris et flou. Les mains d'Élise, dont Henri se souvient des ongles courts, reposent sur son ventre arrondi par la grossesse. Il croit se rappeler un instant de tranquillité, au cœur d'un été, et même le poids de l'appareil photo entre ses mains, la pression de la lanière de cuir sur sa nuque, la moiteur de sa peau.

C'est la dernière image qu'il possède d'elle, l'une des seules aussi qu'il ait jamais prises avec l'Atoflex qu'il venait d'acheter, soudain désireux de produire et consigner une mémoire familiale. À travers l'objectif de visée, les choses – la cuisine, le jour baignant l'évier contre lequel elle se tenait adossée, la masse de ses cheveux flamboyants dans le plein soleil – paraissaient plus belles, la lumière et les ombres plus vraies, la vie inoffensive. Il se souvient de son indulgence amusée, de son embarras devant l'appareil qui devait immortaliser d'elle un visage, un corps, une mimique. À l'automne suivant, lorsque Élise est morte en couches, donnant naissance à Joël, le second de leurs fils, Henri a délaissé l'appareil, et l'idée qu'il ne puisse rester d'elle que quelques tirages en format 6 x 6 lui est apparue insoutenable, tout comme cette urgence, qu'il avait éprouvée plus tôt, de laisser une trace de ce passé, d'eux habitant ce passé, lui est alors devenue méprisable. Il détruit l'appareil, rabat le couvercle, tire l'ultime pellicule qu'il déroule dans la lumière, pulvérisant ainsi les dernières vues d'Élise, dont ne subsistent que de rares planches de négatifs égarées au fond de cartons pourrissants, reléguées au fond de l'oubli, et l'agrandissement qui repose dans le petit cadre qu'Henri saisit ce matin et approche de son visage.

Il ne possède ainsi aucune photo des deux fils. Leur histoire commune, familiale, n'est qu'une longue suite d'instants éphémères, laissés à leur seule mémoire, fragile, incertaine. De son propre père, Henri ne garde aucune image. Seule Éléonore conserve, drapé dans une malle, un de ces portraits repeints, sur lequel l'homme pose le visage tourné de trois quarts pour que son profil détruit se fonde dans l'ombre. Henri passe un doigt sur le visage d'Élise. En vérité, le regard qu'elle lève vers lui semble agité d'un malaise qu'il ne reconnaît pas, dont il n'a pas le souvenir, et la masse de Serge, en culottes courtes, a imperceptiblement gagné le bord du cadre, laissant derrière lui une ombre qui s'élance et touche la joue de sa mère. Henri a soixante ans, Élise en a vingt-huit à jamais ; peut-il dire qu'il la connaît encore, peut-il dire qu'il l'ait seulement jamais connue ? Il cohabite avec un souvenir qui n'en est presque plus un et qui le hante pourtant, comme le hanterait la mémoire d'un autre homme. Il retourne le cadre et le pose sur la table de chevet.

Il s'assied au bord du lit, appuie deux doigts sur sa carotide et scrute les battements de son cœur. Il masse un ganglion indolore, apparu pendant la nuit sous sa mâchoire, contrôle la grosseur de ceux qui courent depuis l'aine jusqu'au milieu de sa cuisse. Il inspire lentement, pour dissiper l'angoisse qui l'étreint. Le miroir de l'armoire renvoie le reflet de son corps massif et demi-nu. Il voit la barbe poivre et sel qui couvre ses joues, ses bras encore épais, mais aux triceps lâches, ses jambes plus glabres désormais, son ventre bedonnant et reposé sur ses cuisses. Des traces de griffures strient ses jambes, ses fesses, ses avant-bras. Les mains posées sur le matelas, la tête basse et le dos voûté, Henri est attentif aux croassements des corbeaux, aux craquements de la charpente, et au silence de sa longue solitude.

Il se lève, jette un œil dans la chambre des enfants dont la porte est restée entrouverte pour que les jumeaux s'endorment avec la lueur des plafonniers du couloir. Ils dorment à poings fermés, enroulés dans leurs couvertures.

Le lit de Jérôme est vide, le drap déjeté. Dieu seul sait où le garçon a encore bien pu aller rôder. Peut-être devraient-ils songer à fermer les portes à double tour. Le gosse n'est pas rétif, mais indifférent à toute autorité. Il fuit la présence des adultes sans lui préférer pour autant celle des autres enfants. Henri n'a jamais éprouvé d'affection pour son petit-fils, seulement de la méfiance et de l'antipathie. Il le croit mesquin, sournois, calculateur, comme savent l'être les gosses. Il lui semble que son mutisme les désigne et les accuse. C'est à peine s'il tolère ses cousins, les jumeaux, et on le voit traîner comme une ombre ou une bête à peine domestiquée dans le sillage de sa sœur, la seule dont il recherche le contact et quémande les caresses. Henri referme la porte et s'éloigne sans bruit.

Lorsqu'il entre dans la cuisine, Serge est déjà levé. Henri le voit terminer de remplir une flasque de whisky en métal qu'il glisse dans une de ses poches avant de ranger précipitamment la bouteille dans l'un des placards. Le père et le fils ne se saluent pas. Serge a préparé une cafetière italienne déjà posée sur la gazinière. Il craque une allumette, enflamme les brûleurs avant de s'asseoir à la table.

Bientôt, Joël entre à son tour. Il saisit une tasse sur l'égouttoir, coupe une tranche de pain dans la miche posée sur la paillasse et s'assied. Les hommes attendent en silence tandis qu'un filet de vapeur s'échappe de la cafetière. Dehors, un coq pousse un cri. Joël fixe la toile cirée et ramasse quelques miettes de pain sous la pulpe de son index. Quand le sifflement de la cafetière se fait entendre, Henri éteint le gaz, remplit sa tasse puis s'installe en bout de table et dépose la cafetière devant lui. Il se sent épuisé, laminé par la nuit, électrisé par la fièvre, mais il ne veut rien laisser paraître, et si les deux frères remarquent son teint blême, ses yeux assombris de larges cernes, le léger tremblement de ses mains, ils n'osent rien dire.

Lorsque Henri s'essuie la bouche d'un revers de manche et dépose son bol au fond de l'évier, les fils se lèvent aussitôt comme un seul homme.

Dans l'entrée, ils revêtent leurs parkas, chaussent les souliers. Leurs corps se meuvent, proches et indifférents. Henri ouvre la porte et sort sur le palier, suivi par les fils. La meute des chiens, une douzaine de braques de Gascogne, bondit en jappant sur les grilles du chenil.

Joël tient à la main un seau de restes et de croquettes. Il traverse la cour, ouvre la porte du chenil. Habitués à feinter les coups et les cris, les braques se tiennent d'ordinaire à distance d'Henri et de Serge. Ils tournent nerveusement, la tête basse, jappent et bavent d'excitation sur les pieds de Joël qui flatte leur crâne, gratte leur cou et leur flanc maigre. Hors des périodes de chasse, les chiens dépérissent sur le béton du chenil souillé par leurs déjections, dans leurs niches pourrissantes, ou se traînent dans l'enceinte de la cour.

Joël avance dans le chenil, puis verse le contenu du seau dans d'anciennes auges en pierre autrefois destinées aux porcs. Les braques se jettent goulûment sur leur ration. Joël tire de la poche de sa veste une cigarette écrasée et fume en observant Henri et Serge qui traversent la cour côte à côte en direction de la porcherie, les mains enfouies dans leurs poches, la tête rentrée dans les épaules. Leurs démarches s'accordent si bien que, par moments mais avec de plus en plus d'évidence,

Joël voit surgir chez son frère la figure de leur père, à travers un geste, une expression du visage, une inflexion de la voix. Tous deux ont ce physique âpre, musculeux, travaillé par le quotidien de l'exploitation.

Joël devine la silhouette immobile de Gaby derrière la fenêtre de la cuisine éclairée. Leurs regards se croisent un instant, puis il lève les yeux vers la chambre de Catherine. Aujourd'hui encore, les volets sont rabattus. Gabrielle se détourne.

Les chiens lèchent leurs babines. Les plus repus d'entre eux filent entre les jambes de Joël, quittent le chenil, boivent l'eau d'un bidon abandonné sous une gouttière, pissent sur les épaves de voitures et les roues du tracteur garé sous le hangar.

Joël remarque qu'une chienne a tiré une couverture dans l'ombre de la machine et qu'elle y allaite une portée de chiots. Il s'approche et s'agenouille. Il observe la chienne au pelage englué de cambouis et la chienne l'observe à son tour, tête basse. La queue osseuse et desquamée de la bête bat la terre sèche. Joël s'appuie contre la roue du tracteur et tend le bras en grimaçant. Il tâtonne la masse encore humide des chiots pour les compter du bout des doigts. La chienne lèche fébrilement sa main. L'homme reste accroupi près d'elle, les bras croisés sur ses genoux, et termine sa cigarette en regardant la bête nettoyer ses petits à grands coups de langue.

« Tu ferais bien de la jouer discrète », dit-il.

Il crache par terre, écrase son mégot dans son crachat, se relève et rappelle la meute, sur laquelle il rabat la grille du chenil. Loin devant, en contrebas de la ferme, son frère et son père marchent le long du chemin parcouru de grandes ornières creusées par les roues des engins.

*

Joël rejoint Henri et Serge. Comme tous les matins, ils s'arrêtent un moment sous l'avancée du toit en tôle de l'un des bâtiments oblongs et bas de la porcherie, ils tirent des paquets de cigarettes de leurs poches, puis fument sans s'adresser un regard, observant la nuit se dissiper sur les champs et les cultures grasses.

Rien ne laisse présager de la présence des porcs ni du tumulte à venir. Chacun contemple un point sur le sol, ou au loin et invisible, mais toujours dans une autre direction. Ils pourraient sembler absorbés dans quelque profonde réflexion si leurs yeux n'étaient fixes, vides de toute pensée, de toute volition. Puis, Henri dit : « Allez », et les fils jettent instantanément les mégots qu'ils écrasent sous les semelles de leurs bottes.

Dans le vestiaire attenant au bâtiment, sous la lumière d'un néon, ils se déchaussent et se déshabillent. Ils revêtent des blouses de toile bleue dont ils remontent jusqu'au cou les fermetures éclair dans le seul bruit des tissus froissés, des raclements de gorge, de leurs respirations, et du crissement des semelles de leurs bottes en caoutchouc sur le sol cimenté. Le père devance les fils et déverrouille la porte d'accès à la porcherie. Joël et Serge tirent des chariots en métal sous la trémie des silos. Le grain gronde le long des conduits

271

puis jaillit et soulève aussitôt, derrière les lourdes portes, un concert de cris qui semblent n'en former qu'un, une plainte aiguë et discordante, portée par une voix unique, celle d'un animal mythologique que le rugissement des silos aurait éveillé d'un sommeil séculaire.

Henri tire les portes coulissantes d'où s'échappe une condensation acide et vaporeuse. Les plafonniers crachotent une lumière blafarde sur les porcs qui se ruent contre les barrières de leur enclos, montent sur les mangeoires, s'escaladent les uns les autres, griffent leurs dos et leurs flancs, se dégagent à coups de tête, la faim écumant à leurs gueules. Les frères poussent devant eux les chariots chargés de grain. Ils s'engouffrent chacun dans l'une des deux allées des bâtiments, plongeant dans la puanteur dont ils avalent par la bouche et par petites goulées les émanations ammoniacales ; une odeur de pissat et de matières fécales, de sueur animale, de céréales liquéfiées par les sucs salivaires, aigre comme une bile vomie par la porcherie dans le matin blême.

Ils remontent les allées embourbées par le lisier écoulé des enclos, dont ils doivent extraire leurs bottes à chaque pas. Puis, dans une suite de gestes mécaniques, ils plongent un seau dans le chariot et jettent par-dessus les barrières, dans les auges, la ration sur laquelle les porcs se précipitent. Un nuage de poussière de céréales opacifie bientôt l'atmosphère de la porcherie et se dépose sur le visage suant des hommes, les poils de leurs avant-bras, pénètre leurs sinus, leurs gorges, leurs bronches et poudre le corps des bêtes.

À mesure qu'ils progressent dans les allées, les cris font place aux grognements de satisfaction, aux mastications, mais le vacarme reste assourdissant. Ils se taisent car leur propre voix ne leur parviendrait pas sous le sifflement continu qui leur vrille les tympans et dont le fantôme les réveille parfois au cœur de la nuit.

Seule la voix d'Henri, resté à l'entrée du bâtiment, parvient à porter par-dessus les cris des porcs. Il suit du regard le travail des fils, fouille nerveusement ses poches à la recherche de son paquet de cigarettes, puis, saisi par un vertige, il s'adosse contre la paroi du bâtiment, hors de portée de vue. La fièvre fait pulser ses globes oculaires. Il applique ses mains moites sur ses paupières. Le cri des porcs lui devient de plus en plus insupportable. Les démangeaisons reprennent, sur les cuisses cette fois, et il cherche à se gratter désespérément à travers l'épaisseur de la combinaison.

Il renonce à fumer et entre dans la porcherie.

« Tu pailles, maintenant », crie-t-il à l'un ou à l'autre des deux frères.

Serge et Joël poussent au même instant les deux portes se trouvant au bout des allées, à l'extrémité du bâtiment, se courbent pour en passer l'encadrement et débouchent sur la cour bétonnée à l'arrière de la porcherie.

Ils se tiennent immobiles, à une dizaine de mètres de distance, leurs silhouettes détachées sur le contre-jour. Ils pressent une à une leurs narines, expulsent des traits de morve grise et respirent à pleins poumons. Serge sort la flasque d'alcool et boit. Devant eux, des fumées s'élèvent de la fosse à purin, immobile, toxique et noire, sur laquelle flottent des agglomérats d'excréments.

Retranchés en eux-mêmes, Serge et Joël longent le bâtiment jusqu'au hangar attenant sous lequel sont stockés les ballots de foin. Ils chargent des brouettes, puis plongent à nouveau dans la porcherie saturée par la chaleur des porcs. Ils jettent dans chaque enclos des brassées de paille que les bêtes fouillent et piétinent aussitôt. Henri s'engage dans l'une des allées et contrôle chacun des enclos sous le regard de Joël qui le voit s'arrêter devant l'un d'eux, enjamber la barrière, se pencher vers un groupe de truies, se relever et se tourner dans sa direction pour lui ordonner de le rejoindre d'un geste rageur.

Lorsque le fils se tient enfin proche, séparé de lui par la barrière de l'enclos, d'avance résigné et servile, le visage bas et les poings serrés le long des cuisses, Henri dit :

« Tu peux m'expliquer ce que ce verrat fout ici avec des cochettes ? »

Joël lance un regard en direction du cochon qui se tient à la plus grande distance des hommes qu'autorise l'espace de l'enclos, au milieu des jeunes femelles, et se meut avec elles d'un commun élan, se jette contre les planches d'enceinte dans une tentative désespérée de fuite. Il ignore comment le jeune verrat normalement maintenu avec les autres mâles dans l'un des enclos de la verraterie a pu se retrouver là, dans le bâtiment destiné à l'engraissage, mais il serait vain de chercher à se disculper et toute tentative de justification attiserait la colère du père, aussi reste-t-il silencieux.

« Pas Dieu possible d'être aussi négligent… C'est à croire que tu te fous vraiment de tout, ou bien que t'es incompétent… C'est tout de même pas sorcier, ce que je te demande, si ? Si ?… Un peu de vigilance, rien de plus… Bon sang, ton frère y arrive bien, lui… Un travail de qualité, ça passe par ça, tu comprends… Non, bien sûr, bien sûr que non, tu comprends pas… C'est moi qui suis con ! Depuis le temps que je m'échine à te le répéter. Toi, tu te complais dans la médiocrité… Tu te complais dans la médiocrité et tu sais pourtant qu'il n'y a pas de place pour ça chez moi. Tu le sais, Joël, pas ici… Allez, dégage-moi ce bestiau, fissa. »

Le visage d'Henri s'empourpre, semble expulser quelque chose qui serait coincé dans sa gorge et lui tordrait la bouche. Une veine sinueuse bat sa tempe et son cou.

Tu enfonces la lame ici et tu tranches, proprement, en maintenant la bête d'un genou posé sur l'épaule.

Lorsque Henri enjambe de nouveau la barrière de l'enclos, projetant son épaisse carrure, Joël recule d'un pas et attend que le père ait quitté la porcherie pour se remettre au travail. Son cœur tambourine contre son flanc comme il bat au flanc des truies et du jeune verrat.

*

Depuis la cuisine, Gabrielle voit Joël nourrir les chiens dans le chenil et, comme toujours lorsque son regard s'attarde sur lui, il lui semble plus grand, plus maigre, flottant dans ses pantalons. Elle imagine l'adolescent taciturne et dégingandé qu'il a probablement été, réduit au silence par la coalition du père et de l'aîné, qui se meut depuis toujours dans leur ombre, figé dans ce corps étrangement juvénile, bien que déjà ruiné, et qu'il traîne dans la boue de la ferme de ses grandes et lasses enjambées. Joël lève vers la chambre de Catherine son visage osseux, parsemé de taches de rousseur. Deux rides profondes marquent son front, près de la cicatrice qui s'étend de la tempe droite à l'arcade sourcilière, et de grands cernes mauves creusent son regard pâle et grave. Alors, Gaby quitte la cuisine.

À l'étage, elle entre dans la chambre des enfants, passe une main sur les têtes échevelées qui émergent des couvertures. Thomas s'éveille et pose sur sa mère un regard ensommeillé.

« Vous savez où est passé Jérôme ? » demande-t-elle en touchant le matelas froid du garçon.

Les jumeaux secouent la tête. Quelques-uns des chats de l'aïeule ont trouvé là refuge. Lovés aux pieds des enfants ou entre leurs jambes, ils ronronnent dans leur sommeil.

Gabrielle quitte la chambre, remonte le couloir et frappe à la porte de Julie-Marie. Elle reste un instant immobile, frappe à nouveau, puis s'éloigne lorsqu'elle entend l'adolescente s'étirer. Elle pose une main sur la poignée de porte de la chambre de Catherine, inspire avant d'entrer, se dirige vers la fenêtre, l'ouvre et pousse les volets qui claquent contre la façade, laissant une rafale d'air salvateur s'engouffrer dans la pièce.

Dans le lit derrière elle, sa sœur aînée gémit et s'enfouit sous le drap et les couvertures. Gabrielle balaie la chambre du regard. Le plancher est jonché de vêtements, de draps sales et de poussière. La résistance d'un radiateur électrique placé au pied du lit rougeoie et laisse entendre un claquement régulier.

« C'est une vraie fournaise ici », dit-elle en éteignant le convecteur.

Dans la salle de bains attenante, elle tire la chasse du cabinet au fond duquel croupit l'urine, allume la lumière et ouvre le robinet d'eau chaude de la baignoire. Elle passe une main sur sa nuque, puis retourne dans la chambre où elle entreprend de ramasser les vêtements sur le sol, ceux dont Catherine se défait comme d'une mue, ne supportant parfois plus leur contact, et qu'elle repousse inlassablement au fond de son lit.

Gaby s'assied au bord du matelas et tire le drap, dévoilant le profil émacié de sa sœur qui tente d'enfouir à nouveau son visage dans le traversin. Elle se relève, plie draps et couverture au pied du lit, laissant Catherine nue et recroquevillée sur le matelas, le visage caché dans ses poignets, puis elle saisit ses jambes et les ramène au bord du lit, s'assied près de sa sœur, passe un bras sous ses épaules, la redresse contre elle.

Elles se tiennent désormais assises l'une près de l'autre, Catherine frissonnant contre sa sœur qui l'enlace, caresse son dos et son bras gauche, mais chacun des va-et-vient de cette paume sur sa peau est douloureux et le visage blotti, enfoncé dans le cou sororal, est déformé par le rictus d'une lassitude extrême, les lèvres retroussées sur ses gencives pâles.

« Du calme, dit Gabrielle, ça va aller, doucement. »

Elle glisse un bras dans le pli moite et velu de l'aisselle de sa sœur, pose une main sur son flanc, s'appuie de l'autre sur le matelas et se relève, hissant avec elle le poids mort de Catherine qui manque s'effondrer en gémissant. Elles traversent la chambre à petits pas jusqu'à la salle de bains où Gabrielle l'assied sur le rebord de la baignoire, puis elle plonge une main dans l'eau pour en vérifier la température, avant de refermer le robinet.

« Il va falloir que tu m'aides un peu. »

Prostrée, Cathy grelotte et secoue lentement la tête :

« Je peux pas, dit-elle, je voudrais juste qu'on me laisse tranquille. »

Son élocution est lente, difficile. Elle ouvre la bouche et étire sa mâchoire engourdie.

« Tu sais quel jour on est ? » demande Gabrielle.

Puis, comme elle n'obtient pas de réponse :

« On est lundi. Il fait beau. »

Elle soulève les jambes de Catherine, la fait pivoter et la retient à bout de bras tandis qu'elle s'enfonce dans l'eau chaude, les yeux clos. Gaby se relève, passe une main sur ses reins douloureux et observe sa sœur, son corps blanc et avachi sur l'émail de la baignoire sabot, ses petits seins aux aréoles pourpres, ses cheveux longs et bruns, panachés de mèches blanches. Elle s'assied à son tour sur le rebord du bac, trempe un gant dans l'eau, le presse sur les clavicules de Catherine, ses épaules, son cou.

« Jérôme s'est encore fait la malle pendant la nuit. »

Cathy ne répond rien, se laisse manipuler, fixant le robinet entartré qui goutte à ses pieds.

« Je me fais du souci pour lui, il est livré à lui-même. Il ne m'écoute pas et passe son temps dehors. J'y arrive pas, avec les jumeaux, le travail… C'est beaucoup pour moi seule, tu comprends ? »

Elle mouille les cheveux de sa sœur qui lève sur elle des yeux embrumés.

« Qu'est-ce que tu veux que j'y fasse ? » répond Catherine.

Gabrielle dépose le gant sur le lavabo près d'elle et acquiesce.

« Rien, bien sûr. Il faut que tu te reposes avant tout. »

Elle savonne doucement les bras, les aisselles, la poitrine de sa sœur, shampouine ses cheveux et masse son crâne. Elle tire à elle le pommeau de douche, ouvre l'arrivée d'eau et rince Catherine, puis s'installe à même le sol, adossée à la baignoire. Les deux femmes restent immobiles et silencieuses dans le seul bruit régulier du robinet qui s'égoutte.

« Je vais chercher une serviette », dit Gabrielle.

Dans la chambre, elle sort de la commode les boîtes de médicaments et les dépose sur la coiffeuse. Elle les ouvre, inspecte les tablettes de Tercian, de Téralithe 400 et d'Anafranil, expulse les cachets qui crèvent l'opercule d'aluminium et glissent dans le creux de sa main. D'un autre tiroir, elle sort une serviette de bain propre, puis s'approche de la fenêtre et la referme.

Gabrielle appuie son front contre la vitre fraîche et ferme les yeux durant un instant, jusqu'à ce que les chiens se soient tus, puis elle regagne la salle de bains. Cathy s'est assoupie dans l'eau fumante. L'arrière de son crâne repose contre les motifs du mur carrelé. Gaby plonge sa main dans l'eau et tire la chaînette reliée au bouchon de caoutchouc. Elle aide sa sœur à sortir de la baignoire. Elle la soutient jusqu'à la chambre et l'assied sur une chaise tandis qu'elle change les draps.

Une fois le lit fait, elle entend s'ouvrir la porte de la chambre de Julie-Marie et quitte celle de Catherine. Dans le couloir, Gabrielle passe une main sur son visage, son front et ses yeux.

« Tu peux prendre le relais, l'aider à s'habiller et la remettre au lit ? Il faut que je prépare les petits pour l'école. »

L'adolescente acquiesce et entre dans la chambre de sa mère avant de refermer la porte derrière elle.

*

Julie-Marie observe Catherine assise de trois quarts sur la chaise près du lit et qui grelotte, la serviette rabattue sur ses épaules. Un premier rayon surgit par-delà le toit du hangar, baigne la cour, la façade sud de la ferme, élance un pan de jour, une enclave lumineuse sur le plancher de la chambre où retombent et virevoltent les particules de poussière soulevées par l'agitation de Gabrielle, trace une ligne sur le genou de Catherine, au-dessus de sa jambe immobile et pâle. Julie-Marie avance, passe une main sur la tête de sa mère, démêle entre ses doigts les nœuds de la chevelure humide, puis repose le creux de sa paume sur la nuque déjetée, poisseuse et chaude.

Chaque jour, avant de quitter la maison pour rejoindre le bus qui l'amène au collège, de franchir les grilles et de quitter le monde clos de la ferme pour l'hostile dehors – ainsi que tous le nomment, désignant par là un territoire inhospitalier et menaçant dont les frontières, tout comme celles de l'exploitation agricole, demeurent incertaines, mais dont l'existence et la nécessité ne font aucun doute, et qui les protègent du monde extérieur, des gens du dehors, de *ceux-là*, des *autres* –, Julie-Marie entre au matin dans la chambre pour constater les bienfaits ou les ravages de la nuit sur le corps de la mère.

La percée du jour balaie la pièce, monte à l'assaut du lit, du mur et du visage de Catherine. Ses yeux sont clos, son front plissé, sa fille ne saurait dire si elle savoure la lumière et le calme retrouvé de la chambre, ou s'ils sont une énième épreuve sur son chemin de croix.

« Il faut t'habiller », dit-elle.

Catherine rouvre les paupières, tourne et lève le visage vers sa fille. Son regard ne dit rien, ne témoigne de rien ; elle l'observe comme une parfaite étrangère.

« Une chemise de nuit », répond Cathy de sa voix laborieuse, entravée par les médications, désignant la commode d'un geste à peine esquissé.

Julie-Marie regarde le visage qui n'est que le suc-cédané de celui, autrefois familier, de sa mère, comme dans ses rêves d'enfant lui apparaissaient des ersatz de personnes aimées dont l'inquiétante étrangeté dévoilait la sournoiserie, l'imposture, la menace.

Elle marche vers la commode, s'empare de la chemise de nuit en coton élimé, décoré de motifs indistincts, la trousse jusqu'au col puis la glisse autour du cou de la mère, guide les mains aveugles qui cherchent le passage des manches, étend le drapé sur les seins encore fermes et dont Julie-Marie se demande s'ils sont à l'image de ce que seront les siens aujourd'hui plus petits et plus pâles, et ce que la mère leur a inoculé lorsqu'elle et Jérôme s'y abreuvaient d'un lait malade.

Elle reconnaît ses traits dans ceux de Catherine ; elle perçoit leur lien évident et, au-delà, les conjonctures hasardeuses, les ramifications géné-alogiques, la part de hasard et la fatalité ou la logique qui les ont menées là, mère et fille, fille soignant sa mère, l'habillant, la coiffant, soutenant la vision du sexe hirsute dont elle s'est extraite quatorze ans plus tôt et qui repose sur l'assise de paille paysanne de la chaise, l'épouse, l'embrasse, les lèvres gardant comme la chair des cuisses et celle des fesses la trace empourprée du toron sitôt qu'elle se lèvera pour étendre son corps dolent sur le drap du lit.

La mère n'a pas de pudeur pour la fille : elle ne cherche pas à descendre la chemise de nuit si celle-ci se plisse jusqu'au bas de son ventre marqué de vergetures claires comme autant de strates minérales, sédiments des grossesses qui ont sensiblement affecté le corps radieux dont Julie-Marie garde le lointain souvenir. Il semble parfois qu'elle prenne plaisir, dans les poses lascives que la maladie encourage, à montrer ce vers quoi le temps, la gravité et la maniaco-dépression l'entraînent inexorablement, le point d'origine et le point de chute qu'est le sexe, l'empreinte de leur passage sur ce corps qui paraît déjà vieux, comme un avertissement, une menace proférée à l'encontre de la jeunesse révoltante de la fille.

Julie-Marie l'aide à s'asseoir au bord du lit, puis à enfiler une culotte. De la salle de bains, elle rapporte des petits ciseaux d'acier aux lames courtes et incurvées. Elle s'accroupit et entreprend de couper méticuleusement les ongles de chacun des orteils que Catherine lui abandonne, conservant dans le creux de sa main les copeaux translucides et vulgaires détachés du corps de la mère. Lorsque la marée reflue, que l'abattement s'atténue, elle recouvre son charme ordinaire et sans éclat – elle reste malgré elle cette femme de la campagne, avec ses gestes parfois brusques, ses désirs sans envergure, sa simplicité –, mais d'une douceur naturelle qui attire le regard par ce qu'elle suggère de fragilité et d'insoumission, car c'est bien cette faille palpable et l'inlassable mouvement des forces à l'œuvre dans quelque obscur recoin de son âme, telluriques, souveraines, magnétiques, que l'on perçoit à ses surfaces sans pouvoir les nommer et qui attiraient à elle, au temps d'avant, le regard des hommes du pays, leur convoitise, leurs remarques douteuses, quand bien même elle ne faisait que passer devant la terrasse du bar du village installée sur la place, tenant sa fille à la main ; leur concupiscence murmurée à l'oreille en aparté virile.

Parfois, revient à Julie-Marie le souvenir de la mère resplendissante dans les années qui précèdent la naissance de Jérôme, des silhouettes qui se diluent sitôt qu'elle cherche à en retrouver les contours, des impressions fugaces et peut-être mensongères (n'était-elle pas déjà traversée par ces grands élans de tristesse annonciateurs des crises qui devaient leur succéder ?), et ce ne sont alors pas les heures de l'innocence, ni même de l'insouciance – il a dû être écrit au commencement qu'elles leur seront soustraites –, mais celles encore de l'enchantement du monde, et elle ne sait discerner ce qui dans cette mémoire est l'écho, à travers les premières années de la vie, du bonheur effectif de Catherine ou du sien par contamination.

Julie-Marie contemple les rebuts d'ongles dans sa main et ils lui semblent extrêmement précieux, bouleversants dans leur inanité, puis, l'instant d'après, la révulsent pour ce qu'ils sont : débris funèbres du corps qui ploie, capitule devant la maladie, se laisse emporter par la vague et disparaît aussi lentement qu'inexorablement dans ces profondeurs où leurs voix ne parviennent plus. Depuis combien de temps déjà ? Julie-Marie laisse tomber les ongles sur la table de nuit. Certains collent à la paume de sa main. Elle les détache de l'index, puis forme un petit tas sur le carré de marbre rose cerclé de merisier, un petit ossuaire

grave et silencieux pour quelque insecte qui passerait là, pour une souris qui emporterait dans
son nid l'ongle du gros orteil et s'y ferait les dents.
Julie-Marie soutient la nuque de sa mère lorsqu'elle s'allonge sur le lit, dépose sur elle un drap,
une couverture, puis la borde. Un nuage a surgi
et l'éclaircie est passée sur la cour et dans la
chambre, elle a fui dans l'angle du mur et du plafond puis s'est évanouie là, sur le plâtre humide.

Catherine s'assoupit, Julie-Marie assise auprès
d'elle sur le bord du matelas, les coudes posés sur
les cuisses, les mains jointes, le visage tourné vers
la fenêtre. Les yeux rivés dans le gris du ciel, elle
n'a pas l'âge de ses quatorze ans, mais celui des
enfants exilés de l'enfance, bannis avant même de
naître ; un âge sans âge et sans histoire.

*

Le village s'annonce au détour d'un vallon par
l'enceinte des fortifications bordées de prunus
auxquels les enfants impatients cueillent en juin
des fruits encore verts, au noyau blanc et acide,
qu'ils mâchent et recrachent en grimaçant.

Puis, surgit le clocher de l'église, dont l'ombre
ne s'étend pas plus loin, à cette heure, qu'au bas
des marches du parvis. Enfin, la petite place se
dévoile, plantée d'herbe et de marronniers nus
soutenant vers le ciel des bourgeons d'un beau
brun acajou, lustrés et poisseux de sève, nourris
par les chairs de Jacques Beyries, Albert Brisard,
Armand Cazaux, Claude Fourcade, Georges
Frejefond, Maurice Grandjean, Jocelyn Lagarde,

Paul Lasserre, Jean-Philippe Montegut, Roland Pellefigue, Jonathan Pujol, Patrice Roujas et Raymond Taupiac, morts pour la patrie durant la première et la deuxième des guerres, dont les corps reposent dans leurs uniformes pulvérulents, alignés épaule contre épaule sous la stèle de pierre grise surmontée par la plaque de marbre blanc du monument aux morts.

À quelques pas des soldats, de leurs dépouilles qui ont rampé jusque-là sous la terre depuis le cimetière et sont maintenant traversées par les racines des marronniers et couronnées de taupinières, les vieux du village s'asseyent sur un banc de pierre dépolie. Le menton appuyé sur une canne ou le béret baissé sur le front, ils veillent tout le jour sur les allées et venues de la place et sur le bon fonctionnement du monde. Quand Jérôme les dépasse, les vieux disent : « tiens », « ah, le voilà », « où donc qu'y va encore rôder », « le pauvre », « il est pas net », « eh oui », ou ne disent rien du tout et le regardent simplement passer sans prendre la peine de lui adresser un salut auquel Jérôme ne répondrait de toute façon pas plus qu'il ne semble prêter attention à leurs commentaires.

Il s'engage dans le chemin de l'ancien lavoir, entre les maisons à colombages sous les tuiles desquelles nicheront bientôt des nuées d'hirondelles. Jérôme se tient à la rampe de fer forgé et descend prudemment les marches glissantes de l'escalier pentu, usé par le pas des centaines de morts du village, et passe l'arcade de l'ancienne fortification du château de Puy-Larroque, vers la route en contrebas.

Il songe au corps de la petite Émilie Seilhan qui flotte dans la vase au fond du lavoir, habillée d'une robe verdâtre puisque les algues, au fil des décennies, en ont brodé les mailles et cousu de longues franges glauques à ses cils et à ses cheveux. Sa bouche est muette et ses yeux pâles, levés vers la surface, sont depuis longtemps aveuglés par les lentilles d'eau. Jérôme voit miroiter le lavoir dans lequel des pêcheurs ont relâché quelques carpes et quelques tanches pour s'assurer de la qualité de l'eau, bien qu'il soit clôturé depuis qu'est advenue, il y a bien longtemps, la noyade de la petite Émilie qui chasse une algue de son visage bleuâtre, d'un geste lent, ou retire rêveusement une écrevisse d'entre ses lèvres. Jérôme descend vers la vue des champs au-delà, flamboyants dans le matin printanier, et il marche vers l'enceinte du cimetière, recouverte par le lierre.

Une simple chaîne retenue par un cadenas scié referme la grille sur laquelle gondole et moisit une liste d'inhumés de douze pages et un extrait de procès-verbal dans lequel le maire de Puy-Larroque « invite les familles de concessionnaires à rétablir les sépultures désignées dans un état de propreté et de solidité suffisant pour ne pas nuire à l'aspect sécuritaire du cimetière, faute de quoi la commune ne pourra pas en effectuer la reprise ». Mais, sans doute, les familles ou ce qu'il en reste sont elles aussi ensevelies dans quelque cimetière de campagne, si ce n'est celui de Puy-Larroque, quelque bière branlante et moulue, car même les noms et les dates ont ici disparu des stèles cicatrisées par l'usure et le pansement des mousses quand la pierre n'a pas simplement ployé sous son propre poids, engloutie dans la terre par l'affaissement du caveau qu'elle refermait.

Jérôme retire la chaîne, ouvre la grille dont les gonds ont été huilés par l'agent d'entretien municipal. Il entre, la rabat derrière lui puis balaie du regard le cimetière traversé par un large escalier de béton. Il voit, par-delà le mur d'enceinte, les mamelons de terre, le vol statique des busards qui laissent parfois retentir un cri. Il entend l'aboiement lointain de chiens de chasse retenus dans le chenil d'une ferme et il savoure le parfum des champs humides, que le soleil du printemps ne tardera pas à chauffer.

D'anciens cyprès bordent les plaques de béton nivelées de l'escalier fendu par les glissements de terrain provoqués par l'agitation des morts du village qui ne trouvent nul repos dans la terre de Puy-Larroque et se tournent et se retournent dans leurs bières étroites, sondent l'obscurité de leurs orbites vides au fond desquelles ont séché et sont tombés leurs yeux. Les cyprès dégagent leur odeur sèche d'encens et de térébenthine. Des galbules bleu-gris couvrent le sol, éclatent sous les pas ou sèchent sur le marbre des tombes poisseuses de résine.

Jérôme longe l'escalier, s'accroupit pour scruter les failles du béton élargies par les gelées. Il glisse ses doigts dans les fentes rugueuses, tâtonne dans les anfractuosités la poudre de ciment, la terre grise et les lichens écailleux, sous le regard des christs décloués, retenus par une main seulement, renversés sur la croix ou échoués entre deux tombes dans les débris délavés de couronnes mortuaires et les cônes de cyprès. Des lézards de muraille aux flancs lignés qui se prélassaient au soleil fuient et s'engouffrent sous les dalles. Nombre d'entre eux n'ont que des queues de repousse, séquelles d'anciennes traques auxquelles ils n'ont réchappé qu'au prix de leur autotomie ; mais Jérôme aujourd'hui les ignore, et lorsque la pulpe de ses doigts effleure une ponte logée dans un creux de tourbe humide, sous un éclat de béton qu'il soulève, il fait rouler dans sa main un des œufs oblongs et crayeux, le saisit entre le pouce et l'index et le lève vers le soleil, plisse l'œil gauche et grimace en scrutant à contre-jour la matrice veinée, puis le repose et le recouvre de l'éclat de béton protecteur.

Jérôme se relève et longe à pas lents l'enceinte du cimetière. Il soulève les tôles abandonnées, les bris de pots d'argile. Il fouille dans le dépotoir, à l'angle sud du cimetière, parmi les fleurs pourrissantes et celles en plastique décoloré, les tiges noires et molles, les corolles spongieuses, soulevant un parfum acide.

Des nuées de drosophiles s'élèvent, des forficules et des scolopendres fuient dans le jus brun écoulé des couronnes mortuaires flétries, des pots de tourbe brune renversés dont Jérôme finit par se détourner. Il marche entre les tombes sous lesquelles reposent certains des siens parmi les morts : le premier des pères, la femme dont il connaît la petite photo encadrée sur la table de chevet d'Henri et qui lui sourit et lui adresse un signe de la main lorsque, en l'absence de l'aïeul, il pénètre dans la chambre triste, s'assied au bord du lit jadis conjugal et la contemple. Aucun des hommes n'en parle jamais. Elle observe le monde des vivants à travers la lucarne du cadre, se réjouissant lorsque Jérôme le repose légèrement tourné sur la table de nuit pour que le soleil, entré par la fenêtre, vienne réchauffer à nouveau son visage.

Il connaît pourtant le nom d'Élise car il l'a lu, gravé et doré sur le marbre (1924-1952), près du nom que le grand-père (1921-   ) a fait inscrire à son tour sur le caveau familial dans lequel reposeront ceux d'entre eux que les pompes funèbres allongeront et descendront dans le ventre de Puy-Larroque.

Quand la pluie tombe à verse, sature les gouttières, les rigoles et les caniveaux du village, dévale les marches glissantes de l'escalier pentu sous l'arcade de l'ancienne enceinte du château et les plaques de béton nivelées de l'escalier du cimetière, l'eau s'infiltre dans la terre grasse jusqu'aux planches des bières, et les morts frissonnent. Leurs os s'entrechoquent, ils se drapent dans des lambeaux de taffetas arrachés à la force de leurs mâchoires édentées, collent leurs faces blêmes au capiton des couvercles puis renoncent, se laissent submerger et coulent comme des pierres.

Tournée vers le portail du cimetière, une Vierge en fonte incline son visage gagné par la rouille comme par la petite vérole, et ouvre les mains pour accueillir dans leur dernière demeure les villageois trépassés.

Nous avons été ce que vous êtes et vous serez un jour ce que nous sommes.

Les plis rubigineux de sa robe exhalent une odeur de petite monnaie. Du socle de la statue, entre les anciennes pousses de chardons semés dans les crevasses et qui se sont élevés contre la pierre, Jérôme retire la mue d'une couleuvre assouplie par la rosée du matin. Il la libère délicatement des débris de feuilles, des tiges épineuses, des graviers de quartz qui la retiennent, puis la déroule entre ses doigts, l'étend sur les margelles qui entourent la statue de la Vierge vérolée au pied de laquelle cheminent des cohortes de fourmis affairées à de savantes besognes. Il prend soin de ne pas déchirer l'enveloppe fragile et translucide où se lit l'impression des écailles, puis se redresse et la contemple.

La mue est celle d'une couleuvre à collier de près de deux mètres. Il a déposé deux pierres rondes, une à l'endroit de la tête, une à l'endroit de la queue. Il l'a mesurée en posant la pointe de son pied contre son talon, puis son talon contre la pointe de son pied. Jérôme s'assied sur l'une des marches. Le soleil chauffe agréablement son visage.

À cette heure, le père et l'oncle ont fini de nourrir les porcs. Jérôme aime entrer dans la porcherie et passer devant les enclos, regarder les bêtes et assister au travail des hommes. Il tend une main, paume ouverte vers leur groin frais et humide, et les porcs le pressent contre sa paume, en respirent l'odeur, la lèchent parfois, puis il passe la main sur leur front, leurs soies blanches, leurs yeux ciliés. Ils se taisent alors et s'immobilisent sous sa caresse. Il leur apporte de l'extérieur des saveurs inconnues : des poignées d'herbe fraîche, des glands, des marrons, un ver de terre, une charogne. Parfois, en dépit des mises en garde des pères, il se glisse dans le bâtiment de la gestation. Il longe sans bruit les stalles où les bêtes allongées et entravées par les grilles de contention allaitent leur portée. Il dérobe au hasard quelques-uns des corps de porcelets qui n'ont su échapper aux mouvements de la mère convulsée par les douleurs de la gésine ; ceux trop malingres pour combattre et obtenir une tétine, ceux parfois difformes et inaptes à la survie que les pères attrapent indifféremment par les pattes arrière, lèvent au-dessus de leurs têtes puis fracassent contre les barreaux des enclos ou à même le sol, laissant sur le ciment de longues traînées d'un rouge éclatant, frappent encore par acquit de conscience, fendant les crânes fragiles, et certains porcelets explosent littéralement sous la puissance des coups assenés. Ils balancent ensuite les cadavres tuméfiés dans des seaux ou une brouette dans lesquels certains convulsent et finissent par mourir d'hémorragie tandis que d'autres, déjà morts, déversent les petites frises délicates de leurs organes expulsés.

« Y a toujours du déchet, comme dans toute production. »

Profitant que les pères aient le dos tourné, Jérôme prélève dans la brouette un ou deux petits corps, les glisse dans son sac à dos ou dans les poches de son pantalon.

« Celle-là me fait trop de déchet, elle vaut rien, tu la transfères à l'engraissage. »

Plutôt que de les incinérer, Henri les donne parfois aux chiens. Il jette dans les airs les porcelets qui retombent au milieu du claquement des mâchoires.

« C'est bon pour leur instinct de chasse. »

Jérôme, lui, les emporte à l'ancienne chapelle.

*

Serge pose la fourche contre le mur, allume une cigarette et fume, le regard perdu dans la contemplation des porcs qu'il ne voit plus et qui ne laissent désormais entendre que des grouinements épars, repus et rauques, le frottement de leurs peaux quand ils se vautrent les uns contre les autres dans l'espace confiné des enclos et quelques cris de protestation. Il enfonce sa main dans la poche de sa combinaison et tâtonne le métal de la flasque.

Depuis plusieurs années, il ne supporte plus le travail de la porcherie qu'enivré par l'alcool ; une ivresse légère, mais constante, nécessaire, au seuil de laquelle il lui faut se maintenir, et il ne parvient à trouver le sommeil qu'à demi saoul. Les plafonniers grésillent. La lumière des néons est occultée par les toiles empoussiérées des tégénaires.

Dans le silence retrouvé du bâtiment, les rats quittent leurs abris et cavalent entre les porcs, sur les barreaux de métal, le long des poutres de charpente, jusqu'aux auges au bord desquelles ils décollent et grignotent des restes de nourriture prémâchés par le bétail.

Souvent, ils perdent un des leurs aventuré trop près des hommes qui l'écrasent sous les semelles de leurs bottes ou le découpent avec le tranchant d'une pelle, le saisissent par la queue et le balancent au fumier ; mais les rats règnent par le nombre dans le monde dérobé de la porcherie que seule l'obscurité dévoile quand les portes des bâtiments se referment, que l'œil cilié des porcs s'abîme dans la nuit ; et si les hommes prennent parfois l'un d'eux, ce n'est plus que pour la forme, peut-être par réflexe, car ils ont depuis longtemps accepté leur défaite tacite. Les rats s'enhardissent, jaillissent sous leurs yeux depuis leurs recoins de pénombre, les narguent en filant sous leur nez – pelage gris, ventre pâle, queue fière. La porcherie n'est plus le territoire des hommes ni même celui des porcs, mais le leur. Ils ont eu raison de leur résistance et de leur souveraineté.

Pas plus qu'il ne voit les cochons, Serge ne voit les rats. Il se détourne, quitte le bâtiment, saisit un tuyau d'arrosage enroulé contre un mur, le charge sur son épaule et le tire jusqu'à l'allée dans laquelle Joël, un battoir à la main, enjambe l'enclos dans lequel se trouve le jeune verrat. Serge dépose le tuyau au sol, saisit une planche de contention et approche.

« C'est pas moi qui l'ai foutu là, dit Joël.

— Et c'est pas à moi qu'il faut le dire », répond Serge en soulevant le loquet de l'enclos.

Les cochons fuient, les yeux écarquillés, et

s'amassent dans un angle. Joël frappe leur dos pour séparer le mâle des truies, l'accule contre les parois, le pousse vers la porte de l'enclos. Le porc jaillit dans l'allée, se heurte à la planche tenue par Serge et essaie de la repousser d'un coup de tête. Joël sort de l'enclos, le referme derrière lui, puis les deux frères guident la bête à force de cris et de coups de battoir auxquels elle répond par des cris effarés, jusqu'à une stalle dans laquelle ils l'isolent.

« Je vais aller m'occuper de la maternité et de la verraterie », dit Serge.

Resté seul, Joël observe le verrat essoufflé se presser contre les barres de métal et le surveiller d'un œil fébrile. Il passe une main dans la stalle, pose sa paume sur l'échine du porc et respire avec lui jusqu'à ce que l'animal s'apaise. Il regagne alors le bout de l'allée et s'empare du Kärcher. Le jet à haute pression décolle les plaques excrémentielles incrustées dans les caillebotis, le béton des enclos et celui des allées, la fiente projetée dans les angles, sur les murs et les barreaux.

Les porcs pissent et chient tout le jour dans l'exiguïté des enclos qui leur permet tout juste de se mouvoir, les contraint de faire sous eux, de piétiner leurs déjections, de s'y étendre, de s'y vautrer, jusqu'à ce que l'urine bruyamment giclée des vulves et des fourreaux liquéfie les selles agglutinées, les étrons qu'ils expulsent, formant une boue dans laquelle ils pataugent et enfoncent par réflexe leurs groins hagards et inutiles. Cette diarrhée dégorge, débonde par le plus petit interstice, la moindre faille, coule sur la plus faible inclinaison de sol, stagne en flaques épaisses et noires dans les creux et les aplats.

Les hommes mènent contre la merde un combat chaque jour renouvelé. Chaque début de semaine, à la force des jets, des balais à brosse dure et des raclettes, il leur faut repousser la marée fécale déversée par les porcs, imbibant le béton qui se gorge, se cloque, puis explose sous la pression du Kärcher, se défait en croûtes et îlots dévalant les rigoles sur les flots noirs, puis disparaissant à l'extérieur des bâtiments, dans la fosse à purin. Le lisier ronge sûrement les bâtiments de la porcherie, et sans doute fondraient-ils, dissous, liquéfiés, si les hommes ne tentaient sans cesse de colmater l'édifice pareil à un vieux navire qui prend l'eau par la cale et que les marins tentent de sauver à l'écope.

Pour contrer le bran, les bétonnières tournent et déversent à leur tour le ciment dans l'*anus mundi* qu'est la porcherie, mais peine perdue, chaque nuit, celui-ci sécrète ce que les hommes sont parvenus à lui prendre le jour, et c'est au matin la même pestilence qui les attend et leur saute au visage, la même abondance innommable qui se jette à leurs pieds, englue leurs bottes, éclabousse leurs mains et leurs faces nues, se déverse dans leurs rêves ; flots de merde qui les emportent, les noient, jaillissent de leurs estomacs, de leurs culs ou de leurs sexes, se vomissent ou s'extraient indifféremment par tous leurs orifices, comme animés d'une vie propre, dont le seul but tend à se répandre sur eux et hors d'eux, remplissant leurs nuits sous des coulées de boue, et les éveillent brusquement, accrochés aux draps, se retenant de quelque chute dans une fosse à lisier sans fond, le goût familier dans la gorge, le front trempé de sueur et le cri fantôme des porcs à l'oreille.

La voix d'Henri résonne à l'esprit de Joël : *Ici, on fabrique de la viande, pas de la merde*, et il brosse, balaie, récure, repousse la cascade fuligineuse dans les bondes d'évacuation, déverse les brouettes de fumier dans la fosse à purin, ventre jamais repu de la porcherie qui attend, tranquille, la prochaine purge, tandis que de noirs continents, des nébuleuses fécales, dérivent lentement à sa surface insondable. C'est une journée ordinaire.

*

Henri entre dans la pièce étroite, adjacente à la porcherie et faisant office de bureau. Conçue à l'origine pour servir de débarras, elle ne possède aucune fenêtre. Un néon éclaire d'une lumière bleuâtre le bureau en Formica, les étagères chargées de classeurs à la tranche annotée, le planning du cheptel sur un mur : le cœur ésotérique de la porcherie. Henri rabat la porte derrière lui, inspire l'odeur familière de cendrier froid, de poussière de céréales. Longtemps, il a été le seul autorisé à pénétrer ici, interdisant aux fils d'y mettre un pied. Il ne leur en a ouvert la porte que lorsque Serge a atteint sa majorité, considérant venu le temps de l'associer à l'entreprise familiale et aux responsabilités de l'élevage.

« Tu sais, ce que je fais là, je le ferais pas pour ton frère. Du moins, pas dans l'immédiat. C'est la preuve de ma confiance. La confiance que je place en toi, tu comprends ? Tu t'en es montré digne jusqu'à présent. J'espère que tu ne me décevras pas. »

Lorsqu'il repousse le contrat paraphé en direction de Serge, sur le plateau laqué du bureau, puis se renfonce dans son siège, entrecroisant les doigts devant son visage, il fait mine de ne pas relever le malaise perceptible du fils, la signature inhabituellement griffée, maladroite, que celui-ci appose au bas de la dernière page.

Il croit avoir dispensé aux fils une éducation ferme et juste, ne tolérant ni la mollesse, ni la lâcheté, ces défauts impardonnables chez un homme. Il conçoit une fierté secrète à avoir élevé seul ces deux gars, bien que Joël ne se soit jamais véritablement montré à la hauteur de ses attentes. Après la mort d'Élise, Éléonore l'a épaulé, mais c'est bien lui, et nul autre, qui a façonné les fils.

Henri s'avance vers le bureau, s'installe dans le fauteuil et allume une cigarette. Peut-il pour autant être assuré de leur dévotion, de leur fidélité, de leur ambition ? Désormais que les fils sont adultes, peut-il se féliciter d'être parvenu à leur transmettre autre chose qu'une propriété : cette conviction, cette foi en la terre ? Il voudrait croire en Serge, le plus solide et le plus fiable des deux. Longtemps, le garçon a marché dans ses pas, bu ses paroles, posé sur lui ce regard plein de respect et d'admiration, de désir d'égaler un jour la puissance et la respectabilité supposées du père ; puis, dès l'adolescence, lui a témoigné une reconnaissance virile et silencieuse. Oui, il a cru en Serge ; du moins jusqu'à ce que Catherine surgisse dans leur existence, jusqu'alors réglée, ordonnée, liturgique, provoquant la rupture depuis longtemps annoncée mais dès lors définitive entre les deux frères.

Qu'est-il parvenu à transmettre aux fils ? Il lui semble qu'il pourrait compter sur les doigts d'une main les instants auxquels se résume, sinon leur histoire, du moins leur relation. Lorsqu'il faisait couler le bain des garçons, que la vapeur se condensait sur le miroir fixé au-dessus du lavabo, qu'il les déshabillait et les installait dans l'eau, puis restait à les regarder s'amuser, agiter de petites figurines qu'ils faisaient galoper sur le rebord de la baignoire, marcher à la surface de l'eau ou plonger en apnée entre leurs jambes, dans les profondeurs du bain. Ne s'est-il pas alors demandé comment garder intact le souvenir de son adoration pour les fils, celui de leurs corps parfaits et resplendissants dans l'eau du bain, grise de crasse, celui de la buée sur le miroir et des gouttes qui glissaient par à-coups le long du rideau de douche tavelé de moisissure ? Ou bien n'a-t-il rien ressenti du tout et supposé seulement le sentiment qui aurait été celui d'Élise si elle avait encore été en vie. A-t-il formulé en pensée le vœu de ne pas faillir à ce qu'elle aurait souhaité pour eux, de trouver les mots, les gestes justes, mais aussi de savoir les protéger le plus longtemps possible, incapable de concevoir que c'est de lui-même dont il aurait à les préserver ?

Ce jour pluvieux du printemps 1952, tandis que même le ciel et les champs semblent tristes et sales, il marche derrière le corbillard dans lequel repose la dépouille d'Élise, tenant Serge par la main. Le garçon n'a pas trois ans. Habillé d'un petit costume de deuil gris, il tire sans cesse sur le col amidonné de sa chemise qui lui serre le cou. En retrait de quelques pas, Éléonore porte dans ses bras Joël, emmailloté dans une couverture crochetée par la mère, avant qu'elle ne soit emportée par la naissance du fils. La famille d'Élise marche derrière eux, toussotant dans les gaz d'échappement du corbillard. La belle-mère éplorée, qu'il ne devait jamais plus croiser que par hasard, et qui lui lancerait toujours ce regard rancuneux, est pour l'heure soutenue par l'aîné de ses fils, celui qui a débarqué ivre dans la cour de la ferme, à l'annonce de la mort de sa sœur, et s'est mis à brailler sous leurs fenêtres en titubant dans la cour :

« Tu vas payer, sale enfoiré ! Tu savais qu'elle y survivrait pas ! Tu l'as tuée ! Tu l'as tuée, t'entends ? Viens là, fils de pute ! Sors te battre si t'as des couilles ! »

Henri l'a raccompagné jusqu'à la portière de sa voiture, le canon d'un fusil de chasse enfoncé dans le gras de son ventre.

« Remonte dans ta bagnole et ne remets plus jamais un pied chez moi, ou je jure sur sa tombe que je te descends. »

Lorsqu'il s'est retourné, après s'être attardé jusqu'à voir le véhicule disparaître au bout du chemin de terre menant à la ferme, l'aîné des fils le regardait depuis la fenêtre de la cuisine.

Henri se souvient aussi de la porcherie, des gestes inculqués, ceux qui lui ont été transmis par son propre père. Le sens du travail et de l'effort qu'il leur a enseigné. Ce jour où Serge, avec une grimace de douleur et les dents serrées pour ne pas pleurer, lui montre ses mains couvertes de cloques dont la peau s'est arrachée, et qu'il lui répond : « C'est le métier qui rentre », avant de lui désigner un autre enclos à pelleter. Il a acquis cette certitude que les porcs forment un rempart entre eux et ceux du dehors, à la fois rite de passage – mais où mènerait-il, sinon à la porcherie elle-même, en un éternel recommencement ? – et pis-aller. Bien sûr, il aurait voulu pour eux autre chose, mais quoi ? Et qui saurait dire ce qu'aurait été la vie sans l'absence d'Élise ?

Autrefois, il pouvait l'invoquer à loisir, retrouver ses gestes, sa façon de se mouvoir, ses intonations, sa tessiture, composer alors des bribes de phrases, des mots murmurés, de petites scènes. Puis, sa voix s'est estompée, avant de se perdre tout à fait, diluée dans le temps. Désormais, c'est par la sienne propre – sourde, extérieure, en vérité inaudible – que lui reviennent les mots prononcés. Car il a bien fallu qu'elle lui confie un jour être enceinte à nouveau. Il ne retrouve aucune date, aucun lieu, pas même une lumière, une heure du jour. Se sont-ils réjouis, ont-ils conclu un pacte, choisissant de laisser vivre l'enfant quel qu'en soit le prix, ou se sont-ils tus simplement ? Il ne reste plus qu'un instant, celui de la photo, un après-midi près du noisetier, et Élise saisie là, prisonnière, un insecte pris dans une coulée de résine.

Henri n'en a jamais rien dit aux fils, mais avant que le corps de leur mère ne soit emporté vers la chambre froide de la clinique, il a saisi une mèche de cheveux, l'a tranchée avec la lame de son couteau de poche, puis l'a glissée dans la poche de sa chemise. Il l'a rangée dans la seule boîte à bijoux qu'elle possédait, et jamais plus il ne l'a rouverte, dès lors superstitieux à l'idée de l'alchimie que le passage des ans pourrait y produire et de ce que la boîte pourrait dès lors renfermer : un nœud de serpents, un tas de poussière, une effigie miniature et mortuaire d'Élise ?

La sonnerie du téléphone le fait sursauter.

« Henri ? C'est Paul Vidal à l'appareil. Je vous appelle car j'ai reçu les résultats de vos dernières analyses. Est-ce que vous pourriez passer me voir ? Je pense qu'il faudrait pousser plus loin les investigations. »

Henri tâte ses poches à la recherche de son paquet de cigarettes. Il connaît le médecin, qu'il a vu grandir. Un type pleutre et sentencieux qui fréquentait autrefois l'école communale, était en classe avec Serge, et s'adresse maintenant à lui d'une voix pleine de fausse condescendance.

« Oui, merci de rappeler, mais je n'ai pas vraiment de temps pour ça en ce moment. »

Il jette un œil à l'enveloppe non décachetée que lui a adressée le laboratoire, abandonnée sur le bureau, puis ouvre l'un des tiroirs du meuble et l'y glisse sous un tas de papiers avant de le rabattre. Henri entend la petite toux que le médecin écrase dans son poing.

« C'est-à-dire que… Je préférerais ne pas avoir à vous parler de ça par téléphone, mais les résultats semblent confirmer mes craintes. Je vais devoir prescrire une biopsie sur un ganglion et… »

Henri allume une nouvelle cigarette et perd pour un instant le fil de la voix dans le combiné téléphonique. Il promène son regard le long des étagères, de l'enfilade de classeurs. Une couleur par année, bleu, vert, jaune, noir, rouge, et combien de centaines de milliers de vies de porcs répertoriées là-dedans.

Sept millions de porcelets, c'est ce qu'une truie et ses descendants seraient capables de produire en une vie.

« Non, s'entend-il répondre en toussant une bouffée de fumée en direction du plafonnier. Non, on ne fera pas de biopsie. Il me semble te l'avoir dit quand il en a été question la fois passée. »

Lorsque, harassé par la fatigue, le prurit et la fièvre, il s'est résolu à prendre rendez-vous avec le médecin et s'est rendu à son cabinet du village voisin plutôt que de le dépêcher à domicile, afin que les fils n'en sachent rien – jamais ils ne l'ont vu malade et, les rares fois où la grippe ou un quelconque autre virus auraient pu le clouer au lit, il a continué de travailler, même plus ardemment, plus impitoyablement encore –, et s'est assis dans la salle d'attente, supportant le regard en biais des autres patients, leurs *bonjour-au-revoir-messieurs-dames* pleins de complaisance, feuilletant sans les voir de stupides magazines pour ménagère, incapable de déchiffrer un seul mot, jusqu'à ce que le médecin surgisse dans l'encadrement de la porte, l'obligeant à s'extraire de sa chaise, l'entraîne à sa suite dans le cabinet, l'invite à s'asseoir et lui enjoigne d'énumérer ses symptômes en hochant quelquefois la tête, lui demandant enfin de se déshabiller (lui qui ne s'est plus mis à nu devant personne, pas même une femme, depuis tant d'années, contraint maintenant de retirer ses vêtements devant un homme, de s'asseoir en slip sur le cuir mou et froid de la table d'auscultation, de montrer et de confier son corps aux mains elles aussi molles et froides du médecin ; et le dégoût que lui inspire son propre frisson lorsque le docteur dépose le pavillon du stéthoscope sur son torse), puis de baisser son slip afin qu'il puisse palper et constater l'inflammation de la chaîne ganglionnaire, faire rouler ses testicules entre ses doigts avec un air d'inquiétude suspicieuse.

« J'ai peur de mal me faire comprendre... S'il s'avérait que ce soit un lymphome, ce que je redoute, pour ne rien vous cacher, il faudra mettre en place un traitement. »

Henri tire sur sa cigarette et songe à l'ironie de ne pas mourir d'un cancer du poumon, comme il aurait été légitime de s'y attendre.

« Il n'y aura ni biopsie, ni traitement. »

Le médecin se tait un instant.

« Écoutez, passez au moins me voir, ne serait-ce que pour en discuter à nouveau. Ces choses-là ne se décident pas à la légère, et je dois m'assurer que vous compreniez bien ce dont il...

— Je comprends parfaitement ce dont il s'agit. Je passerai à l'occasion. D'ici là, merci de ne pas rappeler. Ah, Paul, il va sans dire que ces informations ne concernent que moi, et ne doivent en aucun cas parvenir aux oreilles de mes fils. »

Henri raccroche sans laisser le temps au médecin de répondre, puis il termine sa cigarette et l'écrase dans le cendrier qui déborde de mégots avant d'en tirer une autre de l'un des paquets entamés jonchant le bureau.

Il pense à Élise, il pense aux fils. Il se souvient de tout ou presque, des instants passés, des jours d'avant. Tous se télescopent, s'amalgament, ne sont plus dissociables. C'est donc ça, la vie ? songe-t-il avec dépit. Si peu et tellement à la fois. Mais si peu tout de même. Et qu'en reste-t-il, à la fin ? N'est-on pas supposé avoir acquis quelque sagesse, quelque compréhension, même partielle et fragmentaire des choses ? En vérité, Henri n'a plus la moindre certitude.

*

Chaque soir, après que les hommes ont terminé le nourrissage des porcs et rabattu les portes de la porcherie, selon un rituel immuable, ils rendent visite à Éléonore. Ils prennent place autour de la table, dans la cuisine de l'ancienne étable, restaurée il y a longtemps en logement indépendant. Ce qu'ils se disent, Catherine ou Gabrielle l'ignorent ; l'aïeule est taiseuse, les hommes causent peu, coutumiers de leur solitude, de cet isolement choisi ; ils se sont accommodés du silence et ont appris à se deviner les uns les autres. Sans doute, devant la bière ou le café que leur offre Éléonore, ils échangent quelques considérations sur l'élevage, les truies prêtes à mettre bas, celles qu'il faut faire saillir à nouveau, le prochain convoi pour l'abattoir, l'équarrissage qui viendra emporter deux ou trois bêtes moribondes qu'ils ont prévu d'abattre sur place. L'aïeule les écoute, ne dit rien ; elle retrouve parfois en Henri, en Serge, des airs, des expressions, qui lui évoquent le souvenir depuis longtemps sourd et indolore de Marcel. Elle se souvient du temps de son renoncement, lorsqu'elle a compris qu'elle ne parviendrait pas à substituer le garçon à la violence du père, à ses colères tempétueuses, aux heures d'absence qui lui semblaient d'abord incompréhensibles avant qu'ils ne le retrouvent ivre mort, avachi au pied d'un arbre ou d'une vache, dans le verger ou à l'étable. Ce dont elle se souvient, c'est que Marcel a décrété un beau jour que l'enfant l'aiderait dorénavant aux travaux de la ferme, puisqu'il en avait atteint l'âge. Elle retrouve alors l'appréhension qui lui a serré le ventre, le sentiment de sa dépossession et de son impuissance ; Henri, qui lui a été enlevé, et qu'elle n'a pas su retenir à elle. Le lendemain, aux aurores, elle a regardé le père emporter leur fils avec lui, puis leurs silhouettes unifiées disparaître dans le brouillard qui recouvrait les champs.

*

Jérôme a toujours connu Éléonore vieille et fragile, exhalant une odeur de cendre froide et de chats. Les félins, au nombre indéterminable, sommeillent sur la moindre place moelleuse et proche de l'âtre : les renfoncements du canapé de velours vert sombre, les coussins aux housses crochetées, les tapis dont les arabesques disparaissent sous un enchevêtrement de poils de toutes les nuances. Les pères ont beau tenter d'éliminer les mâles, il s'en trouve toujours un pour leur échapper et ensemencer une femelle qui met bas dans un recoin de fenil ou de grenier. Tenus à l'écart par les hommes et par les chiens, les chats vivent dans le giron de l'aïeule, régnant sur le monde empuanti des trois pièces qu'ils surveillent derrière leurs paupières chassieuses, en petits dieux ataraxiques.

Les tueries perpétrées par les pères et l'absence de sang neuf ont favorisé une lignée de félins incestueux et consanguins. Jérôme aime les faces étranges des chatons. Il se prend d'affection pour leurs malformations. Un jour, une chatte a mis bas un chaton blanc et bicéphale dont les deux têtes tétaient tour à tour, l'une mimant alors la succion de l'autre, mais le petit monstre à la robe immaculée n'était pas viable et Jérôme a déposé sa dépouille sous un pot d'argile, près d'une fourmilière, et veillé chaque jour à l'avancement du travail consciencieux des ouvrières. Puis, il a prélevé le crâne aux quatre orbites et le garde parmi les reliques de son sanctuaire, roulé dans un linceul de chiffon.

De bon matin, après que Gabrielle a déposé le plateau du petit déjeuner sur le meuble de l'entrée puis accompagné les jumeaux à l'école, après que Julie-Marie s'en est allée au collège et tandis que les pères s'affairent déjà dans les bâtiments de la porcherie, Jérôme pousse la porte d'Éléonore et s'assied face à elle dans le rocking-chair sur lequel il se balance tandis qu'elle sirote un invariable café au lait. Jérôme regarde la peau de ses bras, sous laquelle des veines tortueuses et comme dotées d'une vie propre enlacent des tendons et des os ligneux. Les chats quémandent un peu de beurre qu'Éléonore leur laisse parfois lécher sur sa tartine et ils se frottent à ses coudes, le dos rond. Les jumeaux rechignent à lui rendre visite car ils sortent de chez elle les bras et les jambes criblés de piqûres.

Chaque année, pendant les grosses chaleurs, des hordes de parasites se lèvent du plancher de bois où leurs larves végètent patiemment durant l'hiver, et les pères font brûler des fumigènes qui chassent l'aïeule et ses chats hors de la maison. Durant de longues heures, Éléonore reste alors assise sur le banc de fer qui remplace celui de bois clouté et vermoulu à l'assise ployée, sur lequel s'asseyait son père des premiers soirs du printemps aux dernières veillées de l'automne, peut-être enfoncé dans la terre au-dessous d'elle, vestige misérable d'une civilisation archaïque et oubliée de tous.

Pour des raisons inconnues de Jérôme, jamais sa mère, du temps où elle quittait encore son lit et sa chambre, n'a rendu visite à Éléonore. Gabrielle se contente quant à elle de passer la porte pour y déposer le plateau-repas, et Julie-Marie ne lui témoigne pas plus d'attention que l'arrière-grand-mère n'en a pour elle. Les femmes redoutent la compagnie de l'aïeule qui gouverne pourtant la vie de la ferme en contrepoint de l'empire des hommes et par la seule loi de son mystère, car elle parle peu, bien qu'elle semble n'en penser pas moins.

Jérôme aime la présence des chats, le bruissement du rideau de perles en bois de la porte donnant sur la cour et qui frémit comme une averse lorsque Éléonore le repousse d'une main resserrée par l'arthrose, les planches branlantes des étagères sur lesquelles s'entassent des bibelots de porcelaine grise, les choses crochetées et informes, le papier peint noirci par les flambées… Jamais Éléonore ne le presse de caresses ou d'attentions comme le font parfois les vieilles mères rencontrées au village ; pas plus que Jérôme ne cherche le contact de son corps frêle et mal fagoté. Il se plaît simplement à rester là un moment, en sa présence et en la présence des chats, se sachant lié à elle par une nébuleuse généalogie dont les ramifications lui échappent, mais dont il pressent qu'elle détient des secrets sur la nature desquels sa seule compagnie le renseigne.

*

Trois ou quatre verrats suffisent à féconder les truies de l'élevage. Parmi eux, celui qu'ils ont surnommé La Bête est l'aboutissement d'années de sélection et de croisements ingénieux. Jusqu'alors, les hommes n'ont jamais élevé de spécimen semblable. La Bête pèse quatre cent soixante-dix kilos, toise un mètre quarante au garrot pour quatre mètres de long. Lorsqu'ils lui font longer les bandes de truies pour détecter leurs chaleurs, la masse énorme de ses testicules, ballottée de gauche à droite dans le sac du scrotum, semble narguer l'impuissance des hommes, et l'urine coule en filets des vulves des femelles qui respirent son souffle aigre. Conscient de sa supériorité physique, agacé par la proximité des truies, son confinement et par la concurrence des autres mâles, l'animal est imprévisible. Il est déjà parvenu à coincer Henri dans l'une des allées de la porcherie, le plaquant contre la barrière d'un enclos, et lui aurait emporté la main qu'il s'apprêtait à mordre si Serge n'était pas intervenu en lui assenant un violent coup de battoir. Pourtant, cet animal reste la fierté du père. Henri y a cru dès le premier instant. À peine sorti du ventre de la mère, une excellente reproductrice, il pesait déjà plus du double du poids des porcelets de la même portée, et quatre d'entre eux étaient si chétifs que les hommes n'ont eu d'autre choix que de les éliminer.

« Celui-là, on le coupe pas », a dit Henri en désignant le mâle.

Lorsque le camion a emporté la femelle pour l'abattoir, il a pris la planche de contention des mains de Joël, comme s'il mettait un point d'honneur à accompagner la truie sur le pont. Quand elle a enfin consenti à embarquer, il est monté à son tour dans la remorque, puis a passé une main sur le dos rétif de la bête, lui parlant à voix basse.

Silencieux, les fils l'observaient, pensant qu'il formulait peut-être à son oreille la promesse d'une mort tranquille, la remerciait d'avoir été une si bonne machine à viande, conforme, fiable, performante, d'avoir engendré La Bête, ce verrat à nul autre pareil, avec lequel ils seraient sans mal classés premiers dans une ou deux sections lors du prochain salon de l'agriculture. Henri a pourtant dénigré depuis toujours les expositions agricoles, refusant de s'y produire comme un animal de cirque, parlant de « s'exhiber » pour distraire ceux du dehors, envers lesquels sa haine et son mépris ne cessent jamais de grandir et de se déverser, comme s'il s'agissait de lui, qu'il devait être personnellement transbahuté dans une bétaillère, exposé, tâté, jugé.

Avec ce mâle d'exception, il jure qu'ils relanceront à destination de l'Allemagne, de l'Espagne et de l'Italie les ventes de reproducteurs qui ont décliné et affecté la rentabilité de l'élevage depuis que la porcherie a commencé d'échapper à leur contrôle, lentement, comme un fleuve recompose un paysage d'un mouvement qui n'est pas remarquable à l'échelle d'une vie d'homme mais à celle de toute une généalogie dans laquelle la mémoire se perd, de sorte que nul ne se souvient ni ne saurait dire quand il a commencé à dévier de son lit.

*

Après qu'il a terminé de chuchoter à son oreille, la truie qui a enfanté La Bête, entre d'autres porcelets, se voit confinée contre des porcs inconnus

311

d'elle, comme elle apeurés d'avoir été délogés de leur enclos, guidés dans le couloir de tri, puis plongés dans la lumière du dehors et poussés à coups de battoir à bord du camion avant que le pont ne soit rabattu. Ils voient défiler en chemin, depuis la nationale, depuis les autoroutes, des terres brunes, des terres rousses et ocre, des terres herbeuses dont la vue et l'odeur leur parviennent par l'écartement des planches. Débarqués à l'arrière d'un bâtiment gris, bas et silencieux, ils sont conduits le long d'un couloir de contention depuis lequel ils perçoivent déjà l'odeur de sang et de mort. Certains cherchent à fuir, mais le demi-tour est impossible, à cause de l'étroitesse du couloir et de la masse des leurs qui les talonnent, les chevauchent, mordent leurs croupes en réponse aux bourrades et aux cris des hommes. D'autres, ahuris par le voyage et par les coups, avancent confusément vers ceux qui les attendent, revêtus de blouses protectrices, un pistolet d'abattage à la main. D'autres encore s'effondrent sur eux-mêmes, terrassés par une crise cardiaque, et il faut alors les dégager du couloir pour les tirer jusqu'à la chaîne qui les engloutira. Lorsque vient le tour de la truie qui a enfanté La Bête entre autres dizaines et dizaines de porcelets, le sacrificateur applique sur le sommet de son crâne une arme à projectile captif. Il lui faut s'y prendre à plusieurs reprises et pulvériser son cerveau de trois coups tirés, avant que la truie ne s'affaisse sur ses genoux. Elle est alors empalée par la cuisse sur un crochet, puis hissée et saignée. À ses collègues, le sacrificateur raconte en secouant la tête : « Cette salope, elle voulait pas crever ! »

*

Début mai, comme Serge retourne à la porcherie chercher le paquet de cigarettes qu'il a oublié au vestiaire dans la poche de sa blouse, il voit briller sur le panneau de contrôle le voyant indiquant que la verraterie est restée allumée. Il s'apprête à abaisser le disjoncteur, puis chausse ses bottes, contourne la maternité et entre dans le bâtiment réservé aux mâles. Il trouve Henri devant l'enclos du verrat, les avant-bras reposés sur le premier barreau. Le père ne l'a pas entendu entrer et ne bouge pas, le visage baissé à demi vers le porc allongé dans la paille. Serge n'ose d'abord pas faire un geste, de crainte de briser quelque chose comme un instant d'intimité, de confidence ou de recueillement. Puis, son père tourne le visage dans sa direction.

« Est-ce que tout va bien ? demande Serge.

— Ouais, répond Henri d'une voix basse.

— J'avais oublié mes clopes, dit le fils en désignant le vestiaire d'un pouce levé par-dessus l'épaule, et j'ai vu que la verraterie était éclairée. »

Le père ne dit rien et tourne à nouveau le visage vers l'enclos de La Bête.

Serge s'approche, remontant l'allée à pas hésitants. Il regarde le verrat qui les scrute à son tour, immobile, indifférent à leur présence, puis il observe de biais le profil de son père, ce visage âpre et buriné comme un vieux cuir. Il demande :

« Y a un problème ? »

Henri secoue lentement la tête. Il accepte la cigarette que l'aîné lui tend. La flamme du Zippo éclaire les plis de son visage et l'odeur du gaz flotte un instant sur l'odeur de La Bête. Ils fument en l'observant.

« T'as remarqué que leur pupille reflète toujours notre visage ? dit Henri. Si tu fais bien attention. C'est un détail, mais parfois, je vois plus que ça. Ça me saute à la gueule. C'est comme regarder dans un miroir sans tain ou au fond d'un puits. Tu te vois, mais tu vois autre chose, autre chose qui s'agite en dessous, comme… Comme si tu voyais aussi de la manière dont eux te voient, avec leurs yeux de bête. »

Serge ne répond pas. Henri n'est d'ordinaire pas enclin à professer ce genre de fadaises. Une bête est une bête et un porc bien moins qu'une bête. C'est ce que son père lui a appris et ce que la porcherie leur confirme chaque jour. Ce cochon qu'ils veillent, gavent, torchent et branlent peut bien les regarder de tout son mépris d'empereur lubrique et oisif, il finira à l'abattage comme tous les porcs de réforme dès lors qu'un de ses rejetons aura pris sa place et que sa semence sera tarie.

« L'œil était dans la tombe et regardait Caïn », dit Henri.

Serge ricane poliment en guise de réponse.

« Je vais rentrer, je me caille », dit-il enfin.

Il patiente tout de même un instant dans l'espoir que le père le suive, avant de le laisser seul face à La Bête et de rejoindre le vestiaire.

Serge rabat la porte derrière lui, allume une cigarette. Les terres dévorent au loin un reste de ciel fauve et rougeoyant. Qu'est-ce qui ne tourne donc pas rond chez le vieux, avec cet animal? Il s'éloigne, emportant avec lui l'haleine des bâtiments, le relent acide des porcs incrusté malgré la blouse dans les mailles de son chandail, la fibre de ses cheveux. Par instants, il oublie l'odeur. Par périodes, il la perd. Puis, il la retrouve, souvent en rêve – elle accompagne le cri, celui du corps unique des bêtes, masse convulsive, menaçante, dérobée au regard et qui couve dans les limbes, au cœur des ombres –, comme les aveugles tardifs retrouvent en rêve des images primitives. Telle qu'elle survient dans les songes, il la reconnaît toujours et elle le saisit à la gorge, surgie de mondes ensevelis comme d'une brèche dans la terre, dans la mémoire et dans le temps: odeur de bourbes, de limons et de magmas archéens, de nappes fossiles, relents de matrices suaves et nauséabondes.

Lorsque, éveillé, lui parvient celle, bien réelle, des porcs – il ne la perçoit plus qu'atténuée, diluée, portée par le vent d'Ouest, éventée par le pull qu'il retire, couvée dans le souffle qu'il exhale –, se superposent l'impression du rêve, le même dégoût tenace, la même crainte sourde. Parfois, l'alcool lui offre le refuge de nuits vides de cauchemars, et il endure de bonne grâce les douloureux matins de gueule de bois. Les flaques de boue glapissent sous ses pas tandis qu'il marche en direction de la ferme, monolithe gris dans la nuit, stèle à demi ensevelie sur le flanc du vallon, navire rompu, échoué, dont les voiles battent au vent ; mais ce sont les bâches que Joël et lui ont étendues à l'automne dernier pour colmater l'affaissement de la toiture, le soulèvement des tuiles qui s'envolent à la première bourrasque, dévalent vers les gouttières et explosent sur les pavés de la cour.

À mesure qu'il avance, son visage se ferme, son regard se fixe au sol, son dos se courbe sous le poids de la honte. Comme l'odeur des porcs, elle se rappelle parfois à lui ; un détail la révèle : le bleu des bâches de la toiture, les épaves de véhicules entassées dans les mauvaises herbes, les volets rabattus de la chambre de Cathy.

Les bâtiments du corps de ferme se sont délabrés au profit de ceux de la porcherie que l'avènement de la politique agricole commune a poussée hors de terre et qu'il leur faut désormais rénover, moderniser, mettre sans cesse aux normes. L'élevage consistait auparavant en une soue rudimentaire prolongée d'un pré de deux hectares sur lesquels une vingtaine de porcs étaient élevés en plein air. L'emprunt souscrit par Henri pour la construction d'une nouvelle structure et la transition de la porcherie en hors-sol devaient être la garantie de l'essor de l'élevage. Seules les premières années devaient être une période charnière, les bénéfices générés par la vente des porcs ne permettant pas de rentabiliser l'élevage malgré le développement de la commercialisation en circuits longs. Mais, au fil du temps, Henri n'a cessé de laisser entendre que l'élevage représentait un risque permanent. La charge de la comptabilité lui revient exclusivement, et les fils n'ont pas leur mot à dire quant aux dépenses et investissements. L'argent, ils n'en parlent de toute façon pas, sinon pour mentionner celui qu'ils dépensent en grain et en eau, en soins aux bêtes, en machines et matériaux, en réparations et mécanique, en engrais, pesticides et semences. La dépense n'est légitime que lorsqu'un bénéfice même potentiel et indirect la justifie.

Serge masse sa main gauche, souvent traversée par des élancements, agitée de tremblements intempestifs. La flasque est déjà vide et la soif commence à se faire sentir. Comme surgissent l'odeur des porcs ou le poids de la honte, il arrive que se dévoile soudain l'idée d'un dérèglement dans l'ordre de la vie et de l'univers de la ferme. Serge ne saurait nommer autrement la certitude d'un déclin, mais quel en est alors le point de bascule, l'origine ? Il faudrait remonter le fil du verbe, de la loi édictée par le père, retrouver la parole première, oubliée, mais dont l'écho résonne en eux sourdement. Depuis la mort d'Élise, ils n'ont rien connu d'autre que la lente dérive du corps de ferme, sa décomposition, son pourrissement, quand, dans le même temps, la porcherie a semblé prospérer, produire toujours plus, attisant proportionnellement leur labeur et leur violence.

Un porc, ça se mate. N'oublie jamais de leur montrer que t'es le patron.

Serge songe que l'élevage couve tous les feux de l'enfer, menaçant de jaillir comme d'un Vésuve, de les ensevelir s'ils cessaient de le purger ou de l'alimenter. La porcherie est ainsi faite que ses limites ne peuvent contenir ce qu'il lui faut pourtant assimiler et régurgiter sans cesse. Elle est un univers en soi, en perpétuelle expansion, qu'ils s'échinent à maîtriser. Quant au souvenir du temps d'avant, il n'est qu'une peau fragile et friable ; leur délabrement leur est ordinaire et familier.

Il ne peut s'empêcher de penser que La Bête, considéré par le père comme le signe éminent de la réussite de l'élevage, est en réalité le point de son achoppement. Comme cet animal, la porcherie n'est-elle pas devenue plus grande qu'eux ? La contrôlent-ils encore, la dominent-ils véritablement ? Henri, obsédé par ce verrat, parle désormais de refondre l'élevage, de réorganiser les bandes de porcs, d'élever de nouveaux bâtiments, de placer plus de bêtes sur caillebotis, de séparer la gestation de la maternité, tout ça pour gagner sans cesse en efficacité, en productivité... Serge s'arrête sur le chemin et se retourne pour scruter longuement la porcherie.

*

Après que les hommes sont partis pour l'élevage et que les chiens se sont tus, Catherine retrouve enfin le silence de la maison déserte. Peut-être Jérôme viendra-t-il entrouvrir la porte de la chambre pour tenter de se glisser contre elle sous le drap, ou bien il renoncera, et elle l'entendra hésiter sur le seuil, se balancer d'une jambe sur l'autre, abaisser la poignée, jouer avec la clé dans la serrure, avant de se décider à obéir aux ordres de Serge ou de Gabrielle et de rejoindre sa grand-mère, chargée de sa surveillance en l'absence des adultes. Catherine ignore tout du lien que le garçon entretient avec l'aïeule. Elle lui fait penser à ces araignées qui tissent dans l'ombre des greniers des toiles savantes dont il est impossible, pour les pauvres proies qui s'y laissent prendre, de parvenir à se dépêtrer. Elles semblent increvables, et on les retrouve au même endroit, un an, dix ans, ou cent ans plus tard, leur toile juste un peu plus poussiéreuse, un peu plus épaisse, un peu plus redoutable. Voilà sans doute ce qu'Éléonore lui reproche : de l'avoir délogée du trou au fond duquel, seule représentante de son sexe, elle veillait ses mâles, de l'avoir contrainte à s'exiler dans la petite dépendance, emportant avec elle tout son barda. Mais Catherine a beau mettre en garde Jérôme contre cette vieille harpie, il n'en fait bien entendu qu'à sa tête. Éléonore semble là depuis des temps immémoriaux, croupissant dans sa maison pleine de chats immondes, et peut-être même continue-t-elle de régner en reine mère sur la ferme. Et dire qu'elle n'a que soixante-dix-huit ans, Seigneur, elle serait bien capable de vivre encore trente ans de mieux… Qu'est-ce que cela changerait de toute manière ? Rien. L'aïeule pourrait bien mourir sur-le-champ, rien ne changerait. Le mal est fait et depuis si longtemps, enraciné en eux comme dans cette terre de Puy-Larroque, et Catherine s'y est pris les pieds, dans ces racines, elle y est restée engluée, dans cette toile, s'enlisant plus encore à force de se débattre. Souvent, elle préférerait ne plus penser, ne plus se souvenir : les erreurs, les rêves d'avant, les espoirs placés en la vie, mettre tout ça dans un même sac et l'enfoncer bien profond dans la boue qui lui sert maintenant de conscience.

La maladie est si ancienne, bien antérieure à la première crise, qu'elle a parfois la sensastion de cohabiter avec elle depuis toujours. D'aussi loin que remonte sa mémoire, ce n'était d'abord qu'une sorte de bruit blanc, comme s'il lui fallait sans cesse chercher la bonne fréquence sur un poste de radio, pour parvenir à percevoir le monde avec apaisement ; mais elle était alors encore habitée par le sentiment des possibilités larvées sous les apparences, la certitude de mille existences potentielles et la conviction de pouvoir les vivre toutes en les désirant simplement. Elle est née dans cette campagne, qu'elle a violemment désiré fuir ; elle y mourra sans doute. Elle se souvient de ce 14 juillet 1967 : l'estrade élevée sur la place du village de Puy-Larroque, les guirlandes de lampions tendues entre les branches des marronniers, les halos en suspension, la buvette installée non loin du monument aux morts, les fûts de vin et de bière, les grands sacs de charbon que les hommes versaient dans des bidons de tôle tranchés sur la longueur et montés sur pied en guise de barbecue… Les bouffées d'une fumée âcre et noire s'élevaient à mesure qu'ils attisaient le brasier, et s'attardaient en lambeaux au clocher de l'église.

Ce qu'elle voulait à dix-sept ans, c'était fuir la maison, son père et sa mère tristes comme les pierres, lui qui se ruinait le dos à porter des sacs de ciment sur les chantiers ou à travailler comme ouvrier dans les exploitations agricoles, et elle trompant l'ennui devant le poste de télévision – un Sonolor flambant neuf pour lequel ils avaient patiemment économisé et dont ils concevaient une telle fierté que toute la famille avait été réunie en rang d'oignons sur le canapé, à la réception de l'écran, lorsque le père avait allumé le téléviseur pour en régler la mire –, hochant la tête avec énergie au son des réclames.

Au volant d'une 4 chevaux, on est tout de suite plus à son aise, il n'y a pas au monde de voiture plus féminine, plus facile à conduire ! Quel démarrage, quelle accélération ! Quelle sécurité !

Les deux frères étaient accoudés l'un près de l'autre au zinc de la buvette, ce soir-là, et regardaient autour d'eux d'un air hagard, comme s'ils se demandaient ce qu'ils pouvaient bien faire là. Serge était brun, râblé ; tous le savaient mauvais et bagarreur. Puis, il y avait Joël, discret ou bien insignifiant, avec ses épaules voûtées, ses cheveux roux, lustrés à la Brillantine. Leurs visages n'étaient-ils pas tachés par la lumière des lampions qui se balançaient ? Ils ne s'adressaient pas un mot, pas un regard, ils auraient pu ne jamais s'être croisés auparavant et se trouver là par hasard, leurs coudes se frôlant, dans l'odeur de grillades, de tabac et d'après-rasage. Catherine se tenait à distance et les observait. C'est cela qui l'a séduite, croit-elle se souvenir : leur contraste, leur étrangeté, leur défiance envers le monde. Elle aussi méprisait le petit bal de Puy-Larroque, cette allégresse confuse et stupide ; comme eux, elle ne cherchait que l'ivresse. Des chauves-souris volaient entre les branches des marronniers, fauchant les nuées d'éphémères sous les lampions. Serge s'est levé et s'est approché d'elle, et Catherine a senti son haleine épaisse quand il s'est penché sur son épaule pour lui parler ; l'odeur de sueur éventée par sa chemise ouverte sur un torse sombre comme un poitrail de bête.

« J'aurais dû vous fuir comme la peste, toi et les tiens, c'est la meilleure décision que j'aurais prise de ma vie. »

Oui, elle aurait été mieux inspirée de fuir aussitôt, de laisser tomber son verre, ses amis, l'orchestre, et le petit village dangereusement bucolique de Puy-Larroque. Mais ce soir-là, elle ne savait presque rien du lien entre les deux frères, de l'ombre d'Henri, de leur histoire commune, de l'avenir qui conspirait déjà contre eux, et elle les a désirés, de son désir immense, cannibale, tous les deux ensemble, parce que l'alcool lui rendait impossible de les dissocier et parce qu'elle avait senti la violence couvée de Serge, qu'elle avait alors prise pour de l'appétit, une envie d'en découdre avec la vie, capable de rivaliser avec la sienne, et la réserve intense et ténébreuse de Joël.

Elle s'est laissé entraîner, et ils se sont éloignés tous trois de la place du village, longeant les ruelles et l'enceinte par endroits effondrée du château. Serge saisissait Joël par la nuque, le houspillait, lui assenait des coups dans l'épaule, et l'adolescent se laissait malmener sans riposte, un sourire obscur sur les lèvres. Se soutenant l'un l'autre, ils ont descendu les marches dépolies et pentues du vieil escalier. La nuit était dense, poisseuse, habitée par le coassement des batraciens, et recelait des courants froids quand ils la brassaient. L'eau du lavoir semblait immobile et glauque. Par-delà le mur du cimetière, les croix des stèles se distinguaient à peine de la campagne en fond, bleue et alanguie. Ils ont suivi le chemin qui mène au vieux chêne et se sont allongés dans les creux des racines, sous la masse obscure de son feuillage. Ivres, ils sont restés un moment sans parler, tendant l'oreille au bruit de la fête, au cri d'un animal depuis un boqueteau, au sempiternel bruissement du chêne. Lorsque Serge s'est penché vers elle pour l'embrasser, Catherine s'est laissé faire. Il a passé sa main sous son T-shirt et a saisi son sein, pinçant son mamelon entre son pouce et son index, puis sa caresse a glissé le long de son ventre, sur sa cuisse, par l'entrebâillement de sa jupe, jusqu'à l'aine et le renflement de son sexe.

« Embrasse-la », a-t-il dit à Joël en relevant la tête.

Elle a tendu une main vers son épaule pour l'attirer à elle, a mordu sa lèvre inférieure et pris sa langue entre ses dents, avant que Joël ne se recule, puis ne prenne appui sur le tronc du chêne pour se relever.

« Faut que j'aille pisser », a-t-il dit.

Il a marché jusqu'à la bordure d'un champ, où Serge n'a pas tardé à le rejoindre. Même basses, les voix des frères lui parvenaient :

« C'est quoi ton problème ?

— Rien. J'ai pas de problème.

323

— Elle est pas à ton goût ? T'as pas envie d'elle ?

— Laisse-moi pisser tranquille.

— T'es pédé, peut-être ?

— Va te faire foutre », a dit Joël en remontant sa braguette.

Il a lancé un regard à Catherine, avant de s'éloigner et de disparaître dans la nuit.

Pourquoi est-elle restée auprès de Serge ce soir-là, dans l'ombre du vieux chêne, pourquoi l'a-t-elle laissé la rejoindre, s'allonger de nouveau près d'elle, l'enlacer puis la prendre, son pantalon baissé sur ses cuisses, empoignant les racines du chêne pour la pénétrer plus fort, puis jouir en elle avec un râle d'ivrogne ? Lorsqu'il s'est retiré, elle est restée immobile, sa jupe remontée sur le ventre, son sexe sombre et luisant comme un nid de bête, fascinée par l'ondulation des branches du chêne, son écorce semblable dans l'obscurité au cuir d'un animal terrible.

Et pourquoi faut-il que les images reviennent sans cesse à l'assaut ? Il vaudrait mieux dormir, même si rien ne garantit qu'elles ne la poursuivront pas jusque dans son sommeil, dans ces rêves où la traquent parfois l'odeur et le cri des porcs, cette odeur que ne parvient pas à masquer le parfum des fleurs pourrissantes dans le vase, cette odeur qui était celle de Serge au premier soir, enveloppée par les vapeurs d'alcool, les relents d'une eau de toilette bon marché, et qu'elle devait haïr aussitôt et sentir même lorsque les fenêtres et les volets sont clos, la maison bouclée à double tour, comme si la porcherie cherchait par tous les moyens à pénétrer sa chambre. Et puis, ces cris que le vent porte parfois et que les murs n'étouffent pas, ces hurlements de nouveau-nés ou de suppliciés...

Lorsqu'elle n'a eu d'autre choix que d'épouser Serge et de venir s'installer à la ferme, elle n'a pas tardé à comprendre qu'il lui faudrait impitoyablement lutter contre cette porcherie qui frappait à leur porte, que les deux frères et le père trimbalaient avec eux, dont ils parlaient sans cesse. Elle a vu les hommes mener des truies de réforme vers la plate-forme d'embarquement, certaines atteintes de prolapsus, traînant derrière elles un sac de viscères expulsé par l'anus à force de mises-bas, d'autres incapables d'avancer, paralysées par l'arthrose, l'immobilité contrainte, leur propre poids que leurs membres ne peuvent plus supporter. Ils frappaient celles-là à coups de battoir, à coups de pied pour les faire avancer, et les bêtes hurlaient de terreur ou de douleur, s'écorchaient sur le béton, leur chair mise à vif et leurs yeux révulsés.

« Comment vous pouvez faire une chose pareille ?
— Quoi ? Je comprends pas », a répondu Serge essoufflé, essuyant ses mains sur le tissu de sa blouse.

Catherine a désigné les bêtes du menton. Serge a haussé les épaules.

« Ah. C'est comme ça... Faut parfois abréger leurs souffrances. On s'y habitue, tu verras. »

Mais elle a refusé de voir, même de savoir. Elle a débarrassé la maison de tout ce qui pouvait évoquer l'élevage, de près ou de loin, remisé dans des cartons les bibelots, les miniatures de porcs en céramique, en verre soufflé, les anciennes tirelires de boucher en fonte, les médailles de concours et de foires à bestiaux. Comme sa mère avant elle, elle s'est prise à rêver d'un bonheur standard, d'un petit pavillon dans un lotissement, d'une petite auto, de voyages pendant les vacances scolaires ; tout lui a dès lors paru préférable à cette agonie sans fin dans une ferme croulante, cernée par l'odeur, le hurlement des porcs et la barbarie des hommes.

*

Quelques jours plus tard, ils trouvent la porte de la verraterie ouverte. Joël rejoint Henri et Serge, occupés dans le bâtiment d'engraissement.

« Il s'est tiré, leur crie-t-il depuis l'entrée. La Bête s'est tiré, son box était ouvert, la porte du bâtiment aussi et je le trouve pas ! »

Le père et l'aîné le rejoignent. Henri se penche par-dessus les barrières, s'arrête devant l'enclos du verrat. Il soulève du pied la targette et le verrou à demi ensevelis dans le lisier qui s'écoule sous les caillebotis. Les deux fils le suivent ensuite le long de la travée, jusqu'à la grande porte, puis ils sortent du bâtiment et découvrent la clôture de l'enceinte ployée, le grillage éventré. Serge passe une main sur l'un des poteaux métalliques que l'animal est parvenu à tordre, près de la pancarte annonçant **PROPRIÉTÉ PRIVÉE DÉFENSE D'ENTRER**. Il éclate d'un rire bref et stupéfait, qu'il s'empresse de ravaler. Henri revient sur ses pas, jusqu'à la porte d'accès à la verraterie. Il soupèse la chaîne, l'inspecte, puis se baisse et ramasse le cadenas ouvert qu'il tend un instant en direction des fils, dans la paume de sa main avant de le jeter violemment à leurs pieds. C'est Joël qui, la veille, s'est assuré de la fermeture de la porcherie.

« Je te jure que j'…, commence-t-il.

— Sors-toi de mon chemin », l'interrompt Henri.

Joël s'écarte et les deux frères regardent le père s'éloigner, puis remonter en direction de la ferme. Resté en retrait, Serge allume une cigarette, cherchant à maîtriser le tremblement de ses mains.

« Tu me crois, toi ? demande Joël d'une voix brisée par l'émotion. Déconne pas, Serge, tu sais bien que j'aurais jamais oublié de refermer ! Comment est-ce qu'il a pu défoncer son putain de box ? »

Serge détourne le regard, hausse les épaules, puis désigne d'un mouvement de la tête la terre piétinée, au-delà de l'enceinte grillagée de la porcherie, les empreintes de pieds fendus sur le sol meuble. Il sort sa flasque de sa poche, en boit une lampée, puis s'essuie la bouche contre son épaule.

« Ce que je crois, moi, c'est ce que j'ai sous les yeux. »

Ils choisissent de laisser les grilles ouvertes et de déposer des seaux de grain à proximité des bâtiments et sous le hangar à foin. Il est arrivé, lors de la mise en fonction des nouveaux bâtiments de la porcherie, que des bêtes s'échappent lors du transfert d'un bâtiment à un autre, et ils savent d'expérience que si l'atavisme de la liberté les exalte, les porcs ne connaissent que la captivité : la présence des autres cochons, la chaleur de la porcherie, les rations servies à heures fixes. Aussi, le fugitif, bientôt gagné par l'inquiétude, le froid d'une nuit inconnue et la faim, finissait-il par rebrousser chemin, et les hommes le retrouvaient couché dans la paille, sous le hangar à foin, ou dressé nerveusement près des portes derrière lesquelles sont contenues sa brève existence et celle des siens.

« Un verrat de cette taille peut pas passer bien longtemps inaperçu », dit Joël tandis que les frères quittent à leur tour la porcherie.

Aux alentours, les forêts sont circonscrites par les terres de culture et offrent peu de caches possibles. Les chasseurs en délogent facilement le gibier et la population de sangliers est d'ordinaire régulée dans le département. Henri et ses fils sont les seuls éleveurs de porcs à près de trente kilomètres à la ronde. Les autres agriculteurs sont ici majoritairement céréaliers, et ont depuis longtemps délaissé l'élevage. Certains possèdent du menu bétail, peut-être un ou deux porcs à l'engraissage, mais rien de comparable à un animal comme La Bête, dont tous seraient capables de deviner la provenance au premier coup d'œil.

« À moins qu'un de ces enfoirés l'ait déjà descendu, dit Serge en mastiquant le filtre de sa cigarette.

— Et s'il arrive un accident ? ajoute Joël. Imagine qu'il déboule sur une route, devant une bagnole et qu'il blesse quelqu'un ?

— Ça n'arrivera pas. On va remettre la main dessus. Il faut qu'on remette la main dessus. »

La Bête ne se laisse pourtant pas appâter par les seaux de grain. Trois semaines durant, jusqu'à la mi-juin, Henri et les fils organisent des rondes de nuit, autour de la porcherie, puis bien au-delà, sans jamais surprendre près de l'enceinte autre chose que deux sangliers, un renard et quelques chiens errants. Ils suivent la trace des pas de l'animal, depuis le pré adjacent aux bâtiments d'élevage, mais elle ne tarde pas à rejoindre une route et disparaît alors.

« C'est comme si cet enfoiré avait fait exprès de trottiner sur le goudron pour nous semer », dit Joël.

Ils organisent des battues, élargissant chaque jour leur périmètre de recherche, emportant les chiens avec eux, mais ne lèvent que des lièvres et des chevrillards. Quant aux habitants des fermes ou des maisons les plus proches, aucun n'a vu un porc d'élevage d'une demi-tonne traverser une de ses terres, dévaster une culture ou même un potager. Les veillées et les battues restent vaines, et les semaines passent, laissant l'été s'installer sûrement.

La Bête semble s'être volatilisé.

*

Après qu'il a refermé la grille derrière lui et descendu les dalles fissurées par les racines et les convulsions des morts du village, Jérôme s'allonge, les mains jointes sur la poitrine, au pied de la statue, sous le regard miséricordieux de la Vierge dont les lèvres, la joue et le nez sont mangés par une plaque de rouille. Il attend. Les lézards que son ombre a mis en fuite ont écouté le silence retrouvé, et comme le pépiement des moineaux perchés aux branches des cyprès ne tarde pas à leur parvenir à nouveau, ils finissent par quitter leur refuge, jettent aux alentours des regards vifs et syncopés, s'étirent sur le marbre, les yeux mi-clos, leur flanc ligné soulevé par de brèves respirations. Un corbeau survole les tombes; son ombre glisse sur Jérôme, petit gisant immobile sur la dalle de béton. Il laisse les minutes, puis les heures passer sur lui, entrouvrant parfois les yeux pour voir la valse désordonnée des hirondelles, la cime des cyprès doucement ployée dans le petit vent, les galbules chuter, rebondir et dévaler le long des marches. Lorsque sa nuque est endolorie, il se redresse, s'assied et laisse le soleil chauffer son cou. À mesure que l'astre gagne le zénith, l'ombre portée des croix encore érigées sur les tertres décline peu à peu et celle de la Vierge regagne progressivement le socle depuis lequel elle veille au repos des morts allongés dans la terre du cimetière.

Le soleil tape maintenant dru sur le marbre et les plaques de béton. L'écorce des cyprès transpire une sève dorée. À quelques mètres de Jérôme se trouve une pierre tombale de granit rose dont un angle disparaît dans la terre. Du trou dévoilé par le soulèvement de la dalle dépasse la large tête olivâtre d'une couleuvre à collier. Jérôme retient son souffle, n'esquisse plus un geste. La langue noire, luisante et souple, du serpent sonde par intermittence le calme apparent du cimetière, puis il rampe hors du tombeau, dessine de longues ondulations, dévoile sa robe vert-de-gris et semble couler entre les pierres comme l'eau d'un ruisselet chuintant doucement sur les herbes sèches.

Un frisson parcourt la nuque de Jérôme, car c'est bien cette même couleuvre qu'il a vue nager sur le lac l'été précédent, tandis que Julie-Marie avançait sous les branches des saules qui balançaient, chuchotaient dans la brise et touchaient ses épaules, de l'eau jusqu'à sa taille ample et nue, dans les ombres mouvantes et les éclats de lumière tombés des arbres, virevoltants avec les feuilles jaunes jusque sur la surface où ils se déposaient, feuilles et éclats de lumière, et qu'elle effleurait, froissait et repoussait de ses mains. Elle marchait en silence dans la vase douce et dans les algues, observant le reflet fragmenté qui la devançait entre les racines des saules. Des bancs de goujons frôlaient ses jambes pâles, déformées par le miroir du lac et mettaient en fuite les araignées d'eau et les têtards de crapauds qui barbotaient en enfilade dans l'eau tiède et limoneuse. La couleuvre aveuglée par le zénith ne l'avait pas aperçue et sinuait paisiblement vers la poitrine blanche de Julie-Marie, de ses somptueuses oscillations. Elle progresse désormais entre les tombes, entre les os que la terre rassasiée, gorgée, saturée par les morts du village, régurgite : molaires verdies, vertèbres patinées, coccyx poreux. La couleuvre se fige lorsqu'un épervier survole le cimetière, l'ombre brève de l'oiseau glissant sur sa pupille ronde, puis reprend sa reptation délicate jusqu'à atteindre un bloc de granit informe, vestige d'une ancienne stèle reposant dans le pan de lumière où elle se love.

Lorsqu'il la voit pour la première fois, à la surface du lac d'irrigation, Jérôme saisit de la main gauche une branche du saule, s'y retient pour descendre en contrebas sur la grève étroite et boueuse. Il enfonce un pied dans l'eau sans prendre le temps de retirer son pantalon et Julie-Marie se tourne dans sa direction pour lui adresser un sourire, s'apprêtant à lui dire quelque chose avant de remarquer que son frère ne lui prête aucune attention. Il lui suffit alors de suivre le sens de son regard pour découvrir le serpent, et elle pousse un cri qui vrille les tympans de Jérôme et résonne dans la campagne. Julie-Marie se précipite vers la rive en soulevant de grandes gerbes d'eau, glissant dans la vase, tombant dans les racines auxquelles elle se rattrape, puis elle grimpe sur la berge sans cesser de hurler tandis que la couleuvre alertée par les vibrations disparaît sous l'eau, reparaît au beau milieu du lac, puis file enfin dans les herbes hautes, sur l'autre rive. Penaud, Jérôme regagne la berge à son tour. L'eau ruisselle sur les bras de Julie-Marie tandis qu'elle enserre ses épaules dans chacune de ses mains, dérobant la vue de sa poitrine sans se préoccuper encore de celle du renflement de son sexe. Elle remarque le regard que son frère ne parvient pas à détacher du duvet sombre de son bas-ventre. Relâchant les épaules, elle reste les bras détendus, par défi ou par jeu, le plat de ses mains sur les cuisses, tout entière offerte aux yeux du garçon, avant d'éclater de rire :

« J'ai eu une de ces trouilles ! Alors quoi ? T'as jamais vu de femme, hein ? »

Bien sûr que si, il a vu leur mère nue lorsqu'elle prend le bain avec lui et shampouine sa tête, le laissant à la contemplation de son sexe. Julie-Marie ramasse ses vêtements, lui tourne le dos, dévoilant la courbe de ses fesses pâles, et jette de brefs coups d'œil par-dessus son épaule, en direction de Jérôme, tout en se rhabillant sans empressement.

La couleuvre somnole maintenant immobile sur la stèle, dans le soleil de midi, enroulée sur elle-même. Sa tête aux écailles labiales jaunes émerge des anneaux que son corps dessine.

Tu sais cette façon que t'as de regarder ta sœur, ben j'aime pas bien ça.

Jérôme déplace un pied. Les graviers du cimetière crissent sous sa semelle. Les paumes de ses mains sont moites, sa bouche sèche. Les morts ensevelis, heureux d'être un moment divertis, retiennent leur souffle avec lui et collent une oreille au capiton de leur bière pour percevoir son avancée au crissement de ses pas. Il s'apprête à bondir quand la couleuvre tire à nouveau sa langue bifide et se redresse brusquement, ouvre grand la gueule, gonfle son corps et souffle pour faire face à l'assaillant qui l'accule. Elle tente une échappée, mais Jérôme se jette sur elle et la saisit à l'arrière de la tête, chute dans son élan contre le vestige de stèle qui lui ouvre le tibia, roule sur lui-même en serrant le serpent contre son torse pour le protéger du poids de son corps.

Son crâne heurte le mur du cimetière et il se retrouve allongé sur le dos, le visage couvert par un masque de terre, de poudre d'os et de poussière, pantelant, ébloui par le soleil qui le lorgne et le choc qui l'engourdit. Il lève devant lui la couleuvre qui s'enroule autour de son avant-bras. Il sent l'odeur que son cloaque répand, le jus noir qu'elle déverse dans son cou. Il s'assied dans l'allée du cimetière. Son cœur bat violemment dans sa poitrine.

Le serpent se contorsionne, sa gueule se tord et laisse voir la gorge rose, la glotte et le fourreau de la langue. Il enserre un instant le torse du garçon et le battement du cœur de la bête et le battement du cœur de l'enfant se rejoignent en une même sarabande, puis le serpent renonce enfin, s'avoue vaincu et relâche son étreinte.

Jérôme se relève. Son tibia l'élance et sa chaussette est écarlate, son souffle est court, sa gorge douloureuse. Il place la couleuvre à la hauteur de ses yeux et scrute son regard fixe, la pupille ronde dans laquelle il contemple son reflet. Il ouvre la bouche, pose la tête de la couleuvre sur sa langue et referme les lèvres sur son cou, puis il rouvre la bouche et retire la couleuvre qui porte avec elle le goût du cimetière et le goût du lac, de l'ombre des pierres, des fosses mortuaires, des tôles cabossées sous lesquelles elle s'abrite, le goût des champs de tournesols où, la nuit venue, elle chasse les rats et les lapereaux, celui du pelage des bêtes qu'elle étreint et des terriers dans lesquels elle s'enfonce.

C'est pareil qu'avec les porcs, y a du rebut, sa mère lui aura refilé son dérangement, ces choses-là passent par le sang.

Jérôme desserre son étreinte, la couleuvre glisse entre ses mains. Il soulève son tricot de peau et la couleuvre aux écailles chaudes et sèches passe sur son ventre, son torse, soulève le col et rejaillit dans son cou. Il reste longtemps assis dans l'ombre maintenant inversée que projette sur le sol la Vierge vérolée. La couleuvre enlace son cou et ses poignets. Sa langue continue de jaillir et de chatouiller sa peau. La blessure à son tibia sèche et s'assombrit dans la chaleur de l'après-midi que les cyprès embaument, tandis que les morts du village suffoquent dans leur bière, de nouveau las. Jérôme se résout enfin à déposer à ses pieds le serpent qui se tient immobile, soupçonneux, puis esquisse un mouvement, une vague tentative de fuite et, voyant que l'enfant ne tente pas de le rattraper, s'éloigne entre les tombes.

Jérôme se relève. Les yeux clos, il s'étire et frissonne dans le soleil, lui le Muet, l'Heureux, l'Idiot, le Bâtard. Le Rebut.

*

De retour à la ferme, Jérôme s'attarde sur le seuil. Il caresse les lamelles en plastique multicolore du rideau punaisé devant la porte de la cuisine et dont des portées de chiots ont grignoté les extrémités. Jérôme aime l'odeur de caoutchouc qui s'en dégage lorsque le soleil l'a chauffé et qu'une douce brise le fait onduler. Il a parfois le sentiment que les choses peuvent être bien plus grandes qu'elles-mêmes, contenir la vie tout entière : le parfum du rideau ou celui des pneus abandonnés dans la cour et dans lesquels croupit de l'eau de pluie, les petits cheveux qui frisent sur la nuque de Julie-Marie, une flaque boueuse bordée d'une enfilade de têtards. Il monte à l'étage et entrouvre la porte de la chambre de Catherine, plongée dans la pénombre par les volets rabattus. Elle est éveillée et lui fait signe d'approcher. Il se glisse par l'entrebâillement, dans l'odeur suave et confinée du corps et des respirations de la mère qui soulève le drap, et il se glisse auprès d'elle, contre sa chair languissante. Catherine l'enserre rudement, enfonce son nez à l'arrière de son crâne, hume ses cheveux, la peau de son cou.

« Où t'es allé traîner ? T'es sale comme un peigne. Tu sens une drôle d'odeur. »

Elle tâte ses membres, ses pieds crasseux, comme pour s'assurer qu'il est là, bel et bien vivant. Il geint quand elle touche la plaie sur son tibia.

« Qu'est-ce que tu t'es encore fait ? T'es tout plein de croûtes, de bleus, de bobos. Il faut couper tes ongles, tu griffes. Est-ce que tu écoutes ta sœur, pour le bain ? Est-ce qu'elle te lave ? Montre voir, je vais regarder si t'as des poux. »

Elle ramène ses jambes contre elle et il sent ses cuisses contre ses fesses, son haleine alourdie par le sommeil frôler sa nuque lorsqu'elle lui murmure, soudain fébrile :

« Maman va aller mieux, tu vas voir. C'est vrai, je me sens mieux… Tu ne trouves pas que j'ai meilleure mine ? Je vais me lever bientôt... Je me repose juste encore un peu, juste un petit peu. Je suis tellement désolée, mon Dieu, je suis tellement désolée, endors-toi avec moi un instant, s'il te plaît, reste là, le temps que je me rendorme. »

Il reste sans bouger jusqu'à ce que Catherine s'assoupisse. Le plus souvent, quand il entre dans la chambre, elle se retire comme les lézards se hâtent hors de sa portée dans l'enceinte du cimetière. Elle disparaît sous le drap, tressaille et maugrée quand il touche son épaule. Il s'assied alors au bord du lit, regarde les boîtes vides de médicaments, l'eau croupie au fond du vase posé sur la table de nuit, à la surface de laquelle se forme une pellicule brune et fragile comme la peau sur le lait, le bouquet que Julie-Marie ou Gabrielle s'entêtent à déposer là, et qui flétrit invariablement faute de lumière.

« Qu'est-ce que vous voulez que j'en fasse ? Je ne supporte pas cette odeur, ça me file un de ces maux de tête... ou bien je ne sens plus rien, à part l'odeur de cette baraque qui pue comme une soue. C'est quoi ? Des roses ? Tu les as prises au rosier grimpant ? Et ça, du lilas ? Ça me met le cœur au bord des lèvres, et puis elles fanent en moins de deux et il n'y a rien de plus triste. C'est lugubre, on croirait le chevet d'une morte. C'est peut-être ce que vous voulez tous, vous débarrasser de moi, m'enterrer ? Vous vous êtes liguées contre moi, c'est ça ? Surtout, n'écoute jamais ta grand-mère, ne crois jamais ce qu'elle te dit, elle est pire que... Mais jetez-le, bon sang. Qu'est-ce que vous avez avec ces saletés de fleurs ? Quand est-ce que vous allez enfin comprendre que je déteste ça ? »

Elle les supplie d'emporter le bouquet loin d'elle, de le balancer au fumier, de le jeter aux poules qui en picoreront les boutons, avant de décider deux jours plus tard d'ouvrir en grand les volets sur la cour de la ferme, d'inspirer l'air du dehors. Elle revient à la vie, entreprend de ranger, puis de nettoyer sa chambre, celle des enfants, la maison entière, d'aérer toutes les pièces, qu'il pleuve, vente ou neige. Dans la cuisine, elle trouve les placards trop vides, décide d'aller faire les courses et s'extasie devant l'ordre lumineux et rutilant du nouveau supermarché, l'inépuisable diversité des articles, le savant agencement des boîtes de conserve qu'elle jette indifféremment dans le chariot. Elle entraîne Jérôme avec elle, car elle ne pourrait alors plus concevoir d'être éloignée de lui un instant.

« Toi et moi, on est comme ça, comme les deux doigts de la main, bien vrai ? T'es mon fils à moi. Hein, que tu es le fils de ta mère ? Sorti de moi, à moi, la chair de ma chair, le sang de mon sang. Oui, va, tu es bien le fils de ta mère, sauvage, comme moi ! Tu voudrais pas qu'on s'en aille, dis ? Juste toi et moi, on dirait rien à personne. On a même besoin de rien, est-ce qu'on est pas bien tous les deux ? »

Dans la rue principale de la petite ville, elle s'attarde devant toutes les vitrines, entre dans tous les magasins, l'épicerie, le vendeur d'électroménager, le bureau de tabac, la boutique à souvenirs. Un fer à repasser, un hibou en céramique, un abat-jour, un cendrier, des paires de chaussures, une poupée pour Julie-Marie, tout est sujet à son

338

émerveillement, les objets surenchérissent à ses yeux d'inventivité, de nécessité, devançant des besoins, des désirs qu'elle n'aurait pas soupçonnés l'instant d'avant et qui sont soudain autant de petites plaies vives et lancinantes qu'il lui faut panser sans attendre. De retour à la maison, elle n'a déjà plus le moindre intérêt pour ses achats et délaisse les paquets et les sacs plastique qui couvrent la table de la cuisine, la paillasse, l'assise des chaises ou jonchent le sol. Lorsque Serge rentre à son tour, de violentes disputes éclatent invariablement, des cris, des insultes qui fusent, le père qui lui reproche de jeter par les fenêtres l'argent qu'elle ne gagne pas, elle qui l'accuse de mégoter pour des économies de bouts de chandelles, vomit sa pingrerie, son égoïsme qui est aussi celui d'Henri.

« Ah, les chats font pas des chiens ! » dit-elle.

Avec de grands gestes rageurs, pleins d'épouvante, de stupéfaction, elle désigne la maison autour d'elle sachant qu'elle fera mouche, les tapisseries mangées par la moisissure, le plâtre gangrené par le salpêtre.

« Quelle souillerie ! Quel dégoût ! Si tu savais comme j'ai honte ! Et le fric que tu claques pour saouler ta gueule d'ivrogne, on en parle ? »

Elle se met alors à hurler à s'en briser la voix, à jeter tout ce qui lui passe sous la main, à balancer dans la cour, par les fenêtres, les sacs de provisions, les paquets cadeaux, soulevant le hurlement des chiens dans le chenil et jurant dans le même temps qu'elle rapportera tout, qu'elle exigera de se faire rembourser, qu'elle s'humiliera aux yeux de tous pour quelques centaines de francs. Serge l'empoigne, elle se débat, lui assène de grands coups dans les épaules, le visage, tandis qu'il la soulève sans mal et l'entraîne dans l'escalier jusqu'à la chambre qu'il ouvre d'un coup de pied, puis il la jette à terre et rabat la porte sur elle. Catherine reste au sol, recroquevillée, à pleurer à chaudes larmes, à gémir comme un animal blessé, et Jérôme la rejoint quelquefois pour passer une main dans ses cheveux, essuyer la morve à son nez, jusqu'à ce qu'elle se calme.

Le garçon ne sait rien de la maladie de sa mère, sinon ce que lui en a confié l'aïeule, un de ces jours où, sans prévenir, elle a choisi de rompre son silence et de faire fi de celui de l'enfant : que les crises sont devenues bien plus violentes après sa naissance, qu'elle aurait été placée *chez les fous* à plusieurs reprises, regagnant la ferme après quelques semaines, quelques mois, comme plus éteinte, plus dévastée encore, descendant alors de voiture et traversant la cour à petits pas, soutenue par Serge.

« On pourra dire ce qu'on voudra sur mon garçon, et on n'aura d'ailleurs pas forcément tort, mais pas l'accuser de n'avoir pas aimé ta mère... Tu n'y es pour rien, bien sûr, mais ce qu'elle lui a fait, tu sais... Elle n'est peut-être pas la seule responsable, mais... Enfin... Il lui a pardonné, moi je ne pourrai jamais... Jamais. Bien sûr, il y a la maladie, mais elle n'a pas su se satisfaire de ce qu'elle avait. Elle aurait dû, il faut parfois savoir se résoudre, se contenter... »

Jérôme se souvient aussi du médecin attablé dans la cuisine, qui regarde le père, soupire, passe la langue sous sa lèvre inférieure en secouant la tête, puis rédige une ordonnance.

« Ça ne peut pas continuer comme ça. Je ne peux pas lui faire des prescriptions pour des traitements aussi lourds et qu'elle prend quand ça lui chante, Serge. Il faut qu'elle soit encadrée, suivie par des spécialistes.

— C'est hors de question. Elle ne quitte plus la maison, c'est fini tout ça. Tu sais comment ça s'est passé la dernière fois, les conneries qu'ils lui ont mises en tête, l'état dans lequel je l'ai retrouvée. Je t'assure qu'elle est bien mieux ici. Contente-toi de faire son ordonnance, c'est bien pour ça qu'on te paie, non ? »

Le médecin a repoussé la chaise, s'est levé, a posé les yeux sur Jérôme avant de passer une main dans ses cheveux pour les ébouriffer.

« Et toi, qu'est-ce que tu en penses ? Tu es toujours décidé à ne rien dire ? »

Puis, à destination de Serge :

« C'est comme tu voudras, mais tu seras responsable si la situation empire. Et ne te fais pas d'illusion, elle va empirer. »

*

Les bâtiments de la porcherie deviennent une étuve que les nuits ne parviennent pas à rafraîchir. Les porcs ne suent pas et régulent difficilement leur température. Comme il leur est impossible de se rouler dans une bauge, ils halètent péniblement, vautrés dans le lisier, apathiques. Levés à l'aube, les hommes les abreuvent, les aspergent au jet. Ils ouvrent en grand les portes des bâtiments pour qu'un possible courant d'air vienne chasser l'humidité et la puanteur ambiante, mais il leur faut alors se méfier des mouches et des taons qui s'y engouffrent et survolent les enclos en nuées, s'agglutinant à tous les orifices des bêtes. Avant que le jour ne se lève, ils sont contraints de rabattre les portes.

Les fils ratissent et font rouler les étrons hors des caillebotis, repoussent le lisier dans les rigoles d'évacuation. Les enclos répétés sur les deux mille mètres carrés de la porcherie mesurent deux mètres sur trois et hébergent chacun cinq à sept porcs qui chient et se vautrent dans leurs déjections.

Les truies prêtes à mettre bas sont logées dans d'étroites stalles, sur des caillebotis, fermement sanglées pour limiter leurs mouvements et éviter qu'elles n'écrasent leur progéniture. Certaines mettent bas debout, laissant tomber leurs petits comme des fientes sur le sol dur ; d'autres, convulsées par les contractions, parviennent à s'agenouiller et à se coucher sur place, leur seule croupe dépassant alors par mesure d'hygiène.

C'est par là que le mal arrive, ne l'oubliez pas, c'est par là qu'un élevage commence à déconner, par la sphère uro-génitale.

Elles défèquent ainsi sur le bord de l'allée et dans la rigole d'évacuation des monceaux noirs et puants que les hommes doivent récurer le plus souvent possible pour éviter qu'elles ne s'y affalent et ne contractent des infections, ou que les porcelets ne naissent dans les déjections de leur mère, eux qui, au terme d'un long travail de sélection, viennent au monde sans plus de défenses immunitaires, Exempts d'Organismes Pathogènes Spécifiques, donc modifiés – Henri préfère dire : *optimisés* – pour n'être pas porteurs de ces germes naturellement présents chez le porc mais qui, dans l'univers concentrationnaire de la porcherie, seraient susceptibles d'être à l'origine d'une épidémie.

Joël a déjà vu des porcelets se traîner à terre, l'abdomen ou le crâne à demi dévorés par les vers qui ont éclos des œufs que ne cessent jamais de pondre les mouches. Alors, lui et Serge remplissent à tour de bras des brouettées de merde qu'ils déversent dans la gueule insatiable de la fosse à purin et ils passent les truies à la pompe à eau et au désinfectant avant qu'elles expulsent leurs petits, pour les débarrasser des germes qui les souillent continuellement, inévitablement, et souillent leurs mamelles qui contamineront les porcelets à leur tour.

Car tout, dans le monde clos et puant de la porcherie, n'est qu'une immense infection patiemment contenue et contrôlée par les hommes, jusqu'aux carcasses que l'abattoir régurgite dans les supermarchés, même lavées à l'eau de Javel et débitées en tranches roses puis emballées avec du cellophane sur des barquettes de polystyrène d'un blanc immaculé, et qui portent l'invisible souillure de la porcherie, d'infimes traces de merde, les germes et bactéries contre lesquels ils mènent un combat qu'ils savent pourtant perdu d'avance, avec leurs petites armes de guerre : jet à haute pression, Cresyl, désinfectant pour les truies, désinfectant pour les plaies, vermifuges, vaccin contre la grippe, vaccin contre la parvovirose, vaccin contre le syndrome dysgénésique et respiratoire porcin, vaccin contre le circovirus, injections de fer, injections d'antibiotiques, injections de vitamines, injections de minéraux, injections d'hormones de croissance, administration de compléments alimentaires, tout cela pour pallier leurs carences et leurs déficiences volontairement créées de la main de l'homme.

Ils ont modelé les porcs selon leur bon vouloir, ils ont usiné des bêtes débiles, à la croissance extraordinaire, aux carcasses monstrueuses, ne produisant presque plus de graisse mais du muscle. Ils ont fabriqué des êtres énormes et fragiles à la fois, et qui n'ont même pas de vie sinon les cent quatre-vingt-deux jours passés à végéter dans la pénombre de la porcherie, un cœur et des poumons dans le seul but de battre et d'oxygéner leur sang afin de produire toujours plus de viande maigre propre à la consommation.

Joël soulève les brancards de la brouette et déverse les excréments dans la fosse. Par la bonde d'évacuation, des dizaines de milliers de litres de lisier se déversent et se mélangent en soulevant de gros remous. Il essuie son front suant et recule de quelques pas pour ne pas inspirer les émanations toxiques de cette boue noire, les gaz produits par la décomposition des excréments : sulfure d'hydrogène, ammoniac, dioxyde de carbone, méthane.

«Je vous interdis de venir ici sans moi», leur a dit Henri lorsque les pelleteuses ont commencé à creuser le trou à l'arrière des bâtiments flambant neufs de la porcherie.

Puis, quelques semaines plus tard, lorsque le lisier a commencé de se déverser et de remplir la fosse :

«Il suffit de respirer pour perdre conscience. Ça attaque le système nerveux. Ça fait disjoncter là-dedans. Alors, tu t'évanouis, tu tombes, tu te noies. Tu coules tout au fond. Et je la viderai pas pour venir vous repêcher, mettez-vous ça dans le crâne.»

Serge et Joël ont rêvé et rêvent encore de cette noyade, de la fosse prête à les engloutir, d'une descente dans les profondeurs dévorantes et ténébreuses du lisier, impitoyables comme le sont les sables mouvants des histoires d'aventuriers et les eaux du Triangle des Bermudes. Ils tendent les bras vers une surface qu'ils ne peuvent plus distinguer, leurs yeux sont ouverts sur une nuit épaisse. Ils veulent crier à l'aide mais leur bouche et leurs poumons se remplissent de boue putride et ils se réveillent brusquement, accrochés aux draps du lit, cet éternel goût de merde sur la langue.

Près de la fosse, Joël garde toujours l'impression d'un vertige, la sensation diffuse qu'il pourrait y sauter, ou bien que quelqu'un pourrait surgir (mais qui? Henri? Serge?) pour l'y pousser, quand bien même il se trouve seul à l'arrière des bâtiments, comme à cet instant, et il recule encore d'un pas avant d'allumer une cigarette. Puis, il plonge à nouveau dans les miasmes de la porcherie. Il voit ses doigts noirs en portant le filtre à ses lèvres. Il est habitué à cette souillure, aux déjections des bêtes qui le maculent, maculent le tissu bleu de sa combinaison, la peau de ses mains et de ses poignets. D'aussi loin que sa mémoire remonte, il n'en a conçu aucun dégoût. Il peut plonger ses mains dans les excréments des porcs, dans les vulves des truies, dans le ventre déchiré des carcasses. Henri a élevé les fils pour cela, jaugeant leur caractère et leur virilité à leur capacité à endurer la souffrance des bêtes, de façon que Joël n'éprouve désormais rien à ces gestes, à ce contact, sinon de l'indifférence, une insensibilité qui s'est peu à peu étendue à tout le reste, un acide rongeant sûrement ses terminaisons nerveuses.

L'un des premiers souvenirs qu'il garde d'Henri est de le voir jeter des chatons contre le mur du hangar et de voir tomber à ses pieds les dépouilles fendues ou éclatées sur le béton nu, puis les auréoles sur la brique, d'abord rouges, puis brunes, puis noires au fil des jours. De toutes les bêtes, ce sont les chiens et les chats qu'ils répugnent le plus à tuer, mais, dans le monde de la ferme, les femelles mettent bas jusqu'à l'usure, et il appartient aux hommes de décider ce qui, de leur progéniture, survivra. Serge arrache les chiots aux tétines de leurs mères, les déloge des niches, tient leur corps duveteux dans la main gauche et, de la droite, leur dévisse la tête jusqu'au claquement de leurs vertèbres molles accompagné parfois d'un couinement bref, puis il balance les dépouilles dans le bidon de fer noir de suie qui brûle et fume parfois des jours durant dans un coin de cour, expectorant une fumée grasse, empestant l'empyreume de ferrailles cramoisies, de plastiques fondus, d'ordures consumées. Alors que l'aîné n'était âgé que de dix ans et Joël de sept à peine, Henri leur a appris à égorger de jeunes porcs. Il glissait dans leur main d'enfant, qu'il couvrait et enserrait dans sa poigne rêche, le couteau Laguiole dont il ne se dépare jamais et aiguise souvent à l'aide d'un fusil, penché au-dessus de l'évier. Son torse reposait contre leur dos, forçant leur cou à ployer, et il appuyait à l'arrière de leur crâne son menton hérissé d'une barbe dure et noire. Il guidait la main et la lame pour leur montrer comment l'enfoncer dans la gorge de la bête aux pattes et au groin ficelés, puis trancher la carotide :

« Tu enfonces la lame ici, tu tranches proprement, en maintenant ton genou posé sur l'épaule de l'animal. Voilà, comme ça. Suffit d'aller chercher la veine d'un geste souple. »

Le sang écarlate jaillit sur leur main qui ne leur appartient plus et n'est que le prolongement du couteau fondu dans l'avant-bras épais et velu du père, dans son biceps veineux, la paume sèche et implacable à laquelle ils n'ont d'autre choix que de se soumettre. Le jour où Joël manque l'artère, par crainte de la réaction du père, il renfonce à deux reprises la lame dans le cou du porc qui n'en finit plus de hurler et de se débattre. Henri le saisit alors par l'épaule et le tire si fort pour l'écarter de la bête qu'il le projette au sol. Par terre, le porc agité de soubresauts finit de se vider de son sang.

« Regarde-le bien. C'est à cause de toi s'il souffre. »

Tombé à leur pied, le couteau tournoie sur son manche comme une toupie. Henri le ramasse avant d'achever l'animal, puis il se penche pour relever le fils, le soulevant bien plus haut que nécessaire, peut-être pour lui montrer qu'il ne pèse rien, ne vaut rien, laissant sur son poignet la marque de sa main ensanglantée.

Les yeux de Joël sont embués de larmes et il ne peut réprimer un sanglot.

« Arrête ça tout de suite ou je t'en colle une. Ça te fera une bonne raison de pleurer. »

Des années plus tard, lorsque Henri trouve Joël le visage couvert de mousse à raser devant le miroir de la salle de bains, il prend le rasoir que le fils tient à la main et fait glisser la lame sur les joues encore glabres et la lèvre inférieure qu'ombrage à peine un duvet. Le reflet du garçon lui adresse un regard inquiet quand Henri lui relève le menton d'une pression du doigt et passe la lame dans le cou où ne saille pas encore la pomme d'Adam. Il nettoie le rasoir dans la vasque à demi remplie, à la surface de laquelle flottent de petits îlots de mousse, et dit :

« Dis-moi, gamin, tu sais que je te ferai jamais de mal, hein ? »

Cette impassibilité, cette indifférence durement acquise à l'égard des bêtes, n'est cependant jamais parvenue à estomper chez Joël le sentiment d'une aversion confuse, face à laquelle les mots se dérobent, l'impression – la certitude, à mesure qu'il grandissait – d'une anomalie : celle de l'élevage au cœur même d'un dérèglement bien plus vaste et qui échappe à son entendement, quelque chose d'un mécanisme grippé, fou, par essence incontrôlable, et dont le roulement désaxé les broie, débordant sur leurs vies et au-delà de leurs frontières ; la porcherie comme berceau de leur barbarie et de celle du monde.

*

Bien avant que les nouveaux bâtiments de la porcherie ne soient édifiés, il concevait déjà une aversion semblable pour leur lien avec les porcs (d'abord celui d'Henri, bientôt le leur), puis, de façon inextricable, pour leur étrangeté, celle de leur famille, pour le silence longtemps gardé sur l'absence d'Élise et pour le tombeau familial délaissé, avec ses pots de chrysanthèmes fanés, d'un autre temps, mais menaçant avec son espace vide à l'intérieur qui n'attend que d'être rempli par le corps du père qui a fait graver par anticipation son nom (1921-   ) près de celui de la défunte, ou par celui des fils qu'Henri finirait bien par repêcher dans la fosse à purin s'il advenait qu'ils s'y noient.

Avant que les deux garçons ne soient scolarisés et que le modèle d'autres enfances ne leur soit devenu intelligible, ils n'ont pu juger de la singularité, de la bizarrerie de leur famille. Durant près de vingt ans, et jusqu'à l'arrivée de Catherine,

Henri a refusé l'achat d'un téléviseur. Le monde ne leur est parvenu que filtré par le poste de radio qu'il allumait quelquefois, entraperçu par les titres de journaux au bureau de tabac ; lointain, irréel et menaçant.

Remplissez la fiche de renseignements. Nom, prénom, profession du père. Nom, prénom, profession de la mère.

Leur lien avec Éléonore est longtemps resté nimbé de mystère. Elle a été pour eux une mère, mais elle était aussi celle d'Henri, œuvrant dans l'ombre de son fils sans jamais parvenir à contrebalancer son emprise et son autorité par l'affection sèche et empêchée qu'elle leur témoignait. Enfants, les deux frères ne questionnaient pas la solitude du père ni la présence du portrait au noisetier sur la table de nuit, jusqu'à ce qu'Henri surprenne Serge assis au bord de son lit, les yeux baissés sur le cadre.

« C'est elle. C'est votre mère. »

Serge s'est relevé si vite que le portrait lui a glissé des mains et est tombé sur le parquet. Il lève les yeux vers le père qui occupe de toute sa masse l'embrasure de la porte. Henri s'avance vers le lit, se penche pour ramasser le cadre, puis il s'assied sur le matelas avant de tapoter le drap près de lui.

« Viens ici. »

Ils contemplent ensemble la petite image. Henri désigne de l'index l'enfant en culottes courtes qui court derrière le banc.

« Ça, tu vois, c'est toi… Et ça, c'est elle. Tu t'en souviens peut-être. Elle est morte en donnant la vie à ton frère. Je te dis ça pour que tu saches, mais il ne faut pas lui en vouloir. Je veux dire, à Joël. Les choses sont comme ça, petit. La vie est comme ça ; un immense tombereau de merde qui n'en finit pas d'être déversé sur ta tête. Faudra bien t'y faire. Si un jour tu dois reprocher quoi que ce soit à quelqu'un, c'est à moi qu'il faudra le faire, et à personne d'autre. Tu comprends ? »

À sa voix rauque et serrée, Serge devine l'effort qu'il lui en coûte de parler. Il acquiesce timidement.

« Allez, sors de cette chambre maintenant. Et que je t'y reprenne plus. »

Plus tard, les deux frères marchent dans la campagne. Ils ramassent de grandes branches et élèvent une cabane en forme de tipi dans laquelle ils se réfugient le temps d'une averse. Serge crache par terre, puis entreprend de touiller à l'aide d'une brindille son petit crachat spumeux.

« Tu sais, on avait une maman, mais tu l'as tuée. C'est la dame de la photo. Elle est morte à cause de toi, quand t'es né.

— Tu mens, répond Joël sans grande certitude.

— Non. Je mens pas. T'as qu'à lui demander, à *lui*. Il me l'a dit. Je crois même que c'est pour ça qu'il t'aime moins. C'est normal… Moi aussi, je préférerais que tu sois jamais né, et qu'elle soit encore là. »

Les deux frères restent silencieux jusqu'à ce que le ciel purgé s'ouvre à nouveau, embrasant la campagne d'une lumière moite.

« Viens, dit alors Serge, prenant Joël par la main. Je vais te montrer. »

Ils attendent qu'Henri ait quitté la ferme, puis il l'entraîne à l'étage et pose son index sur ses lèvres. Ils entrent dans la chambre à pas feutrés, pour n'être pas entendus d'Éléonore, s'avancent jusqu'à la penderie renfermant les reliques de la mère. Quand ils en ouvrent les portes, quelques mites crayeuses s'envolent dans la pièce, emportant avec elles l'odeur des robes immobiles et moisies sur leurs cintres. Les enfants restent interdits devant ces suaires pathétiques. À droite du meuble, sur la planche de la première étagère, Serge saisit la dépouille d'un papillon qui tombe aussitôt en poussière entre ses doigts.

« Tu vois », dit-il en se tournant vers son frère.

Par un autre après-midi, plus de dix ans après la naissance de Joël, en furetant au grenier, les deux garçons trouvent une boîte en bois de cerisier, rectangulaire, toute bête, sans dorures, sans arabesques, sans même de loquet en argent noirci pour la tenir fermée. Une boîte vulgaire pour renfermer un trésor de paysanne.

Ils sont assis en tailleur dans la poussière et les rais de jour qui sourdent sous les tuiles. Serge ouvre la boîte sur un rembourrage en velours rouge grenat, soutenant deux anneaux en or, dont un surmonté d'une petite pierre, tous deux légèrement déformés, un bracelet au fermoir brisé, trois paires de boucles d'oreilles, puis, posée au-dessus, lisse et roulée sur elle-même, une mèche de longs cheveux que les deux frères observent longtemps avant d'oser la prendre entre leurs doigts et la lever devant leurs visages. Dans la pénombre du grenier, la mèche semble presque lumineuse, décolorée par le temps, l'obscurité et l'oubli, plus blanche encore que ne le sont déjà depuis longtemps les cheveux d'Éléonore.

Sitôt après la mort d'Élise, Henri a délaissé la tombe ; jamais il n'est allé la fleurir, jamais il n'y a mené les fils. Dès lors, les garçons, qui connaissaient pourtant le caveau et s'en tenaient soigneusement à distance, commencent à arracher les mauvaises herbes, à déraciner les plantes ligneuses qui courent autour de la stèle, à racler les lichens qui ont eu le temps de gagner la pierre. Ils n'en parlent jamais à Henri, comme ils n'ont jamais parlé des robes de la penderie, ni de la vulgaire boîte à bijoux.

Durant les années passées sur les bancs des classes de l'école communale, il n'est pas rare qu'au prétexte d'une course au village Henri vienne les épier depuis le grillage à l'heure de la récréation, immobile, les doigts suspendus aux mailles.

« Les amis ça vous servira jamais à rien, y a jamais que sur la famille que vous pourrez compter. »

Depuis toujours, il leur parle de sa méfiance à l'égard du monde. Misanthrope, il se défend d'une quelconque idéologie, méprise les causes politiques, les idées, les pensées. Il s'est toujours méfié de l'Éducation nationale comme de l'Éducation populaire, des seuls principes d'instruction ou de socialisation. Il ne croit en rien, sinon en lui et en la valeur du travail. Il s'est pourtant moqué de la réussite scolaire des fils, estimant que ç'aurait été là la prérogative d'une femme, d'une mère, et que savoir lire, écrire et compter leur suffirait amplement. Dès que les fils ont atteint l'âge de seize ans, il les a d'ailleurs déscolarisés afin qu'ils puissent se consacrer à temps plein aux travaux de la ferme.

« Ici, au moins, pour peu qu'on fasse sa part du boulot, on est son propre patron, on a la fierté du travail bien fait et on graisse la patte à personne. Et puis, on forme une famille. Un clan. »

*

Un matin du mois de juillet, après avoir laissé Joël à la porcherie et tandis qu'Henri s'en est allé inspecter les Plaines, ainsi qu'ils désignent leurs terres de culture, Serge regagne la maison, se déchausse et entre dans la cuisine. Il ouvre le placard, saisit la bouteille de Johnnie Walker, la débouche et avale une lampée au goulot avant de dévisser sa flasque et de la remplir au-dessus de l'évier. Une goutte a coulé sur la tranche ; il l'essuie d'un coup de langue et range la bouteille de whisky à l'instant où Gabrielle passe le seuil de la pièce. Il sent aussitôt sa présence hostile, lourde de crainte et de reproche tandis qu'il lave ses mains dans l'évier.

« Tu me demandes pas comment elle va ? »

Serge lui tourne le dos et frotte ses ongles à l'aide d'une vieille brosse à dents. Une eau grise et savonneuse tourne dans le fond du bac et disparaît dans la bonde. Il ne répond pas à la question de sa belle-sœur et elle reste silencieuse un moment.

Serge ferme l'arrivée d'eau, saisit un torchon et essuie méticuleusement ses mains.

« Il va falloir l'hospitaliser à nouveau, dit Gabrielle.

— Tu sais ce que j'en pense. Tu sais ce qu'elle en pense.

— Elle est pas en état de penser quoi que ce soit. Je dois la traîner hors de son lit, elle est assommée par ses traitements. »

Serge pose le torchon, se tourne vers sa belle-sœur. L'alcool chauffe sa trachée et son estomac. Gabrielle saisit nerveusement une boîte de café moulu et prépare une cafetière.

« Je croyais que les choses étaient claires, Gaby. Quand le père des jumeaux s'est tiré et que t'es venue habiter ici, c'était à la condition de t'occuper d'elle et des enfants. C'était ça, la contrepartie, et ça arrangeait tout le monde, toi la première. J'ai pas à vous nourrir et à vous loger par charité. J'ai bien assez à faire avec la porcherie. Je pensais qu'on était d'accord.

— Je suis pas à ta charge, et mes fils non plus. J'ai mes heures de ménage.

— Me prends pas pour un con, c'est tout ce que je te demande. Cathy ne retournera pas à l'hôpital.

— Il faut qu'elle voie quelqu'un…

— Mais elle voit un médecin, bon sang ! Si tu veux pas t'occuper d'elle, très bien, on saura faire sans toi, mais dans ce cas tu prends tes affaires, tes fils, et tu te casses. »

Gabrielle se tait, blême, tremblante. La petite cuillère a heurté la cafetière et le café est tombé sur la paillasse. Elle le redoute, il le sait. Elle pousse le café dans la paume de sa main et il regarde son profil pâle. Elle lui rappelle parfois Catherine avant la maladie, Catherine jeune, excessive et sensuelle. Serge s'avance et saisit les épaules de Gabrielle entre ses mains. Il presse son torse contre son dos. Elle tressaille, le souffle court. Il dit :

« Écoute, te fais pas trop de souci, tu sais bien que ce sont des crises ; elle se relèvera de celle-là aussi, comme des précédentes. Il faut juste attendre et faire de notre mieux. Il faut que tout le monde y mette du sien. »

Serge ferme les yeux, baisse le visage dans le cou de sa belle-sœur et respire sa peau, dans l'espoir d'y retrouver l'odeur de Catherine, non celle d'aujourd'hui, maladive et médicamenteuse, mais celle d'autrefois, suave, enivrante. Il glisse les mains sur ses bras puis empoigne sa poitrine, presse ses seins contre ses paumes.

Gabrielle se dégage d'un brusque mouvement de l'épaule, puis contourne la table pour l'interposer entre elle et lui.

« Tu pues l'alcool à plein nez... Si elle te voyait faire...

— Et alors, quoi ? Tu crois qu'elle s'est privée, elle ?

— Tais-toi, s'il te plaît. Tais-toi. »

Il lit sur son visage le dégoût qu'il lui inspire ; celui-là même qu'il inspire à Catherine. Il acquiesce, submergé par une bouffée de colère, puis quitte la maison sans attendre.

Serge s'avance vers le portail, détache le cadenas qui en retient les battants fermés et, comme la chaîne lui résiste, assène un violent coup de pied dans l'armature. Il s'éloigne sur le chemin vicinal, puis le long de la route départementale, des champs vallonnés au milieu desquels claquent les arroseurs, pareils à des carcasses d'animaux fabuleux et anté-diluviens. D'ici, l'élevage ne se dévoile que par l'aperçu soudain d'un bâtiment de briques grises, comme enlisé dans les terres, ajouré d'étroites fenêtres semblables à des soupiraux, qui ne laissent en vérité filtrer qu'une lueur bistre et ténue car l'avancée du toit, la poussière et le suint de la porche-rie les obstruent. Les muscles des maxillaires saillent convulsivement aux mâchoires de Serge. Son pouls infuse la rage sécrétée par quelque glande enfouie et souveraine, enserre sa gorge et vibre en flux tendu dans ses coudes et ses phalanges.

Il s'arrête un instant, débouche la flasque et boit avidement. Il s'assène une gifle, puis une autre, le poing fermé. Il maugrée des bribes de phrases à voix haute. Perchées sur des câbles à haute ten-sion, des pies silencieuses le regardent passer. Une buse solitaire plane sur les cultures, étendant son ombre comme une caresse. Bientôt, les Plaines se découvrent dans l'air vibrant de chaleur, vastes étendues de blé mûr et cuivré, odoriférantes, puis de maïs d'un vert clair, aux inflorescences soyeuses. Au loin, une moissonneuse-batteuse fait entendre son ronronnement. Un nuage de pous-sière jaune s'élève par-delà leurs terres. Dans quelques jours, il leur faudra moissonner à leur tour, puis ensiler le grain.

Serge pense à Catherine. Les enfants sont le seul lien qui subsiste entre eux aujourd'hui. Julie-Marie, la fillette qui l'adulait autrefois, devenue cette adolescente diaphane et fuyante ; puis Jérôme, qu'il a fallu apprendre à aimer comme un fils, bien que le garçon continue de lui inspirer, à son corps défendant, ce même sentiment de honte que soulève l'odeur des porcs lorsqu'elle surgit à sa conscience, et contre lequel il lutte depuis plus de dix ans.

Dès que l'occasion lui est donnée, Jérôme recherche la présence des bêtes plutôt que celle du père. Il reste dans son sillage à observer ses gestes, à flatter le flanc et le groin des porcs par-dessus les barrières des enclos, pourtant retranché dans son éternel silence. Lorsqu'il se retrouve seul avec l'enfant, Serge ne ressent aucun malaise, aucune gêne. Il apprécie la présence furtive du garçon attentif aux travaux qu'ils effectuent ensemble. Il n'est pas dérangé par son mutisme qui lui semble même respectable, soit-il une résistance à leur encontre, une défiance. Les médecins chez lesquels ils l'ont d'abord mené n'ont jamais diagnostiqué d'incapacité physique, de malformation qui justifie-rait une aphasie, et ont fini par imputer le mutisme du garçon à une forme d'autisme. Après quatre années passées en classe de maternelle à l'école municipale de Puy-Larroque, devant le désarroi des instituteurs et l'aggravation des troubles de Jérôme, Serge et Catherine, encouragés par Henri, ont choisi de le déscolariser. Dès lors, l'enfant a grandi en investissant une dimension parallèle à la leur, ne rejoignant que par moments leur réalité.

L'étrangeté de son fils le touche, sa façon de se dérober à ses ordres, de n'accepter que les propositions. Serge lui tend une ration de grain à verser dans l'auge d'une truie, et Jérôme regarde le visage du père, le seau tendu, pour pareillement le saisir ou s'en détourner. Il est le seul à ne pas trembler devant lui, à ne jamais se soumettre à son autorité ou à celle, suprême, d'Henri, mais à y opposer une constante apathie. Quand Serge et Jérôme se retrouvent seul à seul dans l'enceinte de la porcherie, il semble au père retrouver quelque chose d'une union originelle qui le liait à l'enfant lorsqu'il le tenait nouveau-né dans ses bras. Mais ces instants sont rares et, lorsque Henri se trouve dans les parages, Serge sent poindre malgré lui l'indicible morsure de la gêne, ravageant la complicité qu'il croyait avoir instaurée avec le garçon. Ses gestes se font à nouveau impatients, son ton cassant, il suppose et devance l'agacement d'Henri, cette ombre que sa seule présence fait immanquablement planer sur eux et que les deux frères ont appris à redouter, à prévoir, à esquiver ; il accable soudain Jérôme de reproches, de sommations inutiles, *ne touche pas à ça, dégage, pousse-toi d'ici, sors-toi de mon chemin,* puis le chasse enfin, moins pour se débarrasser de l'enfant que pour apaiser l'exaspération pressentie du patriarche.

Henri ne manifeste aucune sensibilité, aucune affection à l'égard de son petit-fils, pas plus qu'il ne montre d'empathie à l'endroit de Catherine. La maladie, quelle qu'elle soit, est pour lui une faiblesse, une complaisance, et la singularité de Jérôme une tare. S'il n'accuse pas ouvertement sa bru de conspirer contre eux, s'il ne désapprouve pas l'entêtement de son fils à la laisser recluse derrière la porte de la chambre dont elle lui fait l'affront de lui refuser depuis longtemps l'accès, le contraignant à dormir sur le canapé, à la vue et au su de tous, ses silences en disent long sur son mépris, sa désapprobation et sa conviction de mener à lui seul une lutte acharnée pour la bonne marche de l'élevage.

Quand je pense que j'aurai passé toute cette chienne de vie à trimer et à me saigner pour une bande d'ingrats.

Serge voudrait lui dire qu'il n'a que faire de ses jugements, lui dénier le droit de condamner Catherine, Jérôme, ses propres choix ou ceux de Joël, mais il ne le fait pas et, quand bien même il oserait défier l'autorité du patriarche, il mentirait, puisque rien ne lui importe plus en réalité que son approbation et qu'il ne saurait se libérer du joug sous lequel Joël et lui ont été placés, auquel ils se sont soumis avec tant d'opiniâtreté pour se dérober à la colère et au désaveu du père.

Ils ont grandi dans la peur et le désir de le satisfaire, d'être à la hauteur des espoirs fondés pour eux au commencement. Si Joël s'y est lentement dérobé, acceptant peu à peu, en contrepoint, les sarcasmes comme les humiliations, se laissant glisser dans une servitude flegmatique et malléable, Serge n'est jamais parvenu à s'émanciper de l'emprise d'Henri. Le souhaite-t-il d'ailleurs intimement ? Il est le parfait produit, la réussite assumée de son éducation et de son héritage, ce que se doivent d'être les fils : une fidèle déclinaison de leur père. Peut-être les choses auraient-elles été différentes sans la mort d'Élise...

Comme il continue de longer le champ, Serge voit maintenant Henri de loin, le dos tourné, raide au bord du fossé dominant les Plaines. Il ralentit le pas, reste un instant dans l'ombre d'un chêne, et se demande alors ce qu'il adviendrait si le père disparaissait simplement, englouti par cette terre qu'il leur préfère, ou bien dévoré par ses porcs, enseveli par la porcherie. Henri tourne dans sa direction un visage défait, le voit et lui adresse un signe de la main. Serge s'approche et reste bouche bée à contempler les assolements courbes et géométriques de seigle et de maïs qui s'étendent devant eux vers le nord, au-dessus desquels les arroseurs suspendent des orbes et des arcs-en-ciel. Le père et le fils n'ont jamais rien vu de semblable : il semble qu'une harde a traversé la parcelle de maïs. Les lignes de plants ont été soulevées, la terre ouverte sur près de cinquante centimètres de profondeur, les mottes repoussées de façon méthodique, les pieds de maïs fauchés et les racines mises à nu.

« C'est lui », dit Henri.

Serge regarde son profil et remarque son visage rubicond, dégoulinant de transpiration, le col de sa chemise trempé par la sueur qui s'écoule dans son cou. Il emboîte le pas du père lorsque celui-ci s'avance entre les sillons. Henri ramasse un épi déterré, puis s'accroupit devant une empreinte près de laquelle il pose sa grosse main rouge, ses doigts épais, étalés sur la terre humide et chaude.

« C'est lui », répète-t-il d'une voix tremblante en se redressant.

Lorsqu'il se tourne vers lui, Serge voit l'excitation qui anime son regard sombre, à la pupille étrangement dilatée.

« Il doit pas être bien loin. Prends deux clébards avec toi et va prévenir ton frère.

— Est-ce que t'es sûr que tout va bien ? demande Serge.

— C'est quoi, cette question ? » répond Henri en crachant le filtre de cigarette qu'il gardait au coin des lèvres, puis en s'essuyant le visage à pleine main. « C'est rien, juste cette chaleur de gueux… Va, on a pas de temps à perdre. Je te rejoins. »

L'effondrement

(1981)

Joël écrase sa cigarette dans l'un des bidons remplis de sable qui font office de cendriers, à l'arrière des bâtiments. Malgré le système de ventilation, la chaleur à l'intérieur de la porcherie est déjà éprouvante. Il boit au tuyau d'arrivée d'eau et se passe la tête et le visage sous l'eau avant de retourner au nettoyage des enclos.

Il lui arrive de se demander si la porcherie a enfanté leur monstruosité, ou si ce sont eux qui ont donné naissance à celle de la porcherie. Cette viande de porc qu'ils ingèrent eux aussi depuis toujours, plus par économie que par goût, et dont leurs congélateurs débordent, Joël ne l'a jamais aimée – *tu ne sors pas de table tant que t'as pas terminé ton assiette, tiens, je t'en remets une louche, il faut manger si tu veux devenir un homme et pas rester une demi-portion comme t'es* –, tandis que Serge a toujours mis un point d'honneur à la dévorer, à lécher le fond de l'assiette, à ronger les os, à aspirer le jus, à quémander une deuxième ration pour satisfaire leur père, et sans doute est-ce ici, à cet instant de l'enfance, que leur différence s'est affirmée : dans cette obstination de l'un à engloutir la viande des porcs, à assimiler littéralement leur condition et l'existence de la porcherie, et cette réticence de l'autre, cette répulsion viscérale, primitive, à l'idée de n'être qu'un rouage mâchant, digérant la chair que l'élevage déverse dans leurs bouches grandes ouvertes, fières, reconnaissantes, rassasiées, puis mâchant, digérant, chiant cette chair qui sera de nouveau épandue sur la terre grasse des Plaines (avec les boues savamment transformées par la station d'épuration municipale, mélangées au lisier des bêtes contaminé par les produits qu'ils leur injectent et leur font ingérer, puis qu'eux-mêmes ingèrent à la suite des bêtes) pour servir d'engrais aux céréales qu'ils font pousser et donnent à manger aux porcs, créant ainsi un cercle vertueux ou infernal dans lequel la merde et la viande ne sont plus dissociables.

Joël tire la brouette dans le bâtiment de la maternité, à l'intérieur duquel les truies allaitent, allongées sur les caillebotis, entravées par des sangles de contention et des barreaux de métal. Les porcelets se pressent en couinant contre leurs mamelles ou somnolent les uns contre les autres, tremblotant dans un coin de stalle. Ils les isolent et les encagent pour éviter qu'elles n'écrasent leurs petits sous leur poids, par gain de place, car il faudrait pour chacune un enclos spacieux afin qu'elles puissent s'étendre et allaiter leurs portées sans risque. Les bandes de reproductrices forment des lignes de chairs rougies par les lampes chauffantes, écrasées par le métal des grilles, incapables de se retourner, réduites à se lever puis à s'allonger indéfiniment pour offrir leurs tétines aux porcelets, à manger, déféquer, puis dormir.

À quoi peuvent-ils bien rêver : à des néons, à des scalpels, à des coups de battoirs, à des cris ?

Joël reprend le nettoyage des allées, plonge la tranche de la pelle dans les crottins, charge la brouette, frotte le béton d'un coup de balai-brosse, mais ses gestes sont machinaux et il n'est plus dans la porcherie, mais roule sur son Caballero TX 96 le long de la départementale, laissant la ferme derrière lui. Le ciel déchiré de la fin d'après-midi flamboie et forme de grandes enclaves lumineuses sur les vallons de terre. Joël porte son casque au pli du coude et l'air qu'il fend fait couler des larmes de ses yeux à ses tempes. De petits insectes se prennent aux poils roux de sa barbe. Il sent l'excitation, la peur qui lui serre le ventre et le fait saliver, ses testicules serrés et presque douloureux sous le tissu de ses jeans, écrasés contre le cuir de la selle et prêts à lui remonter dans le bide comme lorsqu'ils castrent les porcelets – *tu incises d'un coup de lame, deux, trois centimètres, pas plus, tu presses pour sortir la couille, tu l'attrapes, le doigt en crochet, oui, comme ça, tu la crochètes et tu la tires au-dehors* –, avec cette inquiétude ficelée au corps que le scalpel pourrait glisser, l'instrument leur échapper des mains et venir se planter dans leurs bourses.

Puis, tu tranches le cordon, et rebelote de l'autre côté.

Il ne sait plus qui il est, du prédateur ou de la proie, il ne dissocie plus la peur de l'excitation qui se confondent et forment une seule et même sensation anesthésiant l'esprit, faisant le souffle court et le cœur fiévreux comme sont courts et fiévreux le souffle et le cœur des verrats lorsqu'ils les mènent aux truies pour la détection des chaleurs, que les mâles reniflent la vulve des femelles, y enfoncent leur groin, mordent les croupes (eux-mêmes, les hommes, palpant les truies, jaugeant la couleur des vulves à l'aune d'un nuancier semblable à celui qu'ils utiliseraient pour choisir la couleur d'une tapisserie, pesant sur elles de tout leur poids pour s'assurer qu'elles restent immobiles et prêtes à s'offrir à eux), puis, lorsque les mâles les saillent dans une stalle ou une allée, Joël, Henri, Serge poussant le verrat afin de l'aider à escalader le corps énorme de la femelle, s'allongeant à demi sur son dos pour saisir d'une main la verge qui éjacule déjà et l'amener au sexe de la truie, comme si c'étaient eux qui s'accouplaient aux bêtes femelles en lieu et place du verrat, en même temps que – *y a rien qui me débecte plus que la saillie, bientôt on leur enfournera une seringue de foutre et y aura plus besoin d'y tremper les doigts* – le verrat, puis l'odeur, l'odeur écœurante de ces sexes animaux qui subsiste sur leurs mains bien après qu'ils les ont brossées et savonnées, l'odeur de ces sexes animaux dont ils en viennent à se demander s'il ne s'agit pas en vérité des leurs, de leurs queues s'enfonçant dans des chairs chaudes, velues, souillées de merde, l'odeur de ces fluides répandus...

Cette idée surgit par instants, fulgurante, et Joël la chasse, nauséeux, tandis que la route départementale défile, les fossés vert-de-gris comme dissous par la vitesse, et qu'il remplit consciencieusement la brouette dans le bâtiment de la maternité. Car il ne roule pas sur son Caballero, il ne sent pas la pluie sur son visage ni ses yeux couler jusqu'à ses tempes, pas plus que les fourmillements que l'excitation et l'appréhension font parfois vibrer jusque dans ses mains. Il est dans l'un des bâtiments de la porcherie, au milieu du bétail, à racler le béton, et peu importe qu'il désire être partout ailleurs sauf ici. C'est à la porcherie qu'il appartient, et non aux inconnus qui posent leurs mains sur lui à l'arrière d'Abribus tagués d'insanités analphabètes à la poésie terrible et lancinante, ou dans les toilettes d'aires de repos le long des routes nationales, c'est aux porcs qu'il revient, à leurs peaux pâles, à leurs yeux délavés par la pénombre.

Ils ressemblent à de grosses bêtes cavernicoles, à des taupes géantes et nues qui se mouvraient dans les alluvions au fond d'une grotte. Les truies mettent bas trois mois, trois semaines et trois jours après la saillie qu'ils ont soigneusement consignée sur le planning du cheptel (date – numéro d'identification du verrat – numéro d'identification de la truie – nombre de saillies réalisées : une, deux, trois, quatre, cinq, six – effectifs de porcelets mort-nés et de porcelets vivants) et, lorsque les porcelets sont expulsés de la matrice, les hommes retirent les placentas pour ne pas que les mouches y pondent, que des germes s'y développent et contaminent l'élevage. L'extrême prolificité des truies, elle aussi obtenue par la sélection et le croisement des races, entraîne la production de fœtus « parcheminés » ou momifiés. Morts dans l'utérus, ils se sont asséchés, calcifiés, et naissent durs comme du cuir. Au moment de la mise-bas, les hommes lubrifient leur avant-bras avant de l'enfoncer à demi dans la vulve des truies et les fouillent pour s'assurer qu'un porcelet mort n'obstrue pas le canal pelvien. Naissent aussi les faux mort-nés, les « hors normes », ceux qu'ils achèvent en leur tordant le cou ou en les fracassant contre le béton parce qu'ils sont malingres ou mal formés.

Ça grouille de vers en moins de deux, c'est un véritable nid à infections, vous devez toujours garder à l'esprit que si la propreté n'est pas respectée, l'impact sur la productivité est immédiat.

Henri n'a de cesse qu'il leur rebatte les oreilles de l'hygiène, de la propreté, de la peur et des maladies, des innombrables épidémies couvées dont l'ombre plane sur l'élevage comme une épée de Damoclès, des microbes et des bactéries prêts à lever contre eux une plaie d'Égypte…

Bien sûr, ils ne parviendront jamais à faire de la porcherie – *c'est un véritable biotope, un écosystème en soi, qu'un rien peut foutre en l'air* – un lieu aseptisé, mais il leur faut la maintenir au-dessous d'un seuil invisible, dont seul atteste le taux de fertilité des truies.

Que dirait-il, alors, le père, s'il le savait errer à la recherche des hommes, de leurs caresses, de leurs haleines étranges, de leurs sexes pareils, dans des crépuscules indifféremment tristes ou flamboyants, sous des cieux de métal et toujours au soir des journées de travail, cherchant à se purger de ce désir dont le patriarche lui a dénié le droit, à dissiper un peu son abrutissement, l'hébétude dans laquelle le plonge l'élevage, à se sentir en vie, même un instant bref et factice ; que dirait-il, le père, s'il le voyait marcher parmi les silhouettes anxieuses et prédatrices des inconnus qui s'observent, se jaugent, s'empoignent dans la puanteur de pisso-tières ?

En concevrait-il du dégoût ? Aurait-il, comme son fils, la peur chevillée au corps ? En concevrait-il une excitation inconnue de lui ? Le préviendrait-il des virus comme il se préoccupe de ceux, innombrables, qui menacent les truies du bâtiment maternité ? Redouterait-il que la sphère uro-génitale de son ben-jamin soit elle aussi affectée par quelque germe, quelque affection vénérienne, quelque chtouille purulente, ou bien le répudierait-il définitivement, le menant aux grilles du portail, aux confins de leurs terres, des Plaines, avant de lui signifier de ne jamais plus en franchir la limite ? Toujours, cette crainte du dédain dans la voix du père, et ce sentiment de n'être qu'un petit garçon à la culotte sale, sans cesse ramené à sa position de fils, de fils illégitime ; jamais le sentiment qu'Henri s'adresse à lui d'homme à homme…

Trois mois, trois semaines, et trois jours.

Les truies mettent bas, et les porcelets leur sont alors laissés durant trente jours avant de leur être retirés pour procéder au sevrage.

Il faut une moyenne de neuf porcelets par truie et par portée, et deux portées et demie par an pour que l'élevage soit rentable. Tu verras, dans dix, quinze ans, on sera facile à quinze porcelets par portée.

La femelle est déplacée dans un groupe de truies inconnues. L'eau et la nourriture ne leur sont plus dispensées que modérément et de manière imprévisible afin d'accentuer l'anxiété générée par la séparation d'avec les porcelets et le confinement dans un bloc. Les truies cherchent confusément à établir une hiérarchie. Elles se battent, se repoussent, se mordent. Elles s'infligent des plaies, des hématomes et des griffures qui ne tardent pas à couvrir leurs flancs et leurs croupes. Enfin, le stress est tel que les poussées hormonales déclenchent prématurément de nouvelles chaleurs. Les hommes les conduisent de nouveau à la saillie, puis en gestation, puis en maternité, et le cycle est ainsi répété cinq à six fois avant qu'elles soient envoyées à l'abattoir ou à l'équarrissage pour les plus délabrées d'entre elles, celles que les portées successives ont essorées, celles qui souffrent d'œdèmes, de mammites purulentes, de descente d'organes, ou celles qui se sont brisé une patte entre les barreaux de leur cage de contention.

*

Serge monte dans le Lada Niva, allume le contact et approche le véhicule du hangar en marche arrière, négociant avec les carcasses rouillées de voitures aux moteurs désossés, les machines à laver aux tambours désaxés, les bicyclettes d'enfant ensevelies par les herbes et les brouettes qui pourrissent. Les chiens bondissent lorsqu'ils voient approcher le 4 × 4. Serge tâtonne ses poches à la recherche de sa flasque, en vide une dernière gorgée, la tête rejetée en arrière, puis la balance sur le siège passager.

Il pense au champ des Plaines, à l'empreinte du pied qu'il ne parvient pourtant plus à visualiser car c'est la main de son père qui lui revient maintenant à l'esprit, posée à plat sur le sol, sa large main, aux ongles longs et noirs comme s'il voulait conserver avec lui en toutes circonstances un peu de cette terre nourricière et la preuve de son labeur ainsi rappelée à la vue des fils – *quand je pense à tous les sacrifices…* –, cette main aux doigts épais, aux articulations peaussues et grises, au dos tavelé, et dans laquelle disparaissait leur main d'enfant lorsqu'il les guidait pour les travaux de la ferme.

Regarde-le bien. C'est à cause de toi s'il souffre.

Ne leur a-t-il pas cependant donné tout ce qui est nécessaire à l'honneur et à la survie d'un homme : le courage, la force de caractère, la téna-cité, la discipline ? Bien sûr, il n'a pas toujours été juste, mais quel parent l'est, quel père, quelle mère, quel adulte saurait incarner la justice aux yeux d'un enfant et ne jamais faillir ? Serge lui-même a failli. Serge lui-même s'est montré tour à tour lâche, arbitraire, malhonnête et indigne face à Julie-Marie, face à Jérôme ; de quel droit alors blâmerait-il Henri (mais n'est-ce pas déjà ce qu'il fait, focalisant sa mémoire sur ses travers, le sou-venir de ces instants détestables, *arrête ça où je t'en mets une, ça te fera une bonne raison de pleurer,* comme s'il n'y avait jamais eu que cela à retenir), et de quel droit lui reprocherait-il de n'avoir pas su se montrer à la hauteur des attentes qu'il a pu fonder sur un père condamné à la solitude, à élever seul ses enfants ?

A-t-il d'ailleurs la certitude d'avoir jamais vécu ce moment devant la soue de l'ancienne porcherie ? A-t-il la conviction intime d'avoir vu Joël trembler sous la menace du père, les yeux gonflés de larmes et sa petite main couverte par le sang d'un jeune porc que le patriarche l'avait contraint à égorger ? Que reste-t-il aujourd'hui qui puisse constituer la preuve irréfutable que cette scène ait eu lieu, comme tous les autres instants d'ailleurs, sinon des souvenirs épars et fragiles, tous prêts à voler en éclats et sans doute mystifiés par le temps ? Rien ne l'assure d'avoir vécu quoi que ce soit, et il faudrait tirer un trait sur l'enfance, tout effacer, rayer son territoire de la carte, mais voilà qu'elle revient à la charge, bien décidée à en découdre, et resurgit quand il ne l'attend pas, comme La Bête dans le champ des Plaines…

Serge descend de voiture, claque la portière, contourne le Lada Niva et ouvre le coffre. Il marche vers le chenil et passe les chiens en revue, choisit deux des braques et les fait monter à l'arrière du 4 × 4 dont il laisse le coffre ouvert. Il traverse la cour en direction de la maison lorsque Julie-Marie sort sur le perron. Elle ne porte plus de brassière sous son débardeur blanc et le léger rebond de ses seins est visible par l'échancrure.

« Où tu vas ? demande Serge d'un ton mauvais.

— Faire un tour…

— De bon matin, comme ça ? C'est quoi, cette nouvelle habitude de passer tes journées à traîner dehors ?

— J'ai rien à faire, ici…

— Comment ça, t'as rien à faire ? Tu t'es occupée de ta mère ? »

Un air d'exaspération passe sur son visage. Serge a l'alcool mauvais, susceptible, et ne l'ignore pas, mais Julie-Marie lui manifeste depuis quelque temps une hostilité à peine masquée, qu'il ne peut se résoudre à mettre sur le seul compte de l'adolescence. Elle était autrefois une enfant secrète et mélancolique, mais qui lui témoignait une affection constante, pétrie de crainte et d'adoration. Est-ce maintenant du reproche dans ces yeux noirs, aux bords desquels subsiste une ombre d'eye-liner mal démaquillée ?

Doit-il lui signifier qu'il n'est pas dupe de ses sournoiseries, plutôt que de la laisser l'accuser, même tacitement, d'être responsable de la maladie de Catherine, du moins de son incapacité à lui venir en aide et de se décharger sur elle ou sur Gabrielle des soins qu'elles lui dispensent ; d'être tombé en disgrâce, d'avoir été banni à tort ou à raison par son épouse et de subir son ostracisme sans jamais protester ? Peut-être Gaby monte-t-elle sa fille contre lui, reprochant dans son dos qu'il laisse dépérir Catherine et refuse son hospitalisation par peur qu'elle lui échappe, ou pour chercher à maintenir son emprise sur eux tous ?

Il hésite parfois à lui parler de cette clinique dans laquelle elle croupissait, vautrée dans un fauteuil au milieu des débiles, des fous, des parias, de ceux qui ne reviennent jamais plus, et dont il a fallu l'arracher, dont Catherine elle-même l'a supplié de l'enlever ; lui parler de la main pathétique qui serrait alors son bras, de sa voix étrangement grave et pénible, de la salive blanche qui moussait et coagulait à la commissure de ses lèvres, ou encore du bracelet de plastique portant son nom et un numéro de dossier, pareil à celui d'un cadavre à la morgue ou à la médaille d'un chien errant.

« Comment tu la trouves en ce moment ? demande-t-il.

— Je sais pas… Comme d'habitude… Pas mieux, je veux dire.

— Ah, répond Serge. Ne te fais pas trop de bile. Tu sais comment ça se passe… Je suis sûr qu'elle va aller mieux, maintenant.

— Oui », répond Julie-Marie.

Elle déporte le visage quand il lui parle et Serge comprend qu'elle fuit son haleine empuantie par l'alcool, comme elle fuit aussi son regard, fixant résolument le sol à ses pieds, fouillant la terre de la cour de la pointe usée de ses claquettes. Il est alors dévasté par la certitude de son échec, de sa totale inanité. Julie-Marie lui est arrachée par quelque force supérieure, emportée si loin et si vite dans l'espace qui les sépare, quelques mètres à peine, mais dilatés pour devenir une immensité, la cour pareille à un univers en expansion, et qui l'emporte sans qu'il ait le temps d'esquisser un geste pour la retenir. Elle lève brièvement les yeux vers lui, comme une supplique pour qu'il la laisse maintenant s'en aller.

« Bon, bégaie Serge, sois prudente... j'aime pas... j'aime pas te savoir rôder... »

Julie-Marie s'écarte aussitôt de lui, d'un pas trop rapide, et il la regarde gagner le portail de la ferme avant de passer le seuil de la maison. Il entre dans la cuisine et s'empresse de sortir la bouteille de whisky, vide elle aussi, la jette dans l'évier avant d'abattre son poing sur la paillasse en jurant. Il fouille les autres placards, délogeant les bouteilles d'huile, de vinaigre, les briques de lait, jusqu'à mettre la main sur une bouteille de Pastis. Jamais il n'a vu le père boire une goutte d'alcool, au prétexte que son propre paternel, qui semblait être par ailleurs un fameux salopard, aurait eu la main lourde... Rapport à de sales blessures de guerre, croit savoir Serge, mais Henri comme Éléonore ont toujours été évasifs à ce sujet, taiseux sur leur passé commun, leur propre histoire, comme si tout souvenir évoqué n'était jamais qu'une lame retournée dans la plaie béante de leur mémoire. Serge saisit un verre qu'il remplit aux trois quarts de Pastis, le dilue tout juste d'un filet d'eau sous le robinet de l'évier, puis le vide d'un trait. Il regarde un moment, à travers la fenêtre, la cour écrasée de soleil, chauffée à blanc. Il écoute le silence de la maison, devine la présence spectrale de Catherine, allongée à l'étage. Dort-elle ? Guette-t-elle, elle aussi, ses gestes ? Les mots que Serge et Julie-Marie ont échangés sur le seuil lui sont-ils parvenus ? Ne devrait-il pas essayer d'aller frapper encore à sa porte, pour la forcer à lui parler, à reconnaître son existence ? À l'image de cette baraque, leur couple – s'ils en ont jamais formé un – n'est plus qu'une ruine. Serge a pourtant tout accepté d'elle : les crises, les doléances et les procès d'intention, les mesquineries, les trahisons, même impardonnables. Le craquement de l'escalier le fait se retourner brusquement. Une main posée sur la rampe, Jérôme se tient au pied des marches et l'observe. Ni le père ni le fils n'esquissent un geste. Jérôme et son regard insoutenable, son visage lisse et pâle, tout auréolé d'une tignasse rouge comme un feu de broussaille, Jérôme et son silence étourdissant. Comme Serge aurait aimé lui épargner tout cela… Il marche d'un pas lourd et incertain en direction du fils, semble hésiter à dire quelque chose, puis soupire, se détourne, et plonge à nouveau dans la chaleur de la cour.

*

Joël contrôle les enclos de femelles gestantes lorsqu'il repère, au milieu d'un groupe, les restes de porcelets informes, étalés sur le sol, et que les truies reniflent avec inquiétude. En réaction à un vaccin ou à un stress, il arrive qu'une cochette fasse une fausse couche. Les hommes ont alors pour consigne de se débarrasser des cadavres et de noter l'incident. Pour une truie qui n'en est plus à sa première portée, comme c'est le cas pour celles qui composent la bande que Joël inspecte, l'événement est cependant plus rare.

Une truie qui avorte, c'est le symptôme d'un dysfonctionnement, un rouage défaillant, et y a toujours une cause, s'agit juste de la trouver.

Joël tire le verrou et pénètre dans le bloc. Le groupe fuit à l'autre extrémité, se détachant d'une truie qui se relève difficilement avant de le rejoindre pour se fondre dans la masse. Un liquide blanchâtre, purulent, s'écoule de sa vulve, le long de sa cuisse, et forme sur le béton une grande flaque au milieu de laquelle gisent les avortons, pareils à de petits sacs de peau, roses et sanguinolents, dotés d'une esquisse de pattes, certains encore enfermés dans la poche placentaire comme – *des sexes bandants mous dans des préservatifs en latex* – des choses indistinctes, ni humaines ni animales. Joël saisit à mains nues les porcelets aussi flasques et chauds que des morceaux de tripes, dont les os sont encore souples, puis il les jette dans le seau avant de quitter l'enclos. Dans le suivant, les truies semblent aussi nerveuses : sans doute ont-elles flairé la fausse couche de l'une des leurs.

Il pense : quand bien même Henri le bannirait de la ferme et de la famille, ne serait-ce pas la meilleure des fins possibles, une délivrance ? Depuis toutes ces années, n'a-t-il pas fait tout ce qui était en son pouvoir pour prouver au père son désintérêt pour l'élevage ? Ce n'est pourtant pas qu'il l'ait voulu… Il n'a pas su faire autrement. Dès lors qu'il prend le chemin de la porcherie, une force d'inertie l'accable. La mésestime du père est peut-être légitime ; Joël ne s'est jamais montré bon à rien et aurait certainement été incapable de mener une autre existence, loin de sa tutelle.

Joël s'avance vers le troisième des enclos et porte une main sur le verrou. Là encore, une truie a perdu sa portée. Il revient sur ses pas, sort un calepin de la poche de sa blouse et griffonne le numéro des enclos et le nombre de porcelets morts : sept dans le premier box, neuf dans le dernier. Il saisit dans l'armoire à pharmacie du bâtiment un thermomètre et une poignée de coton ouaté qu'il imbibe d'alcool. Après avoir repéré la truie dans le premier enclos, il l'isole en l'acculant contre un mur, aidé d'une planche de contention, puis enfonce le thermomètre dans le rectum de la bête. Pour l'apaiser, il lui parle d'une voix douce, mais elle semble résignée d'avance et ne proteste pas lorsqu'il presse la planche contre son flanc.

38,5°. Une température normale chez le porc. Il empoigne l'oreille de la truie pour s'en assurer, puis désinfecte le thermomètre et passe au troisième enclos.

Lorsque Serge entre dans le bâtiment, Joël termine de ramasser les derniers fœtus.

« Le vieux m'envoie te chercher », dit l'aîné.

Joël referme l'enclos derrière lui et pose le seau à ses pieds.

« Qu'est-ce qu'il s'est passé ? demande Serge devant l'amoncellement de mort-nés.

— Je sais pas…, répond Joël en s'essuyant le front d'un revers de manche. Il y en a deux qui ont fait une fausse couche. Une cochette dans le premier, une truie qui en était à sa deuxième gestation dans le troisième.

— Elles ont de la fièvre ?

— Ni l'une ni l'autre.

— Bah, c'est une coïncidence.

— Faudrait lui en parler, tu crois pas?

— Non, pas pour l'instant. Y a rien d'alarmant, à mon avis, répond Serge en regardant le seau fixement. Une parcelle des Plaines a été saccagée.

— Comment ça?

— Labourée. Comme par une putain d'armée de sangliers. On a trouvé des empreintes. Il se pourrait bien que ce soit lui, La Bête. Le vieux n'a pas de doute.

— Tu te fous de moi?

— J'ai chargé les chiens. Il veut que tu nous accompagnes.

— Et ça, j'en fais quoi?» demande Joël en soulevant le seau par l'anse.

Les truies reniflent à nouveau les flaques de liquide amniotique, puis le tas de chairs rouges dans le seau.

«Tu brûles tout et tu t'écrases. Crois-moi, c'est vraiment pas le moment... On part dans une vingtaine de minutes. Tiens-toi prêt.»

Ils ne parleront pas à Henri. À quoi bon le tourmenter davantage? Une épidémie ne risque pas de se déclarer et de décimer l'élevage dans les heures qui viennent... Depuis quelque temps – quelques semaines? quelques mois? –, le père n'a plus seulement cet emportement que Serge devine d'ordinaire comme il aurait appris à devancer les sautes d'humeur d'une vieille bête irascible. Il est devenu plus imprévisible, et la réapparition de La Bête, si elle est toutefois bel et bien réelle, n'augure rien qui vaille. Comment ce maudit animal a-t-il bien pu rôder autour de la ferme et passer inaperçu pendant plusieurs mois ? Il aurait pourtant juré qu'ils l'avaient perdu pour de bon, que jamais ils ne parviendraient à le retrouver.

Après la fuite du verrat, Serge et Joël ont patiemment exécuté les ordres d'Henri. Ils ont effectué les tours de ronde autour de la propriété, éclairant au faisceau d'une lampe torche son chemin et un chien qui marchait devant eux, sans croire un instant qu'ils puissent se retrouver face à La Bête. Serge ne peut pas dire que cet animal ait une quelconque intelligence – considérer que les porcs puissent éprouver autre chose que des sensations lui répugne –, mais pour être parvenu à échapper aux meutes de chiens, aux chasseurs, aux marcheurs du chemin de Saint-Jacques-de-Compostelle et à l'attention des habitants, il faut bien qu'il ait au moins pu compter sur un solide instinct... Peut-être ont-ils tiré des conclusions trop hâtives. Serge n'aurait-il pas mieux fait d'étudier plus attentivement les empreintes dans le champ, s'il ne s'était pas laissé influencer par les assertions du père ? Il a vu la trace du pied dans la terre, mais il s'est focalisé sur la main d'Henri, cette main terrible, intraitable, qui a retenu son regard, bien plus que la trace des onglons. Et que montrait-elle vraiment, en comparaison ? Une empreinte dans un sol détrempé par la pluie, peut-être appuyée, étalée par une foulée glissante. Qu'est-ce qui, une demi-heure à peine après avoir constaté les ravages dans le champ, lui permet raisonnablement d'affirmer que c'est bien du pied d'un porc d'élevage, d'un large white, qu'ils ont vu la trace, et non celle d'un sanglier de taille respectable ? Serge a déjà vu certaines de ces bestioles approcher les deux cents kilos. Henri affirme que les dégâts ont été causés par un seul animal, mais ils n'ont pas pris le temps de bien vérifier s'il n'y avait pas d'autres empreintes.

Non, Serge s'est contenté d'acquiescer aussitôt, comme à son habitude, d'accepter la parole sacrée du père et de se précipiter vers la ferme pour embarquer à toute bringue les chiens à l'arrière du pick-up, sans se donner le temps d'analyser un instant la situation, sans même tenter de longer un tant soit peu l'orée des Plaines à la recherche d'autres empreintes, d'autres dégâts ou d'excréments. Il a suivi le père qui marchait, comme possédé, ses pieds s'enfonçant dans la terre molle et froide et, « c'est lui », ramassait une motte, « c'est lui », désignait un trou creusé devant eux, répétait encore avec exaltation :

« C'est lui ! »

*

Lorsque Henri pénètre dans l'enceinte de la ferme, les chiens sont chargés à l'arrière de la voiture et halètent, couchés sur une vieille couverture. Nulle trace de Serge à l'entour. Sans doute l'aîné est-il parti chercher son frère à la porcherie. Le reste des braques, désireux d'aller chasser eux aussi, aboient et sautent sur la grille du chenil.

« Couchés ! » gueule Henri, et les chiens battent en retraite tandis qu'il s'éloigne.

Lui aussi éprouve l'excitation qui attise les bêtes. L'adrénaline qui infuse dans ses veines. À moins que ce ne soit encore qu'un des symptômes de la fièvre ? Peu importe, au moins dissipe-t-elle l'angoisse, celle qui le réveille désormais la nuit et le fait murmurer : «je ne veux pas mourir je ne veux pas mourir je ne veux pas mourir» parce qu'il a senti en rêve quelque chose se poser sur lui, quelque chose comme une ombre bien trop noire ou un oiseau de proie venu se percher sur son épaule, un vautour prêt à le dépecer, ou semblable encore à ce qui se tapit quelquefois derrière les portes closes, dans les cauchemars, bien trop menaçant, bien trop épouvantable, et que l'on ne veut surtout, surtout pas découvrir…

Parfois, l'idée de sa finitude l'indiffère cependant. Quand, vers les cinq heures du matin, il se trouve au bord des Plaines et que la nuit laisse place au jour. Elle ne se dilue pas, mais cède, se fissure comme un émail bleu royal derrière lequel sourdent les veines de nues aux couleurs des rosiers sauvages ; alors, la mort lui semble moins redoutable, comme s'il ne s'agissait jamais que de faire partie de tout cela, une bonne fois pour toutes : les terres versicolores, la lumière jaillie en de grandes nappes chaudes, le chant timide des oiseaux, la brise tiède et poudrée par l'odeur des champs.

Si seulement elle pouvait surgir là, maintenant, tout de suite, me faucher sur place, alors je tomberais à genoux, puis certainement de côté, ou face contre terre, et tout serait bien.

Mais, dans le silence et la solitude de la nuit, lorsque tout est bleu, hostile et froid, que les ombres des spectres se meuvent dans l'obscurité, rien ne lui paraît plus terrifiant que de disparaître. Ou bien est-ce la perspective de la souffrance à venir, de l'agonie? L'idée de se chier dessus, désespérément accroché aux barreaux d'un lit d'hôpital, pareil à une truie de réforme, à l'un de ces crevards qu'il leur faut achever d'un coup de pistolet d'abattage, puis d'être torché par ses propres fils ou de se voir enfiler des protections par une aide-soignante compatissante? Car ils le contraindraient bien entendu à accepter des soins, le considéreraient dès lors comme un vieillard, un mourant à leur charge, auquel ils dispenseraient leurs attentions, leur pitié, décidant bientôt à sa place de ce qui est bon ou pas. *Plutôt crever la gueule ouverte.* Il serait mieux inspiré de charger à son tour la carabine, d'enfoncer le canon dans sa bouche et d'en finir sans attendre.

Le courage lui manque. À lui, qui n'a eu de cesse tout au long de sa vie qu'il paraisse fier et fort aux yeux des siens, le courage manque… Il a peur. Une peur d'enfant solitaire, fragile, vulnérable. La même peur qui l'étreignait lorsque le père, ivre et fou de douleur, rentrait à la maison et saccageait la grande pièce, le contraignant à se blottir dans un coin entre les bras d'Éléonore, persuadé qu'il finirait bien par les tuer dans un de ses accès de furie. Et cette peur le mortifie d'autant plus qu'Élise est morte sous ses yeux, sans même un gémissement, sans même une protestation, sans même saisir le drap d'une main pour tenter de se retenir à ce monde-là, comme si disparaître n'était finalement rien d'autre qu'un détail, une formalité un peu triviale, mais de laquelle s'acquitter ne demandait pas une once de courage, tandis que lui se débat dans le cœur de la nuit, ne parvient plus à respirer, étouffe et geint, se lève comme un diable jaillit de sa boîte, dévale l'escalier, sort dans la cour pieds nus et vêtu seulement de son pyjama. Il cherche à retrouver son souffle, il rauque comme une vieille bête, comme un porc qu'ils poussent vers la plate-forme d'embarquement, il court en direction de la porcherie parce qu'il ne sait pas où aller, frappant sa poitrine du poing et marchant dans les flaques de boue, souillant son bas de pyjama. Il revoit la dépouille mortuaire du père étendue entre les planches d'une bière au-dessus de laquelle il se penche, le visage invisible car soigneusement enveloppé dans un grand drap blanc immaculé ; il se souvient de la main qu'il tend, d'abord pour caresser la joue sous l'étoffe, puis du poing qu'il serre et qu'il abat, de colère et de dépit, sur la poitrine dure, et du corps qui sonne creux comme un tambour, résonne à la manière d'une percussion tribale et funèbre. N'est-ce pas déjà ce son grave et vide que renvoie son propre torse maintenant qu'il le frappe ? On croirait voir un pantin désarticulé sous le clair de lune, un fou échappé de l'asile, un déjà-mort, une âme damnée chercher en vain et à l'aveuglette son chemin dans les limbes, sur les rives du Styx, se heurtant indéfiniment aux ténèbres.

Oui, parfois l'idée de disparaître lui devient supportable, confortable même, mais durant un bref instant seulement, avant qu'il ne reprenne ses longues négociations avec la Mort, s'adressant à elle comme à une confidente, une vieille et redoutable amie avec laquelle il a finalement passé sa vie à composer, lui demandant maintenant de l'emporter un peu plus tard, lorsqu'il aura parlé aux fils, lorsqu'il aura terminé de mettre en ordre les papiers de la succession – bien sûr, il associera Joël, et il lui faudra s'assurer que les fils ne se déchireront pas, ne saccageront pas les efforts d'une vie –, lorsque les céréales seront rentrées... Lorsqu'ils auront ramené La Bête à la porcherie.

Voilà ce qui est maintenant plus important que tout le reste. La réapparition du verrat n'est-elle d'ailleurs pas un signe de la Providence, une occasion inespérée de remettre enfin de l'ordre dans tout cela, de rétablir un équilibre, de prendre le mal par la racine ? Alors, lorsque tout sera réglé, Henri trouvera peut-être un peu de sérénité, et peut-être même *la suite des choses* lui paraîtra moins effroyable.

Il marche sur le chemin de la porcherie. Autour de lui, les terres mornes et hérissées de chaume gris lui semblent soudain funèbres, hostiles.

Ce que révèlent vos analyses, c'est un lymphome, un cancer du système lymphatique... On n'a rien de très sûr à ce sujet pour l'instant, mais des études commencent à paraître, et il n'est pas exclu que l'utilisation des produits phytosanitaires puisse être à l'origine de...

Bien sûr, il sait. Bien sûr, il y a pensé. Même si les hommes d'ici répugnent à parler de la maladie, Henri en connaît d'autres qui, depuis quelques années, ont été atteints du même mal : ceux d'abord contraints d'embaucher un ouvrier supplémentaire pour les seconder, puis de passer finalement la main ; celui-là, connu depuis toujours, bâti comme un roc, et que l'on voit traverser la place d'un village avec une démarche fragile, fondu de partout, rongé par la maladie ou par la chimiothérapie, le visage cireux, et qui lève son verre en tremblant comme une vieille dame, appuyé contre le zinc, mais qui n'y croit plus, puis qui n'est brusquement plus là…

Ils se doutent que ce qu'ils déversent et pulvérisent sur les terres depuis tout ce temps – le DDT, le chlordane, les PCB – est une saloperie ; ils voient les symboles sur les bouteilles, ils sentent les brûlures que les produits infligent aux yeux et à la gorge, les démangeaisons au soir des journées de sulfatage, quand les machines les répandent par centaines de milliers de litres dans les airs et sur les terres. Mais c'est un mal pour un bien, et ils finissent par ne plus y penser vraiment. La croissance du rendement est exponentielle, tout les encourage à l'utilisation des pesticides : l'Europe, les groupements agricoles, le bon sens même. Ils ont foi dans le progrès, la technique, la science.

Et puis, pense Henri, est-ce qu'on n'en fait pas trop là-dessus ? C'est peut-être bien la cigarette, après tout… Ou alors le travail, simplement, la dureté du travail. Et les soucis, tous ces petits et grands malheurs qui jalonnent une vie et doivent bien finir par se fixer quelque part au-dedans pour se cristalliser, puis par tout détraquer. Ne peut-on pas crever de solitude, d'ennui, de désillusion ? Va savoir… Oui, la dureté du travail, certainement. Depuis combien de temps leur répète-t-il qu'il se tue à la tâche, pour eux tous ? Ils auront eu raison de lui, les enfoirés. Ses propres enfants.

Henri jette un regard méchant en direction des terres, immenses carrés monochromes sur lesquels poussent à perte de vue le blé, l'orge, le maïs ou le seigle. Seules les ronces et les orties poussent encore sur les bordures, mortes à dix mètres à la ronde.

Et ce que vous bombardez sur les porcs, il faut bien que ça passe quelque part, non ? Qu'est-ce que tu dis de ça, vieux bougre ?

Le Lindane, dont ils vaporisent les bêtes pour lutter contre la gale, supposé rendre la viande impropre à la consommation pendant trois ans – *qu'est-ce que tu me racontes, y a personne qui viendra vérifier, fous-moi ça dans le prochain convoi –*, les antibiotiques auxquels les porcs deviennent de plus en plus résistants et dont il faut sans cesse varier les molécules. Puis les injections et les administrations de douvicides, de vermifuges, d'anticoccidiens, de neuroleptiques, de vaccins et d'hormones… Où tout cela passe-t-il sinon dans la fosse à purin – métaux lourds : zinc, cuivre, arsenic, sélénium, fer, manganèse – avant d'être déversé sur les terres ? Et qu'est-elle d'ailleurs véritablement devenue, cette terre confiée par son père, qu'il a tant aimée et haïe, parfois d'un seul et même élan ? Qu'en a-t-il fait ? A-t-il exposé les fils par sa cupidité, sa désinvolture, par son aveuglement ? S'est-il sacrifié et a-t-il sacrifié les siens ?

Bon sang, est-ce que tu vas finir par fermer ta grande gueule !

Est-il possible que tout ce qu'il a bâti de ses mains, pour lui, pour le clan, ne soit qu'un insupportable mensonge et qu'il ne soit, lui, le père, le patriarche, qu'un minable imposteur ?

Parvenu à la porcherie, Henri entre dans le bureau, referme la porte derrière lui, puis fouille les tiroirs pour trouver le calepin téléphonique qu'il parcourt de ses mains moites à la recherche du numéro du docteur Vidal. Il lui faut s'y prendre à trois reprises avant de parvenir à composer correctement le numéro sur le cadran rotatif. Après de longues sonneries, le déclic se fait entendre.

« Combien de temps ? demande Henri à brûle-pourpoint.

— Je vous demande pardon ?

— Dis-moi la vérité. Combien de temps il me reste ?

— Henri, c'est vous ? Écoutez… Je peux difficilement répondre à cette question, d'autant moins par téléphone… Vous ne pouvez pas refuser de venir me voir en consultation et me demander ensuite de…

— Réponds. S'il te plaît. Je dois savoir. »

Henri entend le médecin soupirer et rajuster le combiné à son oreille.

« Je ne peux pas être catégorique là-dessus. Il y a trop de facteurs…

— Donne-moi une idée, une estimation.

— Je dirais… Sans traitement, je dirais de deux à six mois. »

Henri allume une cigarette sur laquelle il tire une épaisse bouffée. Ne plus fumer. Ne plus jamais fumer. Ne plus jamais pouvoir allumer un seul putain de clope.

« Ne vous surestimez pas trop, dit le médecin. Croyez-en mon expérience, il n'y a rien de moins simple que de mourir seul. Comme une bête. Sans personne. Même pour vous, Henri. Mettez donc votre orgueil de côté, pour une fois. Vous êtes libre de refuser le traitement, mais il y a des solutions pour soulager la fièvre, la douleur… »

Mourir comme une bête, c'est pourtant ce qu'il faudrait : elles le font sans bruit, sans drame et sans éclat, cherchent un endroit à l'abri des regards, embrassent leur solitude, puis expirent.

« Merci », dit Henri avant de reposer lentement le combiné téléphonique sur son socle.

Il se lève et s'avance vers le placard dans lequel ils consignent les armes de chasse, deux calibres 16 et un fusil juxtaposé de calibre 12, celui qui a appartenu à son père, cette arme qu'Henri a toujours défendu aux fils de toucher, celle-là même que Marcel a emporté avec lui quarante-trois ans plus tôt, au troisième jour du mois de septembre 1939, lorsque, avant même que la diffusion de l'allocution du président Daladier ne soit terminée, il a repoussé la chaise sur laquelle il était assis, près du poste de radio, s'est redressé sans un mot, puis a quitté la maison pour la dernière fois. Henri saisit un des fusils et le dépose face à lui sur le bureau. La réapparition de La Bête ne lui semble plus être l'occasion de rétablir un ordre dans le monde de la ferme, mais au contraire une menace, un retour de flamme, un châtiment. Est-ce la fièvre qui le fait délirer ? Il devient superstitieux ; tout est si… amplifié, comme vibrant d'un sens caché.

Il ouvre le tiroir dans lequel il pioche une boîte de paracétamol, mord sa langue pour se faire saliver et avale trois cachets qui lui raclent la trachée et descendent douloureusement vers son estomac. Même le bruit du plafonnier lui est insupportable. Un bruit d'insecte, un grouillement de fourmilière. Il a beau presser ses mains contre ses oreilles, le son persiste comme un acouphène. Et cette lumière pâle et froide qui tombe sur lui... Une lumière de morgue. Il essaie de fermer les yeux un instant, puis se lève d'un bond, tend le fusil au plafond et fracasse avec le canon de l'arme la grille d'aluminium et les deux néons dont les éclats pleuvent sur lui. La pièce est soudain plongée dans l'obscurité la plus complète, mais l'image fantôme des tubes phosphorescents continue de flotter devant ses pupilles aveugles. Malmené par la surdose médicamenteuse, son cœur bat à tout rompre, et c'est maintenant tout ce noir qui l'étreint, la peur de cette obscurité, une peur viscérale – il pense : que vivent les porcs dans la lumière crue des néons dont ils ne peuvent s'abriter, dans quelles ténèbres sombrent-ils lorsque eux, les hommes, quittent la porcherie, abaissent les disjoncteurs et rabattent les portes des bâtiments ? –, et il gémit et s'élance, bras tendus, piétinant les bris de néons, heurtant violemment la chaise et l'angle du bureau, tâtonnant le plateau à la recherche de la lampe, puis du fil et de l'interrupteur. La lumière jaillit à nouveau.

Dans sa précipitation, Henri s'est entaillé la paume. Le sang s'écoule sur la tranche de sa main, puis disparaît sous le poignet de sa manche de chemise. Il s'assied contre le mur, se laisse glisser sur le sol, tenant sa tête entre ses mains jusqu'à recouvrer un semblant de calme. Il allume alors une cigarette et fume en suçotant sa plaie, sans quitter le fusil des yeux. Il retrouvera La Bête, quoi qu'il en coûte, et peu lui importe qu'il y ait ou non un sens à tout cela ; il mettra ensuite en ordre les papiers, ceux de la porcherie, ceux de la succession. Il parlera à Joël, lui confiera ses parts comme il a confié l'autre moitié à Serge. Alors, il sera temps de choisir, de mettre un terme à cette décrépitude annoncée. Henri se relève et contrôle l'arme dont il retire la culasse, vérifie le canon avant d'y insérer deux cartouches à balles et d'armer. Le souffle court, il éponge la sueur de son visage et baisse le canon au sol. Il écrase sa cigarette dans l'un des cendriers lorsque Serge frappe à la porte du bureau. Le fils lève le regard vers le plafonnier dont la grille d'aluminium continue de se balancer, puis regarde le père, sa manche de chemise tachée.

« Qu'est-ce qui se passe ici ?

— Rien. Un néon a pété. Prends ça », répond Henri en lui tendant le fusil.

Serge comprend ses intentions.

« Je croyais que tu voulais le ramener vivant à l'élevage.

— Ça a trop duré. Prends ça, je te dis ! »

L'aîné saisit le manche de l'arme de chasse. Il en est venu à détester cet animal et à se persuader d'une quelconque manière que La Bête était la personnification de l'obsession du père pour l'élevage et du débordement de la porcherie, mais en voyant Henri charger les deux autres carabines, le dos de sa chemise noir de sueur et du sang étalé par mégarde sur sa tempe, un sentiment d'appréhension lui tord le ventre. Même si Henri ne se trompait pas sur l'origine des empreintes dans le champ de maïs, vont-ils sérieusement devoir battre la campagne une fois encore, armés cette fois, de jour comme de nuit ?

« Où est ton frère ? demande Henri en se retournant.

— Il arrive.

— Alors, on y va. »

Ils quittent le bureau dont le père claque la porte derrière lui.

Après avoir incinéré les porcelets dans un seau de métal, à l'arrière de la porcherie, Joël quitte les bâtiments. Il rejoint Henri et Serge sur le chemin. Il les voit marcher au loin, tremblotants dans le soleil de midi, l'un derrière l'autre, le canon de leurs armes de chasse reposé sur l'épaule. Comme il se rapproche, Serge se tourne dans sa direction, lui lance un regard soutenu en secouant la tête, pour lui signifier peut-être qu'il faudrait s'opposer au père, tenter de lui faire entendre raison. Ils parviennent dans la cour de la ferme et déposent les fusils dans le 4 × 4. Dans le coffre, les chiens geignent, tête basse, accablés par la chaleur, assoiffés. Joël remplit un seau d'eau qu'il leur apporte et, pendant qu'ils s'abreuvent, Henri s'appuie un instant à deux mains contre la carrosserie brûlante du véhicule. Il est blême, son cou est parcouru de plaques rouges, marqué de griffures. Serge et Joël l'observent, et il ne fait alors plus de doute pour aucun d'eux que le père se meurt, qu'il est perdu, que la mort a fondu sur lui, sous leurs yeux, sans qu'ils se soient aperçus de rien, sans qu'ils aient rien fait pour lui venir en aide. Et bien que Joël l'ait tant haï, songeant mille et mille fois à la délivrance que serait un jour l'inévitable disparition du père, rêvant à toutes les circonstances, mettant en scène toutes les fins possibles et imaginables, il sent maintenant ses jambes près de se dérober sous lui.

La ferme, l'élevage, cette réalité qu'il exècre mais qu'ils ont pourtant bâtie de leurs propres mains ; ce monde qui est le leur malgré tout, le seul que Joël connaisse : comment tout cela pourrait-il continuer sans Henri, sans ce père même vieux, laminé par la maladie, hanté par sa folie, ne tenant plus sur ses deux jambes que porté par sa si vieille colère, sa si ancienne souffrance, à cet instant toutes vouées à retrouver La Bête ?

*

Le brun uniforme du paysage décline bientôt toutes les teintes de vert. La faune nocturne hésite et le chant des lémures vacille pour laisser place au pépiement des oiseaux qui s'ébrouent aux branches des arbres. Un grand duc pousse un dernier cri, aussitôt repris par celui d'un coq, et le renard repu s'enfonce dans le sol lorsqu'une bande de ciel s'empourpre puis rougeoie au bout des terres, et que surgit enfin le jour dissipant les dernières poches d'ombre, pulvérisant la gaze reposée sur les champs. Jérôme marche en direction du lac. Ses genoux et le bas de ses cuisses sont griffés par les ronces, cloqués par les orties. Il ne se presse pas et inspecte les fossés. Le long de la départementale, il a trouvé un nombre incalculable de hérissons, de fouines et de martres, parfois un blaireau ou un chien ; à trois reprises de jeunes chevreuils heurtés par une voiture et qu'il a eu le plus grand mal à tirer à la seule force de ses bras jusqu'à l'ancienne chapelle. Parvenu sur les berges, il attend, grignotant des gâteaux secs, un morceau de pain, que le soleil se soit levé et chauffe les pierres et le feuillage des saules. Il abandonne alors son T-shirt contre le tronc d'un arbre et entre dans l'eau déjà tiède du lac. La boue glisse entre ses orteils à mesure qu'il y enfonce les pieds et il les retire prudemment, bras tendus pour tenir en équilibre, afin de ne pas soulever la vase. De longues algues caressent ses chevilles et des alevins fuient les cuves tranquilles où ils reposent à l'abri des carpes, puis disparaissent dans les profondeurs du lac. Le feuillage vif-argent des saules bruisse dans les scintillements de lumière reflétée par le lac, et les racines hérissées jaillissent de la tranche affaissée des berges où les ragondins logent dans des cavités profondes et fraîches. L'air est saturé par le parfum des fossés secs où poussent les roseaux bruns, et par l'odeur laiteuse et sucrée qu'exsudent les feuilles et les branches tendres des figuiers.

À l'ombre des racines, dans le creux de leurs courbes, sous les branches tombées et ensevelies, les écrevisses veillent à l'affût de petites proies, et seules dépassent leurs pinces effilées, leurs antennes délicates. Dans les dizaines d'années qui ont suivi le terrassement du lac et précédé la naissance de Jérôme, il n'est pas exclu que quelqu'un s'y soit noyé et soit depuis resté prisonnier de ses froides profondeurs. Puisqu'il a entendu parler de nappes phréatiques et de lacs souterrains alimentant les points d'eau du pays, Jérôme conçoit un réseau de rivières, de torrents et de galeries invisibles par le biais desquels la petite Émilie Seilhan, dont il a vu le portrait fané sur la pierre tombale du cimetière consacrée à son souvenir, pourrait bien aller et venir à sa guise dans sa robe verdoyante, les algues de sa chevelure faisant après elle comme une traîne, et l'observer en contre-plongée, retenant une bulle entre ses lèvres.

Tenant à la main une branche souple, il avance en prenant soin de ne pas projeter son ombre sur les écrevisses. Il sort de sa poche un morceau de jambon dérobé dans le réfrigérateur et roulé dans un carré de papier d'aluminium. Il en découpe de petits morceaux qu'il laisse tomber à la surface de l'eau afin qu'ils se déposent sur le fond, à quelques centimètres des crustacés dont les mandibules s'affolent.

Jérôme attend alors que l'écrevisse se dégage de sa cache et s'approche à découvert de l'appât pour enfoncer la branche souple, la positionner délicatement sur la carapace et, d'un geste vif, plaquer le crustacé dans la vase, le saisir entre le pouce et l'index, puis le tirer hors de l'eau avant de le déposer dans son filet de pêche.

L'an passé encore, il les rapportait à Éléonore et regardait l'aïeule châtrer les écrevisses sur la planche à découper qu'elle déposait sur la table de la cuisine – le filament noir de l'intestin se collant à ses ongles facettés –, puis les cuisiner dans une sauce à la tomate, aux échalotes et au vin blanc, qui embaumait la maison et dissipait pour un temps l'odeur de litière. Elle les refuse désormais, prétextant que ses gestes ne sont plus aussi habiles qu'autrefois ni sa vue aussi fiable. Elle a délaissé la gazinière qui s'empoussière et Jérôme ne sent plus le soufre des allumettes ni l'odeur des brûleurs et des oignons qui rissolent. Il a emporté l'allume-gaz à la chapelle sans que l'aïeule ait paru s'en apercevoir et, allongé parfois dans la nuit, au milieu de l'ossuaire, il observe l'arc bleuté illuminer ses doigts d'une foudre minuscule.

Il considère comme un mauvais augure le renoncement d'Éléonore à cuisiner car il a vu les bêtes vieillies et diminuées renoncer à chasser ou à défendre leur pitance et leur flanc s'amaigrir et le feu de leur regard s'amenuiser puis se ternir doucement, comme l'aïeule ne plus quitter qu'à contrecœur, avec une crainte farouche, l'entour de leur nid ou celui de leur territoire. Elle caresse les chats de sa main tortueuse et veinée, une caresse hésitante dont les vieilles gens flattent indifféremment l'échine des enfants et l'échine des bêtes, avec la paume et les doigts un peu raides.

Jérôme s'assied sur une pierre chauffée par le soleil et sèche en contemplant les oscillations à la surface de l'eau, les bulles qui y éclosent, remontées des profondeurs calmes et fraîches dans lesquelles la petite Émilie Seilhan agence des cabanes d'enfant composées de racines, de branches tombées et de morceaux de bois flotté. Il se relève, revêt son T-shirt et s'éloigne du bassin d'irrigation, marchant le long des tournesols au cœur brun et odoriférant. Il observe les toiles d'araignées, repère les galeries aménagées par les grillons dont il cartographie mentalement les emplacements. Des abeilles et des bourdons ivres de pollens virevoltent d'une fleur à l'autre. Jérôme s'avance dans une friche au milieu de laquelle s'élèvent quelques vieux magnolias dont les fleurs, quand elles pourrissent, dégagent une odeur suave. Il s'étend dans les herbes, aménage une niche puis observe le vol des buses et la forme dissoute des sillons laissés par les avions. Des fourmis galopent sur le duvet de ses jambes nues. Un lézard vert à la gorge bleue se prélasse au soleil sur l'un des murs des anciennes fortifications ; le reptile disparaît lorsqu'un milan vient se poser au sommet d'un poteau téléphonique et que son ombre file le long du mur.

Jérôme somnole dans la moiteur parfumée des herbes couchées comme il somnole dans l'eau du bain lorsque la peau de ses doigts blanchit et se fripe, pareille à la peau des doigts d'Éléonore, et qu'il pince ses narines avant de s'enfoncer lentement dans l'eau. De là, il entend les battements de son cœur, les bruits assourdis de la tuyauterie, la vaisselle heurtée dans l'évier, le son diffus du téléviseur ou la voix grave des pères. Lorsqu'il ouvre les yeux sur l'eau trouble, il voit le visage de sa mère penchée sur lui et qui lui parle, mais ses paroles sont incompréhensibles. Jérôme retient son souffle et Catherine s'assied patiemment sur le rebord de la baignoire jusqu'à ce que le cœur du garçon martèle sa poitrine et qu'il soit contraint de remonter à la surface pour prendre une grande inspiration.

« T'es là-dedans depuis plus d'une heure, l'eau est froide », dit-elle en agitant du bout des doigts la surface du bain.

Jérôme contemple son beau visage, ses longs cheveux aux reflets auburn qu'elle ne coiffe pas, mais garde emmêlés, remontés sur sa nuque et piqués d'une barrette à chignon ou d'un simple crayon.

Elle prend le pain de savon – celui dont elle sait qu'il aime l'odeur de chèvrefeuille et qu'elle achète spécialement pour lui –, le fait mousser entre ses mains aux paumes toujours sèches et douces, et Jérôme se relève et se tient debout dans l'eau tiède tandis que Catherine, ou Gabrielle, ou Julie-Marie le savonne, car les soins de son corps reviennent aux mères qui le mouchent, le frottent, le lavent, le shampouinent, le sèchent, lui récurent les orteils, le décalottent et le torchent, coupent ses ongles et ses cheveux lorsqu'elles les jugent trop longs, le talquent, l'épouillent et l'aspergent d'eau de lavande qui fait la peau douce et parfumée, le tartinent enfin de crème pour protéger du soleil sa peau sensible.

Jérôme s'abandonne à leurs mains savantes et appliquées qui depuis onze ans le couvent et le ceignent. Sa mère frotte l'arrière, puis les circonvolutions de ses oreilles, chaque main reproduisant le geste de l'autre, et elle le regarde sans mot dire, un vague sourire aux lèvres, de cet air résigné et triste avec lequel elle le contemple souvent. Elle dit :

« Quand t'étais petit et que je te baignais dans le lavabo… T'étais si minuscule… Je retenais ta tête dans la paume de ma main… Tu flottais, oui tout entier… Tu flottais dans la vasque, tu t'endormais dans l'eau chaude, recroquevillé… Comme si t'étais de retour dans mon ventre… et t'avais l'air si bien… et moi j'étais comme paralysée par la peur… Alors, parfois… Il m'est arrivé de penser que je pourrais te laisser… Retirer simplement ma main… Quitter la salle de bains un instant et refermer la porte… Que ce serait mieux pour toi… Que tu ne souffrirais même pas, tu t'endormirais simplement… Puis je te sortais de l'eau si vite que tu te mettais à hurler… Alors je t'entourais d'une serviette et je restais là assise par terre… à te serrer contre moi et à pleurer avec toi. »

Des cris d'enfants lui parviennent et Jérôme se relève. Il marche jusqu'à l'orée d'une clairière et reste interdit, à l'ombre d'un arbre. Là-bas, des garçons de Puy-Larroque âgés d'une douzaine d'années disputent une partie de football. Ils sont torse nu et Jérôme devine leur peau moite, leurs nuques et leurs épaules rouges, leurs fronts suants, les mèches de leurs cheveux collées à leurs tempes. Il observe leur jeu énigmatique. Il sent leur excitation aux cris qu'ils poussent, aux crachats qu'ils lancent dans l'herbe piétinée, aux claques bruyantes qu'ils assènent dans le dos, aux bourrades qu'ils se donnent pour feindre une complicité virile.

Jérôme connaît la plupart d'entre eux ; il les a fréquentés en classe de maternelle avant qu'il ne soit enfin libéré de l'école. Il se souvient de journées dissoutes dans le soleil de fin d'après-midi, des couloirs silencieux avant que retentisse la sonnerie, du bruit feutré des élèves derrière les portes des trois classes de l'école communale, de l'odeur de cantine qui imprègne tout, de la lumière jaune glissée à travers les vasistas poussiéreux des toilettes qui sentent le papier humide, l'odeur fade d'urine et de transpiration juvénile, le goût ferreux de l'eau froide qui fait mal aux dents et semble exploser dans l'estomac.

Pour délimiter le terrain de jeux, les enfants ont déposé leurs T-shirts au sol. L'un d'eux, un garçon très blond et redoutable répondant au nom de Lucas Campello, s'en retourne vers les buts lorsqu'il s'aperçoit de la présence de Jérôme. Il s'arrête un bref instant, pivote en direction des joueurs et leur crie quelque chose, les mains en porte-voix, avant de le désigner du doigt. D'un même élan, les garçons au nombre de sept délaissent le ballon et emboîtent le pas de Lucas qui les devance à fond de train. Jérôme revoit la bande d'enfants demi-nus se ruer dans sa direction. Il les voit approcher et ne pas dévier leur course pour l'éviter. Un choc sourd lui coupe la respiration, il est projeté en arrière, écrasé par la masse de Lucas Campello qui repose sur lui de tout son poids, son visage écarlate suspendu dans le bleu du ciel. Le garçon rabat les mains de Jérôme au-dessus de sa tête et maintient fermement ses poignets plaqués dans les herbes.

« Tenez-lui les pieds », dit Lucas.

Les enfants saisissent aussitôt les chevilles de Jérôme ; l'un d'eux empoigne ses cheveux.

« Qu'est-ce que tu foutais à nous regarder comme ça ? Tu nous espionnes ? »

Il fait mine de renifler son visage avec un air de profond dégoût :

« Ah, putain, qu'est-ce qu'il chlingue !

— C'est parce qu'il est roux, dit l'un des garçons, provoquant l'hilarité de la bande.

— Ouais, dit Lucas, et puis, il vit avec des porcs. Peut-être même que c'en est un ; peut-être que son père a niqué une truie ! Faudrait voir s'il a pas la queue en tirebouchon. »

Les enfants rient à gorge déployée. Jérôme ne tente pas de bouger ni de se dégager. La cruauté fait rayonner leurs visages.

« Il est débile, dit l'un d'eux, cherchant une raison à sa passivité.

— Comme sa mère », répond Lucas Campello.

Puis, à l'adresse de Jérôme :

« C'est vrai que ta mère est cinglée ? Tout le monde dit ça, au village. La mienne dit qu'elle est *folle à lier.* »

Jérôme détaille les yeux bleus que le garçon rive sur lui et respire l'haleine sucrée qu'il souffle à son visage.

« Comme toute ta famille, d'ailleurs. Comme ta sœur qui fait la pute. Il paraît qu'elle taille des pipes gratis… »

Les enfants de la bande exultent.

« Ah ouais, ah ouais ? » demande l'un d'entre eux, un garçon brun aux yeux verts qui a toujours eu la préférence de Jérôme.

403

Lucas acquiesce :

« Elle se fait baiser pour rien et par n'importe qui. C'est mon frère qui me l'a dit. Le mois dernier, pendant le bal de la fête foraine, il l'a sautée sur le parking de la salle polyvalente. Qu'est-ce que tu dis de ça, l'Idiot ? »

Jérôme baisse les yeux sur le torse malingre de Lucas, sur ses petits seins ovales et renfrognés, sur le flanc où saille la ligne pantelante des côtes. Il ne sent plus ses mains. Le soleil surgit par-dessus l'épaule osseuse du garçon et l'éblouit. Son frère est un adolescent à la peau rouge, enflammée par une acné sévère, et qui arpente le canton de jour comme de nuit en roulant à tombeau ouvert sur une bécane dont il a scié le pot d'échappement. Comme Lucas pèse sur lui, Jérôme sent le corps de son frère couvrir celui de Julie-Marie, ses mains passer sous sa robe et caresser ses hanches, son ventre, ses seins. Il le voit baisser la culotte de sa sœur, la froisser sur ses cuisses blanches, puis enfoncer ses doigts ou son visage tuméfié par l'acné dans le sexe offert de Julie-Marie.

Il voit Julie-Marie s'agenouiller dans le carré d'herbe sèche et brûlée par le soleil qui entoure la salle polyvalente de Puy-Larroque, faire glisser la braguette de l'adolescent et défaire l'unique bouton de son caleçon ample, puis se relever plus tard et rabattre le tissu de sa robe sur l'empreinte des herbes et des petits cailloux qui subsiste dans la peau de ses genoux. Un frémissement envahit le bas-ventre de Jérôme et son sexe durcit contre la cuisse de Lucas Campello.

« Il dit rien, ce con-là. On traite sa sœur de pute et il dit rien.

— C'est toi qu'es con, je te dis qu'il peut pas parler. Il est muet.

— Comment ça, il peut pas parler ? Tiens-lui le bras. »

Lucas lâche un des poignets de Jérôme et lui saisit la mâchoire, le pouce enfoncé dans sa joue droite, les autres doigts pressant la gauche de toutes ses forces dans l'idée de lui faire desserrer les dents.

« Va chercher un bâton », ordonne-t-il comme Jérôme lui résiste.

Un des garçons détale et ne tarde pas à revenir, tenant à la main une branche de noisetier brisée dont Lucas se saisit et qu'il enfonce entre les lèvres serrées de Jérôme, lacérant ses gencives pour forcer un passage entre ses dents. Lorsque Jérôme cède enfin, Lucas place le bâton en travers de sa bouche à la manière d'un mors, puis se penche et ausculte la langue couverte de débris d'écorce et d'une bave sanglante. Il jette le bâton au loin et Jérôme passe la langue sur ses gencives meurtries puis déglutit.

« De toute façon, c'est pas la langue qu'y faut lui couper, c'est les couilles. Faudrait pas qu'il saute sa sœur, bien vrai ? Hein, l'Idiot ? »

Lucas fouille la poche arrière de son short et en tire un vieil Opinel dont il déplie soigneusement la lame émoussée.

« Aidez-moi à lui baisser le slip, on va s'en charger », dit-il.

Jérôme revoit les pères saisir simultanément

les porcelets qui grognent et se dandinent aux mamelles des truies, les immobiliser entre leurs cuisses implacables, inciser le scrotum à l'aide d'un scalpel, presser les lèvres de la plaie, faire jaillir les petites glandes dont ils tranchent le cordon testiculaire, puis couper la queue cartilagineuse des gorets d'un coup de lame, tandis qu'ils poussent des cris stridents, se débattent en vain, du lait moussant à leur gueule et jaillissant de leur groin. Les pères tamponnent la plaie avec une gaze imbibée d'eau oxygénée, injectent aux porcelets une seringue de fer en intramusculaire avant de les reposer, tremblants et hébétés, près du flanc de leur mère. Les petits testicules et les morceaux de queues jonchent le sol des allées, collent aux poils de leurs mains et de leurs bras, éclatent sous les semelles de leurs bottes.

« Fous-lui la paix », dit finalement un des garçons de la bande, celui dont Jérôme aime depuis toujours le regard et la peau pâle, les cheveux lisses et sombres.

« Moi, je me casse. Venez, les gars, on reprend la partie. Je parie qu'on vous met 2-0 ! »

Soulagés, les enfants approuvent et lâchent les membres de Jérôme. Le sang y afflue à nouveau. Ils se relèvent, puis s'éloignent, laissant seul Lucas qui rabat la lame de l'Opinel, feignant une moue de regret, avant de le ranger dans sa poche.

« C'est dommage. On commençait juste à s'amuser. »

Il se penche, remplissant à nouveau le ciel pâle, et laisse glisser de sa bouche un filet de salive écumeuse qui descend lentement vers le visage de

Jérôme, s'apprête à toucher sa bouche, puis que Lucas ravale par une bruyante aspiration avant de s'essuyer les lèvres d'un revers de main et de sauter sur ses pieds. Jérôme prend appui sur ses mains endolories. Il se redresse et s'assied, étourdi, ébloui par le soleil dru qui le fait grimacer. Lucas Campello renifle, racle sa gorge et crache un glaviot qui se prend à la pousse d'un pissenlit avant de se détourner et de rejoindre les autres garçons au pas de course.

*

Jérôme frotte ses poignets et lève les yeux vers le vol lointain d'une montgolfière. Lorsqu'il se relève, les enfants courent déjà à nouveau derrière leur ballon, ne faisant plus aucun cas de sa présence. Il se détourne et s'éloigne en direction du village.

« Tu sais, cette façon que t'as de regarder ta sœur, ben j'aime pas bien ça », dit Henri en reposant le dernier des porcelets qu'il vient de châtrer et d'amputer de sa queue, et qui erre maintenant sur le béton nu, agité de soubresauts, son petit moignon surmonté d'une goutte écarlate.

« Tu ferais bien de te tenir à carreau, ou t'auras droit au même traitement que celui-là », ajoute-t-il en désignant le goret avec la pointe de son scalpel. Jérôme sent ses testicules remonter dans son bas-ventre et ses bourses se contracter.

Il sent les mains de Julie-Marie lorsque c'est elle qui le baigne. Elle a tôt appris à reproduire les gestes de Gabrielle et de Catherine, à endosser le rôle de petite mère pour épauler sa tante. Jérôme contemple les boucles soyeuses de ses cheveux, saisit une mèche qu'il enroule autour de ses doigts et elle lui sourit. Il sent son odeur lorsqu'elle se meut dans la salle de bains étroite, sous la soufflerie du petit radiateur électrique, le parfum de vanille qu'elle emprunte à Gabrielle, poivré par celui de sa sueur à laquelle il se mélange. Ses attentions ne sont encore destinées qu'à lui seul et il ne doute pas que Julie-Marie n'appartienne qu'à lui, que son amour ne lui soit consacré.

Il lui rapporte les bêtes qu'il débusque, chasse et capture, comme les chats ramènent les dépouilles de mulots et de rats des champs sur le pas de porte de l'aïeule. Elle ne se dérobe jamais au rituel : Jérôme lui apporte l'animal – souvent un papillon car il sait qu'elle les aime, parfois un phasme ou une mante religieuse –, enfermé dans un pot à confiture dont il a préalablement perforé le couvercle avec la pointe d'un tirebouchon et enveloppé d'un torchon de cuisine. Invariablement, Julie-Marie s'étonne et s'exclame :

« Une surprise ! Mais qu'est-ce que ça peut bien être ? »

Elle dépose le précieux cadeau sur ses genoux et défait le nœud du torchon avec le plus grand soin. Elle minaude pour lui plaire. Puis, tout aussi précautionneusement, écarquillant les yeux et ouvrant la bouche pour signifier que les mots lui manquent, elle soulève le pot de confiture à hauteur de ses yeux, contemple la bestiole qui galope ou volette contre le verre.

« Il est magnifique. »

Elle le garde un instant avec elle, le serre parfois contre son ventre, le temps de saisir Jérôme par la main et de l'attirer vers elle, d'embrasser son front ou de passer la main dans ses cheveux et de le laisser se blottir dans son odeur rassurante et familière, puis dit :

« Et si on le relâchait maintenant ? »

Jérôme la prend alors par la main, la guide vers les herbes hautes, au-delà de l'étendoir à linge, à l'arrière de la ferme que les pères n'entretiennent plus. Julie-Marie dévisse le couvercle du pot à confiture. Tous deux regardent le papillon virevolter ou l'insecte quelconque fuir maladroitement loin d'eux entre les broussailles. Lorsqu'ils passent près du grand chêne, Julie-Marie voit-elle, comme lui, le corps de l'enfant de chœur Jean Roujas se balancer à la plus basse des branches de l'arbre et tourner sur lui-même depuis des décennies, tantôt à gauche, jusqu'à ce que la corde soit vrillée, tantôt à droite ?

Au bord du chemin, un lapereau se promène dans les herbes. Jérôme s'approche et s'accroupit. L'animal le hume mais ne prend pas la fuite. Il est aveuglé par la myxomatose. Ses paupières sont refermées, soudées par une chassie jaune. Le lapereau lève la tête par à-coups, sondant le monde écrasé de chaleur, dissous par la lumière dont ne parvient plus, à ses yeux brûlés par la conjonctivite, qu'une lueur diffuse et éclatante.

Jérôme tend la main et caresse le pelage pantelant de la bête. Il connaît la maladie inoculée par les hommes. Il a vu un grand nombre de lapins agoniser dans les fossés, à découvert dans les champs, ou sur les routes. Il les a emportés à l'ancienne chapelle. Il regarde aux alentours et avise une grosse pierre à demi ensevelie qu'il entreprend de déterrer, mettant au jour les galeries d'une fourmilière. Des ouvrières prennent la fuite, emportant une myriade d'œufs entre leurs mandibules, dans un grand désordre.

Jérôme serre la pierre contre lui et la porte jusqu'au lapereau qui semble profiter un instant de son ombre et s'allonge doucement dans l'herbe. L'enfant s'agenouille près de l'animal et lève la pierre avant de l'abattre. Tué sur le coup, le lapereau est allongé de tout son long, la cage thoracique enfoncée, la langue rose jaillie de son museau, le pelage de son ventre ouvert sur une plaie d'où sortent les viscères contenus dans un sac blanc. Un soubresaut agite une de ses pattes.

Elle se fait baiser pour rien et par n'importe qui.

Jérôme soulève la pierre et l'abat à nouveau, puis encore, et encore, et encore, jusqu'à ce que le lapereau ne soit plus qu'un tas de fourrure informe et sanglant, enfoncé dans les herbes du bas-côté, alors Jérôme se laisse tomber en arrière sur le goudron brûlant, le regard figé sur la dépouille misérable.

Qu'est-ce que tu dis de ça, l'Idiot ?

*

Lorsqu'il recouvre enfin son calme, il décolle la dépouille du lapereau, retire son T-shirt, l'étend sur le goudron pour y déposer le petit cadavre qu'il enroule. Le soleil ne tarde pas à brûler son dos et sa nuque, mais il n'en tient pas compte et marche au milieu de la route, le T-shirt froissé en boule contre son ventre.

Parvenu à l'ombre d'un figuier, il creuse une fosse étroite à l'aide d'un bâton. Il y dépose la dépouille du lapereau et son linceul de fortune, puis rabat la terre soulevée et recouvre le tertre de cailloux qu'il déloge des racines de l'arbre. Il reste longtemps immobile, l'air hagard, à fixer la petite tombe. Ses gencives l'élancent encore. Sa salive a le goût du fer.

On leur injecte pour prévenir l'anémie, tu vois, ils naissent avec le sang pauvre, un mauvais sang, ils grandissent trop vite, les porcs de maintenant, et les mères ont pas assez de fer dans le lait, alors faut les y aider.

Il arrive que la plaie de l'injection s'infecte malgré la gaze d'eau oxygénée, ou que le porcelet fasse une réaction allergique et meure d'un choc anaphylactique. Les pères inscrivent alors un chiffre dans un cahier.

Peut-être le lapereau immobile sous la terre attend-il que Jérôme s'éloigne pour reprendre forme et creuser un terrier qui le mènera à la rencontre des taupes aveugles comme lui et qui le guideront ? Ou peut-être parviendra-t-il, au hasard de ses forages, jusqu'au lavoir au fond duquel repose le corps de la petite Émilie Seilhan qui pourrait s'occuper à tenter de l'apprivoiser et trouverait ainsi les journées moins longues ?

Jérôme se relève et marche en direction de la ferme.

Julie-Marie ne surveille plus ses jeux et ceux des jumeaux comme autrefois, lorsqu'elle se satisfaisait de leur compagnie, acceptait de les suivre dans leurs promenades et de se prêter au babillage de Pierre et Thomas. Elle semble plus lointaine, comme distraite, répondant à ses sollicitations d'un air vague et pour les décliner la plupart du temps. Elle continue d'épauler Gabrielle dans les tâches quotidiennes, mais avec plus de mollesse et d'indolence. Elle étend toujours le linge de bon matin. Jérôme se lève pour la regarder faire depuis la fenêtre de la chambre ; les draps qui gouttent dans l'herbe haute, les paons de jour qui s'y posent et s'y abreuvent, tâtonnant le tissu de leur trompe fébrile, les chiens qui parfois courent et sautent autour d'elle et qu'elle rappelle par leur nom, auxquels elle lance des bâtons qu'ils rapportent à ses pieds, et il semble confusément à Jérôme que l'équilibre fragile du monde repose sur la pérennité de cet instant, ces gestes répétés, maintenant que tous les autres s'effacent, qu'elle ne lui ouvre plus la porte de sa chambre pour le laisser s'allonger contre elle à l'aube, *allons, t'es un grand garçon maintenant, il ne faut plus,* lui soustrait la vue de son corps nu, du sexe étrange qu'elle lui dévoilait, petite fille, s'allongeant dans les champs et soulevant sa robe, puis tirant sur les lèvres pour l'ouvrir sur... – il hésite, ce qu'il voit est à la fois une fleur aux pétales roses et pâles comme sont roses et pâles les pétales des fleurs de magnolias dans la friche, et un animal tapi entre ses cuisses, une bête terricole – *non il ne faut plus, il ne faut plus.*

« Il est magnifique », dit-elle une énième fois, regardant l'insecte derrière le verre du pot à confiture, avant d'envelopper Jérôme de ses bras, de ses caresses, de ses baisers qui laissent dans le cou et sur le front du garçon la sensation humide et fraîche de sa salive, mais elle n'accepte plus ses cadeaux qu'avec une lassitude à peine masquée, dénouant le torchon avec empressement, déposant le pot sur le meuble le plus proche, un sourire à peine esquissé sur les lèvres (*encore un, tu sais que tu n'es pas obligé, merci, tu devrais laisser ces pauvres bêtes tranquilles*), abandonne aussitôt l'insecte qu'elle ne songe plus à relâcher si son frère ne le fait pas, et qu'il retrouve sur le dos, les pattes repliées, sec au fond du bocal.

Jérôme pousse le portail de la ferme et entre dans la cour, très calme à cette heure de l'après-midi, quand les chiens somnolent à l'ombre du hangar, dans leurs niches ou sous les carcasses des machines, et que les jumeaux font la sieste. Les jours de grand ménage, lorsque Catherine revient d'entre les morts, il arrive que les fenêtres restent ouvertes pour laisser entrer la chaleur et sécher le sol lessivé à l'eau de Javel.

Cette maison pue comme une soue, est-ce trop demander de vous laver dès que vous rentrez de la porcherie ?

Il inspire le parfum qui s'élève du carrelage assombri par le passage de la serpillière. Jérôme n'aime rien tant que la maison silencieuse et engourdie à deux heures de l'après-midi ; les pièces vides aux volets rabattus, plongées dans la pénombre et scindées par le surgissement de lignes de lumière qui cheminent d'un mur à l'autre tandis que défilent les heures ; les chambres tranquilles et poussiéreuses, toutes baignées par un jour d'été qui suspend le temps, embaumées par l'odeur des tapisseries et des dessus-de-lit chauffés. Il monte l'escalier et tend l'oreille, une main reposée sur la rampe. Il pousse la porte de la chambre du grand-père, avance et s'assied au bord du lit. Dans le cadre délaissé, la jeune femme à laquelle il se sait lié par le nom gravé sur le marbre du caveau familial l'observe. Le temps paraît avoir tourné à l'orage car la photographie est plus sombre, les branches du noisetier comme agitées par le vent. Le morceau de ciel menace dans l'angle gauche et le garçon flou qui court éternellement à l'arrière-plan incline et lève sa tête aux traits insaisissables pour voir rouler de gros nuages qui s'amassent au-delà des limites de la photographie. Les yeux d'Élise sont plus inquiets que d'ordinaire, ses sourcils légèrement froncés, ses lèvres tout juste entrouvertes, comme si elle s'apprêtait à lui dire quelque chose, à lui délivrer un conseil, une mise en garde et, en y regardant bien, il semble maintenant à Jérôme qu'elle serre un peu le tissu de sa robe entre ses mains, sur son ventre rond.

*

Le corps des garçons l'indiffère. Elle prend leur sexe, leur pucelage, tire leur semence comme un premier lait. Julie-Marie prend aussi ce qu'elle réclame et qu'ils lui donnent sans protester : deux ou trois cigarettes, un petit billet, une gourmette en argent cabossée, un flacon de parfum qu'ils dérobent à leur mère, à leur sœur. Plus l'objet est vil et dérisoire, plus il la réjouit en secret. Elle dispose ses trophées sur son étagère. Elle a parfois envié la liberté de Jérôme, mais le cœur de l'été lui rappelle combien les journées d'ennui passées en la seule compagnie du frère, des jumeaux et du spectre de sa mère sont redoutables. Alors, lorsqu'elle parvient à s'échapper, elle va par les chemins, par les rues du village. Quand elle rencontre les bandes d'adolescents qui se réunissent près des Abribus, derrière la salle des fêtes, près du château d'eau, elle s'attarde, elle minaude. Parfois, l'un d'eux se détache du groupe et l'entraîne ; parfois, ils lui font signe de les rejoindre et ils s'éloignent tous ensemble vers l'orée d'un bois, l'ombre d'une grange à foin, la banquette arrière d'une voiture.

Tu vas pas te maquiller comme une putain à quatorze ans, remonte immédiatement te laver le visage et te changer.

Tout ça pour un trait de crayon au khôl que Catherine a tracé sur son œil un matin alors qu'elle s'était elle-même laissé maquiller par sa fille et qu'elles avaient rouvert la boîte en bois laqué, lui faisant croire que c'était là le signe qu'elle irait mieux demain et mieux encore le jour d'après… Et elle qui ne dit rien, remonte l'escalier à pas lents, entre dans la salle de bains et se savonne, puis contemple son reflet dégoulinant… Son visage de petite fille qui n'en est plus tout à fait une et qui n'a plus à se soumettre, à se laisser traiter comme une gamine à laquelle Serge demande pourtant d'endosser le rôle d'une mère, de veiller sur Jérôme et de veiller sur Catherine.

« J'ai besoin de toi, tu comprends, la porcherie me prend tout mon temps, c'est un peu toi la chef de famille. »

N'est-il pas minable, son père, avec sa blouse bleue maculée de taches de cambouis et de choses plus immondes encore auxquelles elle ne veut pas même penser ? Minable son souffle empuanti par le tabac et par l'alcool qu'il croit boire en cachette sans que personne s'en doute ?

« Oh, il buvait déjà, les gars ont toujours picolé par ici, ce sont des bons vivants, mais c'était tout de même pas aussi régulier avant la naissance de ton frère... Et puis, quand ta mère est tombée malade pour de bon, ça lui a fichu un méchant coup. »

Minable aussi l'autoritarisme pathétique avec lequel il tente vainement de cacher sa faiblesse – c'est à cause d'Henri, c'est à cause de Jérôme, c'est à cause de Catherine ; ce qu'il n'exprime bien entendu jamais, mais que tout en lui semble vouloir dire – et minable enfin cette façon de se décharger de ses responsabilités et de préférer s'occuper aveuglément de ses porcs avant d'aller se saouler dans les bars. Puis, ses sursauts de violence, de colère, de sévérité qu'il ne sait même plus dans quel sens et contre qui diriger...

Le grand-père, le père, l'oncle continuent de faire valoir leur loi aux fondements incompréhensibles, à laquelle personne ne peut déroger, quand bien même Julie-Marie voudrait ne plus avoir à doucher son frère ni à habiller sa mère, mais pouvoir partir elle aussi comme tous les adolescents, divaguer en mobylette sur les routes et discuter en fumant des joints sous les Abribus, même s'il faut rentrer comme convenu à onze heures dernier délai.

N'est-il pas méprisable, son père, avec les ecchymoses qu'il arbore parfois à son visage – moins nombreuses, mais proportionnellement plus fréquentes à mesure qu'il vieillit –, en détournant le regard, honteux de ne pouvoir cacher qu'il s'est bagarré une énième fois à la sortie d'un bar quelconque et qu'il a probablement fini cette fois encore la tête contre le pavé et du sang plein la bouche parce qu'il devient moins leste et ne croit plus vraiment à tout cela (les hommes, la violence de la nuit, le prétexte politique, les disputes pour un regard ou un mot de travers, les rixes, l'alcool même), mais juge préférable de se faire tabasser plutôt que de gifler un jour un de ses propres enfants ?

Jamais il n'a levé la main sur eux, malgré toute la colère qu'elle le sait renfermer, qui sourd et jaillit par moments de lui. Sans doute a-t-il conclu un pacte avec lui-même, et Julie-Marie l'a parfois trouvé endormi dans sa voiture aux vitres couvertes de buée, dans la cour de la ferme, tandis qu'elle se mettait en chemin pour l'école, et elle a pensé que, s'il ne rentre pas se coucher ces soirs-là, ce n'est pas parce qu'il est tombé ivre de sommeil et de whisky sitôt le portail franchi et le moteur coupé, ce n'est pas parce que la porte de la chambre de Catherine est fermée et qu'elle lui en interdit l'accès, mais parce qu'il redoute ce dont il se sent alors capable. Il en vient lui-même à se faire peur.

Peut-être les coups que lui assène un autre ivrogne viennent-ils alors le purger pour un temps de cette haine, de cette rancœur aveugles, l'absoudre et le laisser en paix sur un trottoir ou à lécher l'eau d'un caniveau, ou peut-être se bat-il encore par simple habitude, par coutume, par réflexe, nostalgie. Par ennui, qui sait ? Julie-Marie s'en moque maintenant, elle qui passait le bout de ses doigts fins sur son visage tuméfié et qu'il laissait faire en grimaçant ; elle à qui il semblait alors que Serge affrontait le monde hostile du dehors, retenait les barbares à leur porte, et qui tâtait les biceps de son père quand il les bandait pour elle, en preuve de son incontestable puissance, sous le regard attristé de Catherine.

C'est comme si c'était toi, ma petite femme, mainte-nant.

Elle qui ne devait jamais grandir, jamais trahir l'amour du père et celui du frère, jamais avoir d'autres désirs que ceux auxquels la ferme et la famille sont supposées subvenir et même devan-cer. Elle en a, pourtant, des envies, des appétits féroces, et ils ne sont plus ceux d'avant, ils ne se satisfont plus de la nature, des bêtes vers lesquelles Jérôme la menait, des arbres aux troncs suintants de sève, de la réserve d'eau embaumée par l'odeur des bosquets de genêts et de blé mûr, ni même de son corps de fillette nu et encore informe sur lequel Jérôme portait un regard plein de désir et d'effroi.

Elle ne se contente plus de l'amour si pur d'un petit garçon auquel elle s'offrait de bonne grâce avec la certitude de ne rien faire de mal mais de répondre simplement à ce grand bouillonnement, à cette immense ardeur logée en eux, insatiable, que tout venait alors satisfaire pour un temps : la chair de poule provoquée par l'eau froide du bassin d'irrigation, le pelage des animaux, leur lascivité et leurs accouplements, les nuits brûlantes de l'été et les feux de paille au bord des chemins, leurs mains moites et leurs étreintes secrètes dans des niches de ronces bleuâtres ; tout ce qu'ils pouvaient voir, sentir, toucher, et qui se déversait en eux sans jamais les remplir, sans jamais les rassasier, comme s'ils pouvaient contenir à eux deux tout l'univers de la ferme et de la campagne au-delà. Julie-Marie s'en est lassée. Ce qu'elle veut maintenant, ce qui lui paraît préférable à toute autre chose, c'est la violence du dehors.

Julie-Marie a toujours envié les autres enfants, leur futilité, leur indolence et leur férocité, mais sans jamais parvenir véritablement à faire partie d'eux, de l'un des groupes qu'ils forment par accident. Elle restait en dehors, incapable de trouver la moindre faille qui lui permettrait de s'immiscer dans leur compagnie, de pénétrer leur cercle. Dans les cours de récréation, elle a appris à simuler l'amusement, car l'ennui ostensible ou l'immobilisme paraît suspect aux écoliers attentifs à la moindre variation. Des années durant, elle a vaguement joué dans leur entour, tenté de se fondre parmi eux, mimant leurs gestes, emboîtant le pas de leur course, entonnant leurs cris incompréhensibles. Leurs jeux sont si différents de ceux qu'elle et Jérôme ont partagés dans le monde de la ferme…

Il y a longtemps, une truie de l'élevage est morte pendant la mise-bas. Julie-Marie ignore encore pour quelle raison son oncle a alors tenté de sauver un des porcelets, non pas en le plaçant au milieu de la portée d'une autre truie, mais parmi celle de l'une des chiennes, isolée du chenil. Dissimulé par l'odeur des chiots, le porcelet a tété et grandi comme un petit canidé, dormant avec eux, jouant avec eux, courant après les balles, apprenant même à grogner comme eux, persuadé peut-être d'être l'un d'eux. Puis, il a soudain disparu. Un matin, Julie-Marie et Jérôme, que le porcelet enchantait, ne l'ont plus retrouvé dans l'espace de l'enclos voué à la gésine des chiennes, ni dans l'espace de la cour. Parce que les chiots étaient sevrés, l'instinct maternel de la mère émoussé, celle-ci l'avait démasqué et, voyant brusquement parmi sa portée l'un des petits porcs que le grand-père jette quelquefois en pâture aux chiens, s'était occupée de le tuer et d'en partager la carcasse avec ses chiots véritables.

Les enfants ont appris à tolérer la présence satellite, commensale, de Julie-Marie, à se laisser approcher parfois ; ils l'ont acceptée parmi eux le temps d'un jeu, d'une récréation, d'une alliance ou d'une intrigue, puis ils se sont désintéressés d'elle et l'ont replacée machinalement en orbite. Ils ont le même âge, parlent la même langue, mais une divergence fondamentale, peut-être inculquée par les pères, la sépare et l'éloigne d'eux. À mesure qu'ils ont grandi, elle leur est d'abord devenue indifférente. Ils ne la voyaient plus, elle

flottait au milieu d'eux, s'attachait à ceux qui tolé-
raient un moment sa présence insipide, puis déri-
vait vers d'autres agrégats d'écoliers lorsqu'ils lui
signifiaient leur lassitude ou leur agacement, la
congédiaient sans autre forme de procès.

Aussi, lorsque ses camarades de classe ont
commencé à lui adresser leurs insultes, il a semblé
à Julie-Marie qu'ils espéraient enfin quelque chose
d'elle, qu'ils lui désignaient une manière d'exister à leurs yeux, et il ne lui a pas déplu que cette
attente soit à l'exact opposé de celles que Serge,
Jérôme et même Catherine ont pu fonder pour
elle. Qu'est-ce qui, de façon si soudaine et inexpli-
cable, a déclenché l'intérêt des enfants, concentré
sur elle leur férocité ? Ils ne l'ont pas reconnue
comme l'une des leurs, du moins jusqu'à ce qu'elle
accepte de plein gré ce qu'ils semblent avoir décelé
sous les traits de la gamine dont ils se moquaient :
la fille facile, la putain, la marie-salope ; jusqu'à ce
qu'elle consente à les embrasser, à manger leurs
bouches et boire leurs salives, à caresser leurs
peaux glabres, à s'ouvrir à leurs corps maladroits.

*

Dans les jours qui suivent la découverte des
empreintes, les hommes ne retrouvent pas La
Bête. Jusqu'à la mi-août, ils continuent d'effectuer
des rondes sous le commandement d'Henri,
s'accordant à tour de rôle quelques heures de
repos. Le verrat demeure cependant introuvable,
et les empreintes disparaissent bientôt à l'orée des
champs des Plaines. Les moissons prennent du

retard et le père se résout à laisser les fils retourner aux terres et à la porcherie, s'occuper de la récolte et de l'ensilage tandis que son obsession le fait dériver, l'entraîne loin de l'exploitation dont il leur délègue de fait la gestion.

D'autres avortements se produisent durant l'été, mais d'abord suffisamment espacés pour que Serge et Joël se contentent de les relever sans en être alertés. Puis, un matin de la première semaine de septembre, tandis que les deux frères contrôlent des bandes de truies en gestation, ils trouvent de nombreux mort-nés. Chacun affairé dans un enclos, ils se lancent un regard par-dessus les barrières qui les séparent.

« Quelque chose déconne », dit Serge.

Il griffonne sur son calepin le nombre de porcelets avortés.

« T'en as combien, toi ?

— Sept ici, neuf là. Neuf aussi dans cet enclos. Onze dans celui-là, répond Joël.

— C'est pas bon. Pas bon du tout. Faut les fouiller pour s'assurer qu'il leur en reste pas… Occupe-t'en, je reviens, faut que je vérifie quelque chose. »

Serge gagne la sortie du bâtiment et marche en direction du bureau d'Henri. Il hésite un bref moment, tâte ses poches à la recherche du trousseau de clés et insère un double dans la serrure. Il pousse la porte sur la pièce confinée, puant le renfermé et le cendrier froid. Il actionne l'interrupteur à plusieurs reprises avant de comprendre qu'Henri n'a pas remplacé les néons. Serge s'avance alors pour allumer la lampe de bureau et les bris de verre craquent sous ses semelles. La grille de protection pend toujours au-dessus du fauteuil en cuir à l'assise usée et des gouttes de sang ont séché et noirci à l'angle du bureau. Sur le mur, le planning du cheptel qui lui évoquait autrefois une kabbale, un mandala dont le sens secret n'était entendu que du père, organise le quotidien de l'élevage selon les cycles des truies, les saillies, les mises-bas; préside à la vie et à la mort des porcs. Serge compare les données annotées sur son carnet aux prédictions du planning quand Joël surgit dans l'encadrement de la porte.

« Il est peut-être temps qu'on range ce bordel », dit-il.

Serge se contente de lui lancer un regard par-dessus l'épaule.

« On est à environ 30 % de pertes sur les premières mises-bas, alors qu'on ne devrait pas être à plus de 5 % en temps normal. On n'a jamais rien eu de pareil…

— Il faut lui en parler », répond Joël.

Serge allume une cigarette et reste un long moment silencieux, tapant nerveusement du pied et scrutant les arcanes du planning comme s'il attendait qu'elles lui révèlent quelque chose.

« Non, dit-il en se tournant vers son frère. On lui dit rien pour l'instant. On va contrôler les auges et prendre les températures matin et soir.

— Et les trente bêtes qui doivent partir demain pour l'abattoir?

— On maintient. L'engraissement n'est pas touché, de toute façon. Tu appelles et tu confirmes. »

Ils quittent le bureau et retournent aux bâtiments de la porcherie.

« Je le sens pas, dit Joël en marchant près de Serge. Si le vieux apprend qu'on lui a caché quelque chose…

— T'as envie d'aller le trouver, toi ? Je sais même pas où il est, putain ! Tu vois pas qu'on ne peut pas compter sur lui ? Il serait incapable de gérer un truc pareil, et ça va encore nous retomber sur la gueule. »

Joël se tait tandis qu'ils désinfectent leurs bottes avant d'entrer à nouveau dans le bâtiment de la maternité.

« Écoute, dit Serge, à nous deux, on est tout de même capables de gérer la situation. Commençons par déblayer toute cette merde et par séparer systématiquement les truies qui présentent des symptômes… On nettoie les semelles avant d'entrer dans les enclos, on change de bottes quand on passe dans un autre bâtiment… »

Joël acquiesce et ils entreprennent de ramasser les dépouilles sanglantes des porcelets et les poches placentaires, puis de nettoyer au jet d'eau les flaques de liquide amniotique. Lorsqu'ils versent le grain dans les auges, seules deux truies ne mangent pas. Elles se tiennent à distance, apathiques.

« Celle-là a de la fièvre. 41 degrés, dit Joël en retirant le thermomètre à mercure du rectum de la bête. On devrait au moins contacter le véto et demander des analyses.

— On va faire ça, oui… En attendant, passe-les à l'eau froide avant de les isoler », répond Serge.

Les jours suivants, ils désinfectent l'ensemble du bâtiment de la maternité. Joël réunit les truies malades dans un enclos, à l'écart des autres porcs. Serge consent enfin à prévenir Leroy, le vétérinaire, mais il prend soin de supprimer du planning une partie des saillies et des fausses couches advenues au cours des deux mois précédents. Le lendemain, de bonne heure, les frères s'apprêtent à quitter la maison lorsque la voiture de Michel Leroy se gare dans la cour.

« Je m'en charge, dit Serge. Où est le paternel ?

— Je sais pas. Je crois qu'il dort, répond Joël, le 4 × 4 est là et il m'a semblé l'entendre rentrer tard cette nuit.

— Reste ici. S'il se réveille et pose des questions, dis-lui qu'il s'agit d'une visite de routine. »

Serge enfile sa parka et quitte la maison. Joël le voit marcher à la rencontre de Leroy et il devine à sa démarche qu'il est encore ivre de sa tournée des bars de la veille. Leroy est un grand type maigre, au cheveu rare, flottant dans un imperméable bien trop grand. Les deux hommes se serrent la main, échangent quelques mots, puis s'éloignent en direction de la porcherie.

« Comment va ton père ? demande le vétérinaire en chemin.

— Fatigué. Il couve quelque chose. On sait pas quoi. C'est pour ça que je préférerais qu'on traite en direct, toi et moi. Il faut le ménager, dit Serge.

— Dis-m'en plus. Tu es resté plutôt évasif au téléphone…

— On a repéré quelques problèmes en maternité. Des truies apathiques, fiévreuses… Perte d'appétit…

425

On a aussi eu plusieurs fausses couches sur des pre-mières portées…

— L'apparition des symptômes remonte à quand ?

— C'est les avortements qui nous ont alertés. Quelques semaines ? Un mois, tout au plus… »

Parvenus à la porcherie, ils enfilent leurs blouses et leurs bottes, puis pénètrent à l'intérieur des bâtiments. Leroy examine quatre truies malades, posant à Serge des questions auxquelles il ne répond que par bribes, comme rétif ou distrait, le regard fixé sur le dos des bêtes. Ils inspectent ensuite le reste des enclos.

« Bon, dit enfin le vétérinaire en haussant les épaules, vu comme ça, je ne vois rien de très alar-mant. On peut commencer pour essayer un anti-biotique à large spectre…

— On teste déjà une partie des reproducteurs chaque année pour dépister certaines infections, et on prévient le reste par un traitement admi-nistré en prophylaxie.

— C'est pourquoi je ne m'inquiète pas trop. On va tout de même demander une analyse sur prélèvements. S'il y a d'autres fausses couches, envoyez tout au labo, mort-nés, placentas, etc. Il faudrait aussi contrôler l'aliment. J'ai déjà vu un cas d'ergot de seigle affecter la gestation d'un éle-vage. On n'y a pas pensé de suite, les porcs deve-naient dingues, les truies avortaient à répétition…

— Entendu », dit Serge.

Les deux hommes discutent encore un moment dans les allées, puis Leroy prend congé. Après son départ, Serge, nauséeux, sort prendre l'air à l'arrière du bâtiment maternité. Il fait les cent pas, tourne en rond sur la vaste dalle sous laquelle les tuyaux d'évacuation bouillonnent des eaux noires de la porcherie et se déversent dans la fosse. Il avale une rasade de whisky qui coule sur son menton, dans son cou hérissé d'une barbe naissante et piquée de poils blancs, puis s'accroupit brusquement et vomit sur le béton des jets d'alcool et de bile. Il reste un long moment, traversé de spasmes, les mains au sol, à quatre pattes, sans plus rien à rendre, éructant de l'air en gémissant à chaque contraction de son diaphragme. Quand il parvient à se calmer, il se laisse tomber sur le côté, puis roule sur le dos, vide de toutes forces, de toutes pensées, ses yeux pleins de larmes fixant un ciel en lambeaux. Lorsqu'une porte claque derrière lui, Serge se redresse avec peine. Joël avance vers lui.

« File-moi une cigarette », dit l'aîné.

Joël tire un paquet de sa poche et grimace en jetant un œil à la flaque de bile flavescente.

« T'as vraiment une sale gueule…

— Merci, dit Serge en abritant son briquet d'une main.

— J'ai croisé Leroy sur le chemin. Pourquoi tu lui as pas dit ?

— Dit quoi ?

— La vérité. Pour les truies. Toutes.

— Mais putain, puisque je te dis que tout est sous contrôle ! T'as pas moufté, j'espère ? »

Joël secoue la tête et se tait un moment.

« Je comprends pas que t'aies cherché à minorer les symptômes… »

Serge soupire et reprend ses allées et venues sur la dalle, tirant avidement sur le filtre de sa cigarette.

« Si Leroy avait toutes les cartes en main, il pourrait peut-être adapter un traitement…

— Y a déjà un traitement adapté, tu le sais aussi bien que moi. Toutes les truies sont sous antibios, qu'est-ce que tu veux de plus ?

— Je sais pas. Des analyses, un antibiogramme, en parler au vieux, nous concerter. Faire quelque chose plutôt que de rester les bras croisés à se voiler la face, à attendre que les choses se tassent d'elles-mêmes. »

Serge ricane.

« Parce que tu trouves qu'on se démène pas assez ? Vas-y, le trouver ! Va ! Ça fait deux mois qu'il passe son temps à battre cette putain de campagne en long, en large et en travers. Tu l'as vu ? Il est maigre, il est crade, il parle tout seul. Il est devenu fou !

— On devrait appeler le médecin. »

Serge se tait un instant et fume en tanguant près de la fosse.

« Faut que je te dise quelque chose… C'est moi qui suis retourné à la porcherie ce soir-là… C'est moi qui ai laissé la porte de la verraterie ouverte et le verrou de l'enclos tout juste fermé… Je sais pas ce qui m'est passé par la tête… J'avais pas de certitude… Je savais que La Bête pouvait le faire, mais je n'ai pas pensé qu'il le défoncerait pour de bon, ni qu'il parviendrait à sortir de l'enceinte… »

Joël reste silencieux.

« Je supportais plus de voir le vieux obsédé par

cet animal, tu comprends ? Il avait plus que ça à la bouche… Les projets pour la porcherie, étendre l'élevage, augmenter le cheptel, alors que tout se casse la gueule à l'entour…

— Je vais commencer par aller m'occuper de la maternité, je ferai la gestation ensuite, puis le reste », répond Joël.

Serge s'avance pour prendre le visage de son frère entre ses grosses mains. Il lève les yeux sur la cicatrice qui sinue sur le front, la tempe de Joël, et il en parcourt le relief avec le gras de son pouce.

Aucun d'eux n'a oublié ce jour où l'aîné a fait irruption dans le bâtiment d'engraissage alors que Joël finissait de nourrir les porcs. Le voyant remonter l'allée dans sa direction, Joël a abandonné le chariot de grain et levé une main en signe d'apaisement avant que Serge ne lui assène un coup de poing au visage, l'envoyant heurter les barrières d'un enclos. Joël n'a pas le temps de se relever que Serge fond à nouveau sur lui, saisissant les barreaux à pleines mains pour prendre son élan et lui donner un coup de pied dans l'estomac. Joël cherche à lui échapper, à ramper dans le lisier, mais Serge s'acharne plus violemment encore, frappe ses hanches, ses cuisses, ses testicules, son corps étrangement insensible sous la pluie de coups. Les porcs affolés hurlent au loin et pourtant si près. Un clou dépassant d'une planche lui a fendu le front et du sang a coulé dans son œil, macule sa joue boueuse et entre dans sa bouche. Joël cherche à inspirer, mais il ne parvient qu'à pousser de longs râles. Puis, les coups cessent. Il parvient à se tourner sur le dos, à cracher du sang et du lisier. Il a vu tournoyer, se rejoindre, puis exploser les lumières des néons. Il a cherché à se relever en prenant appui au sol, mais il a glissé dans les déjections des porcs et s'est étalé de nouveau dans l'allée. Serge s'est éloigné. En tournant la tête, Joël le voit revenir vers lui. L'aîné tient une pelle à la main, levée sur son épaule. Joël a le réflexe de se rouler en boule, enfouissant son visage dans ses genoux. Il ferme les yeux et il reste là, à attendre le coup qui ne vient pas. D'interminables secondes à penser à leurs jeux d'enfants, quand ils parvenaient à échapper à la présence du père et arpentaient les champs, élevaient des cabanes dans les arbres, tiraient les oiseaux à la fronde et faisaient fumer les crapauds. Lorsqu'il rouvre un œil, il voit Henri plaquer Serge contre un enclos, son poing serré sous son col. Le père l'a désarmé et la pelle repose à ses pieds. Joël parvient enfin à respirer. Il s'assied et se traîne sur le sol jusqu'à s'adosser contre le chariot…

Près de douze ans plus tard, Joël observe son visage blême, sa barbe hirsute, le blanc de ses yeux jaunis par l'alcool. Il sent son haleine acide et ses mains trembler sur ses joues. Il ne le craint plus. Il saisit le poignet de Serge.

« Je l'ai laissé t'accuser, dit l'aîné. Et si c'était à cause de moi que tout ça arrivait… Si c'était moi qui n'ai pas su être à la hauteur de ses attentes et qui l'ai sacrifié ?

— T'es plein comme une barrique. Tu devrais aller te reposer. Laisse-moi gérer ça aujourd'hui. Lâche-moi, maintenant. »

Serge acquiesce à plusieurs reprises, sans cesser de caresser le front de son frère avec plus d'insistance, comme s'il cherchait à gommer la cicatrice.

« Oui, t'as raison… T'as sans doute raison… »

Il ramène à lui le visage de son frère, dépose un baiser humide et sonore au coin de ses lèvres, puis le libère, tape à deux reprises ses épaules, puis s'éloigne en se tenant l'estomac.

*

Les chiens aboient et Catherine ne parvient pas à trouver le sommeil. Combien de fois n'a-t-elle pas voulu ouvrir les grilles de ce chenil, puis celles du portail ? Peut-être les chiens seraient-ils moins résignés qu'elle, moins domestiqués, et prendraient-ils alors la fuite, réduisant la cour au silence et la laissant croupir dans sa résignation de bête servile. À moins qu'elle ne fuie à son tour et s'en aille avec les chiens, s'éloignant de la ferme en courant sans jamais jeter un regard par-dessus son épaule…

Il lui faut rester, pour les enfants. Rester pour les enfants. Ah ! ah ! ah ! ah ! En voilà un misérable faux-semblant. Qui cherche-t-elle à convaincre, à quels autres yeux que les siens veut-elle se justifier quand même Jérôme a appris à vivre auprès d'une mère capable de disparaître du jour au lendemain, de se barricader dans sa chambre et de ne plus lui témoigner la moindre attention, le moindre intérêt – ne parlons même pas de la protection, de l'amour, de ces choses qu'une femme est tenue de donner à son enfant.

Peut-être devrait-elle suivre après tout les conseils de Gabrielle qui l'exhorte à fuir depuis plusieurs années ? Elles prendraient les jumeaux, Jérôme, Julie-Marie, elles fourreraient leurs valises à la volée puis disparaîtraient en laissant les hommes et les porcs derrière eux. Dans quelles forces lui faudrait-il cependant puiser pour parvenir aussi à s'extraire du lit... Et puis, quand bien même elle y parviendrait, après la crise, ses esprits recouvrés, elle songerait qu'elle dramatise, que les choses ne sont après tout pas si terribles, toujours préférables à une nouvelle hospitalisation ; et où iraient-elles de toute façon, avec leur marmaille sous le bras...

Catherine n'a, du reste, pas la certitude que Jérôme soit malheureux. Il semble hors d'atteinte ; de quel droit alors l'enlèverait-elle au seul univers qu'il ait jamais connu ?

Retirer simplement ma main, quitter la...

Elle a parfois menacé d'en finir, de se jeter par la fenêtre, d'avaler tous les cachets et de descendre une des bouteilles de whisky que Serge pense cacher dans l'un des meubles de la cuisine. Il a alors surgi dans la chambre, un marteau et des clous à la main pour sceller le chambranle, et elle est restée là, stupéfaite et silencieuse de le voir déployer une telle force, fracasser les clous, faire exploser un carreau, puis la fenêtre entière à coups de masse, laissant pleuvoir des bris de verre dans la cour, avant de se retourner vers elle la tête tremblante, les yeux gonflés, injectés de sang par les cuites et les mauvaises nuits passées sur le canapé défoncé, tandis que Gabrielle et Joël se précipitaient dans la pièce pour s'interposer.

« Si je reste en vie, c'est pour les enfants. »

Elle lui a parlé avec cet héroïsme grotesque, cet aplomb éhonté, et Serge a laissé tomber le marteau sur le sol avant que son frère ne lui saisisse le poignet, puis il lui a répondu :

« Regarde-toi, un peu. T'es incapable de t'occuper d'eux. Que tu sois vivante ou morte, c'est du pareil au même. »

Il est sorti de la pièce, la tête basse, éreinté. Lorsqu'il est revenu, tard dans la nuit (cette nuit-là, et cent autres), nimbé de son odeur d'alcool et de bête, c'était pour tenter de se coucher dans le lit et de l'écraser de tout son poids, d'embrasser ses lèvres et d'empoigner son corps. Il a couvert son menton de salive et de larmes, hoquetant de sa diction d'ivrogne :

« Je suis désolé, je suis désolé, je pensais pas un mot de ce que j'ai dit, je veux pas que tu me laisses, je veux pas me retrouver tout seul. »

Elle parvenait à se dégager de son étreinte et à le repousser hors du lit. Elle se blottissait contre le mur, la couverture tirée sur elle, tandis qu'il restait là, debout au pied du lit comme un enfant puni, avant de gémir *s'il te plaît*, puis de tourner les talons et de quitter à nouveau la chambre pour aller finir sa nuit vautré dans l'un des canapés sans même se donner la peine de retirer son pantalon.

Il arrive pourtant qu'elle retrouve d'anciennes sensations, par le prisme desquelles tout ne paraît pas si noir, si corrompu d'avance. Elle se souvient par exemple de la naissance de Julie-Marie, d'être seule avec l'enfant nouveau-né dans la chambre lumineuse d'une clinique. Elle ne la désirait pas – comment aurait-elle pu *désirer* être mère à dix-sept ans ? –, mais lorsqu'elle tient entre ses mains cet être nu, façonné par sa propre chair, si vulnérable et dépendant d'elle, il lui apparaît, dans un élan intérieur, qu'il lui offre une raison de vivre, lui assure un avenir, sinon un destin. Elle s'accommodera de cette présence auprès d'elle, elle parviendra à s'y résoudre, à renoncer à Joël et à choisir Serge résolument.

Ou bien, par la seule grâce de l'existence de l'enfant, la sienne s'en trouvera transformée et il n'y aura plus rien à choisir, plus rien à quoi renoncer, les événements répondront à la logique et non plus à son seul libre arbitre, elle sera délestée de toute cette angoisse, de ces doutes, du regret des choses (elle ne saurait dire lesquelles exactement) qu'elle n'a pas vécues ou qu'elle ne vivra pas. Toute l'immensité des désirs et des possibles lui paraît négligeable devant la vie de l'enfant, ce qu'il assure de lui donner, et que Catherine méprisait pourtant jusqu'alors : le couple, la famille, être parents, le téléviseur, les devoirs, l'école, les courses au supermarché, la vie respectable.

Mais ce sentiment, cet immense réconfort, ne dure pas plus de quelques jours, ramenés, le temps fuyant, à l'espace d'un instant, à la sensation d'une trouble épiphanie, avant qu'elle ne quitte la clinique pour aller s'installer à la ferme, sa mère pleurnichant tout au long du trajet sur la banquette arrière, se mouchant dans un mouchoir de coton sur lequel elle a probablement brodé ses

434

initiales, non parce qu'elle se lamente de voir sa fille aînée partir si tôt, condamnée à assumer au même âge le même rôle qu'elle par le passé, mais à l'idée de sa nouvelle solitude, d'être projetée sur la pente douce du dernier âge, puisqu'il ne fait aucun doute que Gabrielle partira à son tour, la vie étant ainsi faite, et qu'il ne lui restera rien après cela que la présence de leur père et de pénibles après-midi passés à rêvasser devant le téléviseur, à ressasser cette vie, ce passé abscons, ou à entretenir la maison pour qu'elle ne ressemble pas trop vite à une tombe.

Ensuite, songe Catherine, il y a eu ces années médiocres, vouées à Julie-Marie, cette vie recluse au milieu des trois hommes, à endurer leur ostracisme, leur méfiance, même involontaire, puis le silence orgueilleux de l'aïeule qui épiait le moindre de ses gestes et ne s'adressait jamais à elle que contrainte.

C'était comme débarquer au milieu d'une meute de loups.

Le quotidien lancinant, les journées passées à s'occuper du bébé, en se demandant, hébétée, ce qu'il a bien pu advenir pour qu'elle se retrouve seule dans cette grande maison branlante, qu'elle déteste, comment une telle scission a-t-elle pu se produire entre ses aspirations profondes et cette réalité-là. Comment était-il possible que ce soit Serge qui s'endorme chaque soir près d'elle, et que ce soit leur enfant qui sommeille dans le berceau d'osier au pied du lit?

Durant ces premières années, elle a lutté pour trouver un intérêt, donner un sens à cette vie. À sa demande, et au prix de longues manœuvres pour qu'Henri laisse Serge s'éloigner de l'exploitation, ils partent quelquefois en vacances. Ils vont à Mimizan-Plage, pas même au Cap-Ferret, et louent un deux pièces dans une résidence hôtelière. Ils font ce qu'elle estime devoir faire : ils déjeunent dans des cantines-restaurants du bord de mer, vont à la fête foraine pour voir tourner les manèges, clignoter les lumières et manger une barbe à papa. Ils achètent une carte postale pour les parents de Catherine dans une boutique de souvenirs, quelques coquillages et des hippocampes séchés pour la chambre de Julie-Marie qu'ils aménageront...

Mais, tandis qu'ils marchent le long de la plage par un matin venteux, comme Serge la devance, Catherine contemple son dos, son cou presque aussi large que son crâne. Il ne prête aucune attention à l'océan, aux vagues qui se fracassent et moutonnent sur la grève. Il fume sans un mot, maussade (il s'est soudain mis à griller non pas cinq ou dix cigarettes par jour, mais un, puis deux paquets, comme son père), et semble avoir oublié pour un instant Catherine et Julie-Marie assoupie contre son épaule. Si elle s'arrêtait de marcher maintenant, il continuerait probablement d'avancer sans se retourner, jusqu'à atteindre l'autre bout de la plage, et elle le verrait disparaître peu à peu dans les embruns. Ou bien, elle pourrait marcher vers l'eau, entrer dans l'océan, se laisser happer et emporter par les vagues, son enfant dans les bras, sans qu'il remarque rien.

L'immensité de la plage devant eux semble être à l'image des années qui les attendent. Elle n'a que dix-huit ans, Serge vingt et un. Comment vont-ils bien pouvoir occuper tout ce temps, cet ennui vertigineux ? Et que s'est-il passé ensuite, après le souvenir de ce jour sur la plage ? Tout est si confus, inextricable : les mois, les saisons, les années, l'habitude. Il n'y a plus de temps. Le passé, le présent, l'avenir se sont abolis.

Puis, la première crise survient. Ils sont réunis un soir autour du dîner, et elle a le sentiment d'être brusquement happée à l'intérieur d'elle-même, comme ces brèches que les mouvements tectoniques ouvrent quelquefois au fond d'un lac, les vidant de leur eau. Les sons, les images lui parviennent, mais perçus au travers d'un corps qui ne lui appartiendrait plus. Elle pense d'abord à un simple malaise et plante sous la table les dents de la fourchette dans la peau de son poignet. La douleur se répand dans son bras, ou plutôt l'impression de la douleur, arpentant des connexions nerveuses défaillantes. Une angoisse se lève depuis son ventre, une chute libre, un terrassement. Parvient-elle à commander à son corps de se lever ? Elle renverse la chaise et sort dans la cour, se met à marcher, décrivant de grands cercles, emportant avec elle ce vide sans fond qui menace de l'engloutir. Serge la rejoint, mais elle lui fait un signe de la main pour qu'il se tienne à distance.

« C'est rien, ça va passer, j'ai juste besoin d'air. »

La voix qui sort d'elle lui est étrangère. Elle croit voir Éléonore qui l'observe depuis la fenêtre du salon. Comment est-elle parvenue à prononcer ces mots sans même les avoir pensés ? Elle marche longtemps, jusqu'à ce que la sensation reflue lentement, puis la laisse harassée. Serge la prend par la main et l'entraîne vers la maison. Dans la cuisine, Joël et Henri sont restés attablés, interdits ; ils la regardent passer, blême comme une morte. Serge l'accompagne jusqu'à la chambre et la couche dans le lit. Elle dort durant plus de quinze heures. Au réveil, elle ne se souvient plus très bien. N'a-t-elle pas cru mourir, ou bien qu'il était sur le point de lui arriver quelque chose de pire encore ? Comment dire cette impression de disparaître, de s'annihiler ? Elle oublie pourtant. La vie reprend pour un temps ses droits. Leur solitude, leur étrangeté et le pourrissement de la ferme finissent par lui sembler familiers. L'aboiement des chiens ne la réveille plus au beau milieu de la nuit. Il se glisse dans son sommeil, elle rêve de meutes enragées, de bêtes à ses trousses, dont elle ne saurait dire si ce sont des porcs ou des chiens, de gueules pleines d'écume qui la poursuivent et claquent derrière elle.

*

Henri ne paraît plus à la maison que de loin en loin, hirsute, sale et maussade, les yeux brillants du feu qui le consume. Il semble hanter la ferme et la campagne alentour. De jour comme de nuit, il sillonne les routes en roulant au pas, le fusil posé sur le siège passager. Il perd le sommeil et ne dort plus que par hasard, lorsque l'épuisement l'emporte. À plusieurs reprises, il manque se tuer en perdant le contrôle du véhicule. Il gare alors précipitamment le 4 × 4 en bord de route et s'effondre sur le volant.

La Bête surgit dans chacun de ses rêves. Tapi dans l'ombre, il surgit et fonce. Dans un cauchemar récurrent, Henri tombe, terrassé enfin par la maladie, dans l'un des enclos de la porcherie. Du temps où les porcs erraient, affamés, dans les villages, il arrivait qu'ils dévorent un enfant. Il se rappelle les mises en garde de son père : ne jamais s'abaisser ou jouer à terre devant un porc. Dans le rêve, il est allongé sur le sol, étendu dans le lisier qui lui entre dans la bouche, dans le nez. Il est incapable du moindre mouvement. Autour de lui, des bêtes se meuvent au-delà du cercle de lumière qui l'éclaire. Il se souvient de les avoir délaissées, avoir oublié de les nourrir depuis si longtemps qu'elles se sont sans doute amaigries et ensauvagées. Il ne les voit d'abord pas, mais il les devine, là, dans l'ombre, se mouvant convulsivement, d'abord effrayées, puis excitées par la faim. Elles s'enhardissent, s'approchent, le reniflent. Il sent leur souffle chaud sur ses joues, leur groin dans son cou, sur ses mains. Il veut appeler les fils, mais aucun son ne sort de sa bouche. Puis, l'un des porcs, plus téméraire que les autres, le mord au visage. Henri n'éprouve aucune douleur, mais il devine la peau que la bête arrache d'un coup de tête latéral, excitant l'instinct des autres porcs qui peu à peu s'attaquent ensemble à son visage, dévorent le nez, les lèvres, broient ses cartilages sous leurs molaires. À travers leurs corps maintenant amassés, il perçoit, à la porte de l'enclos, une silhouette qui observe la scène, impassible. C'est le père, avec son propre visage dévasté, qu'il dissimule dans la pénombre, et qui lui dit, secouant imperceptiblement la tête :

Je t'avais pourtant bien mis en garde. Tu sais comment tout ça doit finir.

Il se réveille en hurlant, ouvre la portière, tombe dans le fossé, se relève puis titube à travers champs avant de recouvrer ses esprits. Les médicaments ne parviennent plus à faire baisser la fièvre qui le fait délirer. Bientôt, les figures des cauchemars s'immiscent dans la réalité. Il voit Marcel, loin devant lui, au bout de la route sur laquelle il conduit, tremblotant comme un mirage qu'il ne parviendrait jamais à atteindre ; il l'aperçoit à l'orée d'un boqueteau ou au milieu des terres, toujours figé, impassible.

Il retrouve des impressions qu'il croyait disparues à jamais : celles de la protection de la mère, bien que lacunaires, la sensation de sa présence, de son corps ferme et enveloppant, puis l'autorité froide et mystérieuse du père. Ce sont les premiers souvenirs : marcher près de lui le long des terres, près de ce corps solide, impérial. Marcel pose parfois sa main sur sa tête et enserre son crâne tout entier entre ses doigts. Henri sent l'odeur du tabac froid qui jaunit la dernière phalange de son index et de son majeur, mêlée à celle de la terre, du métal des outils, de l'haleine et du crottin des bêtes.

La monstruosité du père lui est familière ; il ne la perçoit que par le prisme du regard des autres, ceux qu'ils croisent au village, au marché, qui détournent ou attardent leurs yeux apitoyés, condescendants, ou celui des enfants, que l'épouvante écarquille. Il éprouve pour la première fois la morsure de la honte, marchant parmi eux, sa main retenue dans la poigne intraitable du père. Il apprend à préférer leur relative solitude, qui les tient à l'abri des étrangers, de *ceux du dehors*. Il s'applique à témoigner à Marcel son obéissance, son dévouement, en contrepoint de la férocité du monde.

« Tu vois la ligne des chênes, là-bas ? Jusque-là. Un jour, tout ça sera à toi. »

Marcel l'a mené au bord des Plaines, a posé sa main sur son épaule frêle et, d'un geste ample, lui montre l'ensemble des terres qu'Henri finira par acheter à mesure de l'expansion de l'élevage, parfois au prix d'âpres négociations, pour composer le territoire désigné ce jour-là par le père comme l'ultime accomplissement de son existence, achetant même cette parcelle inutile, soutirée par un dessous-de-table à une famille de Puy-Larroque, cette bande de terre souillée par le sang du patriarche versé comme une malédiction sur les Plaines.

Il regagne la voiture dont la portière est restée ouverte, les feux de détresse allumés. Il enclenche l'allume-cigare, mord le filtre d'un clope tiré d'un paquet écrasé, et dont la première bouffée lui porte le cœur au bord des lèvres, puis il se renfonce dans son siège, fermant les yeux pour tenter de dissiper les voix, les figures, les impressions. Des voitures le doublent en klaxonnant.

Son état empire inéluctablement. Une barbe hirsute couvre bientôt son visage. Lorsque, de retour à la maison, il croise l'un des fils, les petits-enfants, ou Gabrielle, il s'arrange pour fuir leur compagnie. L'inquiétude, la pitié que ne parviennent pas à dissimuler leurs regards et leur silence lui suffisent à deviner l'image qu'il leur inflige, ce reflet auquel il n'ose plus se confronter face au miroir de la salle de bains ou à l'un des rétroviseurs. Quand sa propre odeur lui devient insupportable, il se résout à prendre une douche. Baissant le regard sur son torse aux côtes apparentes, son ventre et ses cuisses couverts d'hématomes, il voit alors l'état de son corps ravagé. Au cours de l'été, il a sans doute perdu près d'une quinzaine de kilos. L'eau brûlante que le pommeau de douche déverse sur sa peau le soulage un moment, et il reste prostré dans le fond de la baignoire, les yeux clos, les bras enserrant ses genoux calleux, somnolant. Puis, il s'éveille et agrippe le bord de la baignoire. La Bête ou Marcel ont encore surgi dans une bribe de rêve, le rappelant à sa quête. Il s'extirpe du bac à grand-peine, sèche son dos ébouillanté, drapant d'une serviette rêche ses épaules pointues, ses cervicales grossières.

Il n'emporte plus de chien avec lui. Certaines nuits, il se contente de dormir sous une couverture, à l'arrière du Lada Niva, garé sur un chemin de terre à proximité des Plaines. Un matin de la mi-septembre, au point du jour, comme il s'extirpe douloureusement du coffre, Henri découvre de nouveau un champ de maïs saccagé, labouré de la même manière par de larges sillons. Il s'approche, s'agenouille. Les pieds de l'animal ont imprimé de profondes marques dans la terre humide.

« J'avais raison ! » souffle Henri en se relevant.

Une douleur vrille sa poitrine et le plie en deux. Il gémit, porte une main à son cœur et titube dans le champ, sous le ciel dans lequel de petits astres fragiles résistent encore.

« J'avais raison ! » hurle-t-il maintenant, avant qu'une quinte de toux ne le terrasse, mettant en fuite un groupe de poules faisanes.

Le champ s'étend sur une combe. Plus loin, au sommet du vallon et dans le contre-jour naissant, se tient l'ombre de Marcel, comme nimbé d'un halo mauve.

« Qu'est-ce que tu dis de ça, vieux salaud ? » crie Henri, pointant du doigt le fantôme du père.

Il le regarde un instant.

« Parle ! Qu'est-ce que tu me veux ? Qu'est-ce que t'attends, espèce de pourriture ? »

Seul le silence lui répond. Henri tousse de nouveau, une quinte grasse, douloureuse, puis crache un glaviot qui laisse sur son menton un filet de salive sanguinolent, pris dans les poils de sa barbe. La douleur finit enfin par s'amenuiser et il parvient à se redresser. Il allume une cigarette, fume en regardant autour de lui, puis il regagne le véhicule en se parlant à lui-même, maugréant et à bout de souffle. Parvenu au 4 × 4, il s'adosse un moment au capot en grimaçant. La fièvre assèche et fend ses lèvres. Sa bouche et sa gorge le brûlent. L'urticaire, qui s'est étendue à tout son ventre, n'est plus qu'une grande plaie vive, une brûlure continue, avec de simples variations. Son cœur se met à battre de façon irrégulière. Il le sent convulser sous ses côtes, comme une chose dotée d'une vie propre, nichée là et tout juste éclose. Le soleil a percé par-dessus les champs et le ciel est désormais d'un bleu très pur, presque blanc. Il ne voit plus Marcel au loin, mais un simple arbre griffu et mort, couvert par le lierre et l'amadou.

*

La maison repose dans un silence languissant que seul dissipe le son assourdi du téléviseur devant lequel les jumeaux se traînent, fesses nues sur la moquette. Près du lit du grand-père, sur la table de nuit, le soleil encore chaud de ce début d'automne ne parvient plus à réconforter la dame du portrait. Immobile sur le seuil de la chambre de Julie-Marie, Jérôme inspire l'odeur de sa sœur, le parfum du papier d'Arménie qu'elle brûle dans une sous-tasse posée sur une étagère, au fond de laquelle subsistent les formes prédécoupées de bandelettes réduites en cendres et qui tombent en poussière, s'élèvent et virevoltent s'il souffle dessus ou fait à proximité un geste trop brusque – *je sais bien que tu es encore venu dans ma chambre* –, mais aussi l'odeur de plastique du visage et des mains des poupées au corps de tissu rembourré, maintenant abandonnées dans un coin de la chambre, reliques alignées sur une malle en osier, les unes contre les autres, épaule contre épaule, comme les soldats qui reposent sous la stèle du monument aux morts, lorsqu'ils s'endorment au soir, épuisés d'avoir rampé tout le jour dans les galeries qu'ils ont forées sous la place du village.

Elles sont encore intactes malgré leurs cheveux plus rêches d'avoir trop été peignés et leurs paupières mobiles et ciliées comme le sont les paupières

444

des porcs s'ouvrent sur des yeux en verre, en céramique ou en plastique puis se rabattent lorsqu'on les incline, laissant entendre le cliquètement du mécanisme dans leur tête, *clic-clic-clic-clic*. Jérôme aime leur odeur sucrée, leur corps mou en tissu autrefois blanc, maintenant gris, parfois brun, taché par les auréoles d'anciennes bouchées de gadoue savamment cuisinées, et qu'elles ont ostensiblement refusé d'avaler.

« Tu es une vilaine petite fille ! Tiens, prends ça ! Prends ça ! C'est tout ce que tu mérites ! »

S'ennuient-elles sur le meuble, avec leurs yeux un peu opaques car un voile de poussière a fini par s'y déposer comme une cataracte sur ceux des vieux chats ou l'infection de la myxomatose sur ceux du lapin ? Jérôme aimait contempler Julie-Marie jouant avec ses poupées, les disposant autour d'une pierre transformée en table et sur laquelle elle tendait un mouchoir ou un torchon en guise de nappe, les baignant comme elle le baignait lui aussi.

Puis, soudain, plus rien ; un désintérêt brutal que rien ni personne n'aurait su prévenir, les poupées d'abord oubliées sur le sol de la chambre ou dans les herbes de la cour, délaissées sous la pluie, mastiquées et démembrées par les chiens, leur corps de tissu mangé par les moisissures, celle-là qui n'a plus à la place des mains qu'une bouillie de plastique, cette autre dont le visage a fondu au soleil en un masque terrifiant, avant que Julie-Marie ne les réunisse soudain, par fidélité ou nostalgie, composant un petit autel inutile à leur gloire passée ou à leur bon souvenir. Mais elles sont devenues grossières et laides avec leurs traits décolorés, leurs robes tricotées par l'aïeule ou par la mère avec de mauvaises laines, du temps où elles tricotaient, tricotaient, tricotaient comme si leur vie dépendait de la quantité de choses en laine qu'elles parviendraient à produire, et que tous se promenaient avec pulls, écharpes, chaussettes, bonnets, et que les aiguilles cliquetaient sans cesse…

Il faut maintenant que Jérôme tire sur ses manches pour qu'elles grandissent avec lui, à moins que Catherine ne se décide enfin à jaillir de sa chambre à nouveau pour tenter de remettre de l'ordre dans leurs vies et dans toute la maison, puis qu'elle l'entraîne comme à son habitude dans la première braderie de village avec la ferme intention de le rhabiller de pied en cap avec des vêtements mal assortis, qui ont appartenu à d'autres et sentent d'autres lessives, d'autres placards ou d'autres peaux que les leurs.

« Regarde ça ! Cinq francs ! C'est une affaire ! Ça te plaît ? Non ? Tu trouves pas que c'est chouette ? Ah, ce que t'es difficile. On le prend quand même. »

Jérôme entre et referme derrière lui la porte de la chambre. Que s'est-il donc passé ? Où cette Julie-Marie-là a-t-elle bien pu disparaître ? Pourquoi ne le laisse-t-elle plus la suivre comme autrefois, quand ils s'entraînaient l'un l'autre sur les chemins de campagne. Il ramassait les mûres aux lianes des ronces pour les lui porter, et elle l'attendait, assise au pied de l'un des magnolias de la friche dont les fleurs, quand elles pourrissent, dégagent une odeur suave, et les doigts et les lèvres de Julie-Marie étaient bientôt bleuis par le jus des baies noires et molles.

Pourquoi le repousse-t-elle désormais, lorsqu'il cherche à l'enlacer, *t'es un grand garçon mainte-nant, il ne faut plus*, et pourquoi ne fait-elle plus sortir de papillon de sa tête comme lorsqu'il a voulu écouter le bourdonnement d'un petit sphinx capturé dans le parfum entêtant des haies de troènes ? Il l'a enfermé dans un pot de bouillie pour bébé dont Gabrielle nourrissait les jumeaux, et, lorsqu'il l'a porté à son oreille pour l'écouter, le papillon a désespérément cherché une voie de sortie et est entré dans sa tête. Il y a eu un rugisse-ment soudain, une douleur fulgurante, et son tym-pan vibrait avec les ailes du papillon, alors Jérôme s'est mis à hurler à pleins poumons, à se rouler par terre, à frapper son crâne contre les murs, jusqu'à ce que Julie-Marie parvienne à le contenir et à l'allonger, à poser sa tête sur ses genoux et, à l'aide d'une pince à épiler, à retirer le sphinx du conduit auditif, mais par petits bouts, car l'insecte acculé s'entêtait, ne voulait pas sortir, et fuyait maintenant la morsure de la pince, prêt à débou-cher dans le crâne de Jérôme où il serait alors irrécupérable et volerait en se cognant à son pla-fond jusqu'à la fin des temps.

Il a rien dans le ciboulot, ce môme, c'est vide là-dedans, sa mère lui aura refilé son dérangement.

Et Julie-Marie, tentant de s'éclairer avec une lampe de poche, a déchiqueté, à l'aveuglette, les ailes, puis les pattes, puis l'abdomen du papillon, jusqu'à retirer le reste du corps immobile de l'insecte, le thorax, la tête, un bout d'aile, et puis :

le silence revenu, Julie-Marie qui caresse ses cheveux pour l'apaiser, la pulpe de ses doigts poudrée par les ailes atomisées du sphinx, ses jeans mouillés de morve et de larmes…

Peut-être devrait-il écouter d'autres papillons, les laisser entrer dans sa tête pour que sa sœur lui revienne un peu, et tant pis pour la douleur qu'elle finira bien par apaiser avec la pince à épiler. Mais la chambre est vide, triste dans la lumière jaune et…

Elle se fait baiser pour rien et par n'importe qui, c'est mon frère qui me l'a dit.

… Julie-Marie est absente, lui préférant d'autres garçons qu'elle embrasse, couvre de caresses, par lesquels elle se laisse embrasser et couvrir de caresses, se moquant bien de cette sensation qui serre le ventre et la gorge de Jérôme à la seule idée de son corps nu et interdit offert à d'autres mains, à d'autres yeux et à d'autres lèvres que les siens.

Il s'avance vers la bibliothèque maintenant encombrée d'objets inconnus de lui, de choses vaines et étrangères au monde de la ferme, et il balaie brusquement l'étagère d'une main, envoyant valser au sol la sous-tasse qui éclate, pulvérisant les languettes prédécoupées et calcinées de papier d'Arménie. Il arrache du mur le puzzle dans lequel des chevaux autrefois blancs maintenant jaunes courent depuis toujours sur une plage dont ils ne parviennent jamais à atteindre l'extrémité, puis les posters punaisés sur la tapisserie criblée au fil des ans de petits trous.

Jérôme piétine le mange-disque jusqu'à ce que la coque de plastique rouge se fissure et cède avec fracas sous ses coups de pied. Il sort de leur pochette en carton les quelques vinyles que Julie-Marie possède et les brise sur son genou en les tenant des deux mains. Il saisit une à une les poupées auxquelles il arrache les bras, laissant sur leurs troncs des plaies béantes. Jérôme voit alors le cartable relégué sous le lit pour le temps des grandes vacances. Il s'assied sur la moquette et reprend son souffle. Il se penche, tend le bras, saisit une sangle et tire le sac à lui. Il l'ouvre et en sort les cahiers remplis d'une écriture ronde et appliquée. Il arrache les pages une à une, extrait la trousse du cartable et fait glisser la fermeture. Une pluie de petits papiers tombe sur ses genoux. Des dizaines de petits papiers déchirés dans les pages quadrillées de cahiers d'école avant d'être soigneusement pliés. Jérôme les défroisse et les pose l'un près de l'autre sur la moquette, répétant les mêmes lettres, les mêmes mots, tracés par des mains différentes, dans des calligraphies maladroites qu'il déchiffre à grand-peine

SALOPE
SALE TRUIE
PUTAIN

tandis que les poupées déversent sur le sol une hémorragie de mousse.

*

Henri cherche une bouteille d'eau dans la voiture et la vide d'un trait. Quand il se tourne à nouveau vers le vieux chêne, il devine la forme de l'animal, immobile au bout des terres en lieu et place de la silhouette du père. Henri ferme les yeux, passe les mains sur son visage. Lorsqu'il les rouvre, le verrat est toujours là, à découvert. Un vent léger souffle en direction contraire et La Bête ne l'a probablement pas repéré. Henri tend le bras vers la portière, tâtonne l'assise du fauteuil par la vitre abaissée, sans lâcher l'animal du regard, avant de sentir ses doigts se refermer sur le canon du fusil et de le tirer à lui. Il lance un regard en direction de la route. Il ne peut pas prendre le temps d'alerter les fils et laisser le verrat leur échapper une fois de plus.

Henri longe le champ de maïs sur quelques dizaines de mètres. Depuis le chemin, il domine l'évasement de la combe sur laquelle s'étend la culture. Les pieds seront bientôt récoltés et s'élèvent à près de deux mètres au-dessus du sol. Ils balancent doucement dans une brise légère, gênant la vue d'Henri qui peine à évaluer la distance qui le sépare du verrat. Pour rejoindre l'animal, il lui faut choisir de contourner le champ ou de le traverser. Il le perdra de vue de toute façon derrière l'épaisse barrière que forment les maïs. Les ronces qui poussent au bord des cultures risquent d'entraver sa marche et de rendre son approche difficile, aussi choisit-il de couper à travers le champ. S'il marche droit vers l'est, il devrait atteindre approximativement l'endroit où se tient le verrat. Henri s'engage entre les pieds, repoussant du dos de la main les épis lourds. Bien qu'il prenne appui sur le manche du fusil, chaque pas lui demande un effort considérable. Il progresse en silence le long des lignes de plants, fixant la terre nue et fendue à ses pieds. À cette heure, le champ retient encore la pénombre moite de la nuit, exsude l'odeur doucereuse des épis et celle de la terre. Henri lève par moments les yeux au ciel pour se repérer. Lorsque le soleil jaillit, la lumière trop vive le contraint à abriter ses pupilles dilatées par la fièvre. Il voit alors persister sous ses paupières l'impression de l'astre blanc, et glisser la silhouette de La Bête.

Il avance difficilement. Le champ semble devenir plus dense à mesure qu'il s'y enfonce, les épis comme dressés sur son chemin pour lui entraver le passage. Les feuilles crayeuses battent ses bras et son visage. Henri suffoque, s'arrête et s'accroupit, une main posée sur le sol. Autour de lui, le champ bruisse doucement; un chuintement pareil à une houle, et il lui semble que la terre se met elle aussi à osciller, comme s'il lui était soudain possible de percevoir son éternel mouvement. Il se sent éreinté par une très vieille fatigue, aussi vieille que la terre elle-même et son tournoiement désolé. Henri dépose son arme à terre, s'allonge en chien de fusil, gémissant et claquant des dents, puis il finit par s'assoupir.

Quand il s'éveille, il contemple un carabe doré, aux élytres d'un vert métallique, qui galope le long de sa main, se laisse tomber au sol, puis disparaît entre les nœuds des racines adventives. Henri regarde le ciel vers lequel se dressent les épis. Il ignore s'il a vraiment dormi de ce sommeil sans rêve, sans consistance, ou s'il a perdu connaissance. Il saisit le fusil et s'appuie sur la crosse pour se relever. Plusieurs heures doivent s'être écoulées, car le soleil est désormais haut. Henri ne sait plus dans quelle direction avancer. Il cherche à retrouver l'empreinte de ses semelles sur la terre poudreuse et tassée, puis il reprend à tâtons son avancée entre les plants rougeâtres qu'il écarte d'abord avec le canon de son arme avant de se précipiter, fauchant les pieds qui se brisent et ploient sous le poids des épis mûrs.

Il débouche soudain à l'orée d'un champ, sur un chemin pierreux. Il cherche son souffle en regardant autour de lui. Il ne reconnaît rien, ni le champ dont il vient de s'extraire et qui n'est plus qu'une culture fauve et indistincte, ni les collines alentour, dissous par la lumière et sa vision troublée. Henri ne reconnaît ni la topographie, ni l'assolement des terres, ni même un arbre qui lui confirmerait qu'il se trouve bien là sur les Plaines. Un groupe de canards passe au-dessus de lui et il lève les yeux, la main en visière, puis les regarde s'éloigner, s'attendant à les voir simplement disparaître. Il avance de quelques pas sur le chemin, trébuchant dans les cailloux. N'est-ce pas le verrat dont il distingue à nouveau la silhouette droit devant lui ? Il lui semble que l'animal a relevé la tête. Est-il possible que La Bête l'ait attendu tout ce temps, tandis qu'il s'égarait dans le champ de maïs ? Henri n'ose pas bouger, et le verrat s'éloigne nonchalamment en longeant le chemin, s'arrêtant par instants pour tourner la tête en direction d'Henri, comme pour évaluer la distance qui les sépare ou s'assurer que l'homme le suit bel et bien.

Henri hésite. Il regarde autour de lui, tâte son front brûlant, puis emboîte le pas de l'animal, longeant à son tour les bosquets. D'un bond étonnamment souple, La Bête saute l'ornière qui sépare le chemin d'une terre elle aussi semblable à un guéret, une jachère couverte de graminées dans lesquelles le verrat s'enfonce, ouvrant un grand sillage. Henri enjambe à son tour le petit fossé et progresse en suivant une trajectoire parallèle à celle de l'animal, veillant à lui laisser une dizaine de mètres d'avance et à ne pas effectuer de geste brusque. Henri s'agenouille, ouvre la culasse du fusil en la tenant serrée dans le poing pour en étouffer le déclic, puis charge l'arme avant de se redresser. Il lève le canon et cherche à viser l'animal, mais le tremblement de ses mains l'empêche de se stabiliser, et la sueur écoulée de son front dans ses yeux l'aveugle.

La Bête se remet en mouvement, déportant sa trajectoire, et Henri reprend sa marche, avançant de biais vers l'animal. Ils gagnent lentement le sommet d'un vallon depuis lequel ils dominent la campagne d'un calme remarquable. Henri avance de quelques pas et embrasse la vue. Il devrait voir d'ici le Lada Niva, apercevoir le bâtiment des quelques fermes qui délimitent les Plaines, la route départementale, le village de Puy-Larroque… Dans quelque direction qu'il se tourne, il ne trouve que de vastes étendues sauvages, comme débarrassées de la présence des hommes, livrées au seul ressac imprévisible de la lumière automnale, d'immenses plaines boisées ou herbeuses où ne s'élèvent ni maisons ni villages, seulement les cimes d'arbres séculaires. Henri se mord l'intérieur de la joue pour être sûr de ne pas rêver ; un goût métallique se répand contre son palais.

La Bête s'est immobilisé à une vingtaine de mètres devant lui. Henri n'est pas certain de le reconnaître. Le verrat est amaigri, plus élancé. Son corps s'est couvert d'un pelage dru. Ses soies sont engluées de terre, de débris de feuilles, d'herbes mortes. Ses défenses jaunes et courbes saillent de chaque côté de sa gueule et son flanc porte les cicatrices blanches et parallèles laissées par le grillage d'enceinte. Henri soulève l'arme dont il pose en tremblant la crosse sur son épaule, puis il met en joue le verrat.

Il reconnaît alors face à lui, dans la ligne de mire, cette terre inutile, au beau milieu des Plaines, cette bande maudite sur laquelle le père a mis fin à ses jours, au lendemain de la proclamation de mobilisation générale. Et, à la place de La Bête, c'est Marcel qu'il voit maintenant, Marcel qui a marché jusque-là, emportant avec lui ce même fusil de chasse, Marcel qui a délacé ses gros souliers dont il graissait le cuir au saindoux, les a ôtés et les a rangés l'un près de l'autre, ses chaussettes de grosse laine roulées à l'intérieur, Marcel qui, pieds nus dans la terre, a posé le canon de son arme sous son menton avant de presser la détente d'un orteil glissé dans le pontet, sans l'ombre d'une hésitation, dispersant la moitié de son crâne dans l'air chaud d'une fin d'après-midi, quarante-trois ans plus tôt.

Les fils trouvent d'abord le 4 × 4, portières ouvertes, feux de détresse allumés. Ils cherchent le père, l'appellent à la cantonade. La chienne qu'ils ont emmenée avec eux flaire enfin une piste et s'enfonce en jappant dans les sillons d'un champ de maïs, suivie de près par les hommes. Ils retrouvent Henri, à demi inconscient et allongé sur le flanc près de son fusil, au milieu des plants. Les fils passent chacun un des bras du père par-dessus leurs épaules et le soulèvent sans peine. Celui qui, si longtemps, leur a semblé colossal, robuste et impérial ne pèse plus rien et se laisse traîner jusqu'au Lada Niva, puis allonger sur la banquette arrière. Lorsqu'ils parviennent à la ferme, Gabrielle se précipite pour les aider à l'extraire du véhicule, puis à le soutenir jusqu'à la maison et à le porter à l'étage. Tandis que Joël téléphone au médecin, Gabrielle et Serge entre-prennent de déshabiller Henri dont le pantalon est souillé de terre et d'urine, la chemise détrem-pée. Ils contemplent alors la peau de son torse, de son ventre, parcourue de croûtes noires, de plaques rouges, d'hématomes jaunâtres laissés par les grattements acharnés.

« Nom de Dieu », murmure Serge.

Ils parviennent à le redresser un peu et à lui enfiler un T-shirt. Henri les regarde, paupières mi-closes, et il ressemble aux vieux pathétiques des hospices, usés jusqu'à la moelle, effondrés sur eux-mêmes, dont on peine à croire qu'ils aient pu être autre chose que ces contrefaçons d'êtres humains.

Une heure plus tard, lorsqu'il quitte le chevet d'Henri, après sa consultation, le médecin les rejoint dans la cuisine et pose sa mallette sur la table. Gabrielle lui verse une tasse de café, mais il la refuse d'un geste de la main.

«Vous auriez dû appeler les secours directement. Il faut le faire hospitaliser.

— T'as vu son corps? Qu'est-ce qu'il a? demande Serge.

— Un lymphome. Votre père a un cancer, très avancé. Vous n'étiez donc pas au courant?»

Les deux frères se lancent un regard et restent silencieux.

«Il est venu me voir il y a plusieurs mois. Il se plaignait de fièvre, de ganglions…

— Et qu'est-ce que tu lui as prescrit?

— Rien. On a fait des analyses, mais il a refusé tout traitement. Il m'a interdit de vous dire quoi que ce soit. C'est pas faute d'avoir insisté, à plusieurs reprises. Je l'ai alerté sur les risques qu'il encourait… Il a tout refusé en bloc: les soins, les examens complémentaires, même de venir me voir au cabinet… Tu connais ton père.

— Et s'il va à l'hôpital maintenant, est-ce qu'il existe des traitements? Est-ce qu'il a une chance de rémission?» demande Joël.

Le médecin secoue la tête.

«Je crois que vous me comprenez mal. Il n'y a aucune chance de rémission. Le traitement n'est même plus une option. Qu'il ait tenu jusque-là sans soin et sans assistance médicale est déjà impensable. Tout ce qu'ils pourront faire maintenant, c'est tenter de soulager sa douleur.»

Lorsque les ambulanciers le sortent de la maison, Éléonore, qui les a vus manœuvrer le véhicule dans la cour, ouvre sa porte et sort sur le perron. Joël s'avance vers elle et la soutient par le coude pour la conduire auprès du brancard. L'aïeule se penche sur son fils. Elle passe sa paume sèche sur sa joue. Elle enfonce ses doigts dans sa barbe grise. Elle prend la main d'Henri dans sa main aux doigts tortueux, aux veines éreintées et aux tendons aigus comme des lames. Elle ne l'a pas vu depuis de longues semaines, des mois peut-être ; elle le reconnaît à peine. Henri ramène la main contre sa poitrine et l'y serre un bref instant avant de la lâcher. Les ambulanciers emportent le brancard jusqu'au véhicule, le chargent avec précaution, et le clan réuni dans la cour de la ferme regarde l'ambulance s'éloigner, emportant le patriarche. Éléonore reste longtemps debout, vacillante dans la lumière, appuyée sur l'avant-bras de Joël. Elle dit :

« Aide-moi », et il la raccompagne chez elle.

Joël l'installe dans son fauteuil, au salon.

« Il est très malade, dit-il. Il n'a rien voulu nous dire. On savait pas… Je suis désolé. »

L'aïeule lève sur lui ses yeux sévères et délavés.

« Pour une mère, même usée, même bientôt morte, voir partir son fils, ça devrait être… C'est moi qui suis désolée… De l'avoir perdu… il y a si longtemps déjà, que je ne ressens plus rien. »

Elle frappe du plat de la main sa poitrine sèche, puis frappe encore.

« Je ne ressens plus rien, tu comprends ? Je n'ai même plus de peine. »

*

Serge s'éloigne de l'élevage, s'abîmant dans les rades du coin. Il ne s'éveille plus qu'au milieu de l'après-midi et reste affalé des heures durant devant le téléviseur allumé en fond sonore, fumant cigarette sur cigarette, descendant cafetières et bouteilles de Johnnie Walker qui ne tardent pas à joncher le sol, avant de disparaître à nouveau jusqu'aux premières lueurs du jour suivant. Joël est bientôt seul à prendre le chemin de la porcherie. Chaque matin, il constate, impuissant, la propagation de l'infection à tous les bâtiments de l'élevage. Il adresse au laboratoire une première série de prélèvements, mais les résultats des tests pratiqués qui lui parviennent une semaine plus tard se révèlent négatifs. Lorsqu'il les reçoit, Joël regagne la maison, entre dans la cuisine et jette les documents sur la table devant laquelle est assis Serge.

« Regarde ça. Il n'y a rien. Que dalle ! Rien de pathologique dans les prélèvements sanguins, rien sur les fœtus. Pas de bactérie, pas d'antigène. Ils ont trouvé quelques mycotoxines dans le grain, mais pas de quoi expliquer les fausses couches. »

Serge pose sur les documents un regard absent.

« C'est bien », dit-il.

Joël étale brusquement les papiers face à lui.

« Ce matin, j'ai trouvé deux autres porcs en train d'agoniser… On a de plus en plus de crevards à l'engraissement, de truies malades en gestation et en maternité, et les avortements continuent… Tout ça n'a pas de sens… »

Serge allume une cigarette. Ses mains tremblent de façon bien plus visible, de grands cernes mauves mangent ses joues. Il ne répond pas et tire sur son filtre en réprimant un spasme de plaisir ou de dégoût.

« Si tu le voyais, dit-il en crachant une bouffée de fumée, si tu le voyais dans sa chemise de nuit d'hôpital, le cul à l'air… Il est tellement pathétique… Je suis resté assis près de lui pendant des heures, à attendre qu'il se réveille, tu vois… Quand il a ouvert les yeux et qu'il m'a vu assis là, à son chevet, il m'a fait signe d'approcher… J'ai bien vu qu'il lui fallait puiser dans ses dernières forces simplement pour me demander d'approcher… Alors, je me suis levé de mon siège et je me suis penché sur lui pour l'entendre… Et tu sais ce qu'il m'a dit ? Il m'a demandé de disparaître… Oui, il m'a demandé de dégager de sa vue… Pour pas que je le voie comme ça, dans cet état-là, réduit à… Il m'a demandé de le laisser crever seul, dignement, il a dit… Quel genre de fils peut faire ça ? Quel genre de fils peut abandonner son père à sa mort… Moi j'ai pas bougé d'un pouce, j'étais pas certain d'avoir bien compris, ou alors j'ai voulu le raisonner… Il s'est agrippé à ma chemise et il m'a hurlé de m'en aller… Il a réussi à me hurler de dégager… Il m'a craché au visage comme si j'étais la dernière chose qu'il ait jamais souhaité revoir… et il a désigné la porte d'un geste si brusque qu'il s'est arraché sa perfusion et s'est mis à pisser le sang sur son drap sans même s'en apercevoir… Moi qui ai tout fait pour lui, moi qui lui ai sacrifié toute ma putain de vie… Voilà ce que… Voilà comment je suis traité… Et tu veux savoir ce que j'ai fait à ce moment-là ? J'ai fermé ma gueule, Joël… J'ai pas moufté… J'ai fait ce que je fais depuis toujours, depuis que j'ai mis un pied ici-bas... Je lui ai obéi, j'ai baissé la tête, j'ai courbé l'échine et je suis sorti de cette chambre d'hôpital... »

Il écrase son mégot dans le fond de sa tasse de café. Joël reste d'abord silencieux, puis il se relève et dit :

« On va reprendre les choses en main. J'ai demandé à Leroy de venir faire une nouvelle série de prélèvements sur les truies. On va effectuer d'autres analyses. Ils finiront bien par trouver. J'ai compté plus de trente fausses couches depuis le mois dernier. Il faut que tu m'aides, Serge, ou les bêtes vont crever en masse.

— Tu piges donc pas ? Tout ça... La porcherie... Les porcs... Ça nous dépasse, toi et moi, c'est... On ne va rien résoudre, rien réparer... »

Serge saisit la bouteille de Johnnie Walker pour se verser une rasade, mais Joël la lui arrache des mains et la jette contre un mur où elle éclate.

« T'es aussi responsable que moi, t'entends ? Autant que moi, et autant que le vieux. »

Serge hausse les épaules.

« Bien sûr, oui. Et après ? »

Joël désigne Serge d'un doigt accusateur, puis il renonce et quitte la maison, rabattant si fort la porte derrière lui qu'il en fend le chambranle.

*

Jérôme contemple les poupées. Julie-Marie et lui sont partis maintes fois avec elles en voyage. Lorsqu'elle le décrétait, c'était le temps des vacances; elle fourrait alors pêle-mêle dans une valise quelques shorts, quelques T-shirts, quelques slips et paires de chaussettes, elle entraînait Jérôme vers l'épave rouillée de la 4 CV dont le châssis repose encore perché sur des cales dans les herbes hautes à l'arrière de la ferme.

Julie-Marie l'installait près des poupées, sur la banquette arrière, lui ordonnant de surveiller ses sœurs et de ne pas les embêter car un accident est si vite arrivé, un instant d'inattention, et voilà, bim, boum, bam, c'est le drame, on se retrouve dans un fossé ou encastré dans un platane, le corps disloqué, mélangé aux bras et aux jambes, aux têtes creuses et chevelues des poupées... Elle rabattait la portière qui grince et claque, dont les vitres ont verdi et, le temps de contourner l'épave, laissait Jérôme seul dans l'habitacle embaumant le métal corrodé et chaud, la mousse pourrissante de fauteuils imbibés par la pisse des chats qui viennent s'y réfugier par l'une des brèches que le temps, la rouille et l'humidité ont ouvertes dans la carrosserie.

Puis, Julie-Marie s'installait sur le siège conduc-teur, face au volant absent – car les pères désossent les épaves et revendent les pièces détachées –, réglait le rétroviseur dont le tain est piqué, s'assu-rant que la fratrie imaginaire se tenait sagement assise; jamais elle n'énonçait d'autre destination que « la mer » et « la montagne », les seuls ailleurs connus, avant d'insérer dans le contact une clé invisible, pestant lorsque le moteur disparu peinait à démarrer, puis se renfonçait enfin dans le siège avec satisfaction, les bras tendus dans le vide, quand elle seule l'entendait toussoter.

Ils partaient, laissant derrière eux la ferme, Puy-Larroque, les terres familières, et Jérôme écoutait Julie-Marie décrire les paysages qu'ils traversaient, recelant d'étranges trésors, des villages troglodytes, des volcans crachant des nuages de cendre et vomissant sur leur flanc une lave lumineuse, des lacs miroitants de la surface desquels jaillissaient des poissons volants aux reflets métalliques, des villes immenses et grises élevées jusqu'au ciel par la main de l'homme, des côtes abruptes et grani-tiques s'effondrant dans des mers démontées qu'ils longeaient, au péril de leur vie, par les lacets d'une route tortueuse. Jérôme écoutait, observant le jardin en friche au travers des fenêtres ver-doyantes de la 4 CV, ne voyant que les carcasses des autres voitures, des estafettes, des machines à laver, puis il dodelinait bientôt de la tête, finissait parfois par s'assoupir. Il se réveillait un moment plus tard : Julie-Marie avait quitté la voiture, lais-sant la portière ouverte. Quand le soleil tapait, l'épave devenait une étuve. Parfois, c'est la voix de l'un des pères, de Catherine ou de Gabrielle qui l'appelait depuis la cour et le tirait, suant, de ses rêveries. Il avait alors l'impression d'avoir effective-ment voyagé, à travers l'espace et à travers le temps, par des dimensions et des univers infinis.

Pendant que Julie-Marie conduisait, il arrivait aussi que Jérôme saisisse les poupées, leur tire les cheveux, les frappe contre les vitres et les sièges, leur torde les bras et les jambes, alors Julie-Marie les réprimandait, grondait et menaçait, s'ils

462

continuaient leur cinéma, de se garer en bord de route et de descendre pour leur passer une sacrée raclée, chose qu'elle ne tardait pas à faire, braquant soudain, pilant de toutes ses forces, descendant de voiture et ouvrant la portière arrière à la volée. Elle s'asseyait alors sur la banquette et intimait à Jérôme l'ordre de baisser son pantalon et sa culotte, puis de s'allonger sur ses genoux pour qu'elle lui administre une fessée, murmurant *tu-es-un-vilain-garçon*, de la même façon qu'elle grondait les poupées lorsqu'elles refusaient la bouillasse qu'elle leur donnait, et Jérôme gesticulait voluptueusement, sous les claques assenées sur ses fesses nues, contre la cuisse de Julie-Marie dont il percevait les tout petits poils hérissés et translucides, sous le regard indifférent et le sourire à peine esquissé des poupées.

Tu-es-un-très-très-vilain-petit-garçon.

Julie-Marie se promenait partout avec ce tutu en gaze rose pâle que Catherine lui avait acheté dans un vide-greniers parce qu'elle rêvait de faire de la danse classique comme les autres petites filles de l'école ; mais il aurait pour cela fallu faire deux fois par semaine, après la classe, les quelques kilomètres qui séparent Puy-Larroque de la petite ville dans laquelle les cours sont dispensés, et personne n'en a jamais trouvé le temps.

Allongé sur le lit de Julie-Marie, Jérôme enfonce son visage dans le traversin et la revoit parcourir la cour de la ferme en long, en large, et en travers, à pas de chat, à sauts de biche, poursuivie par les chiens qui jappaient, ivres de joie, répéter les chorégraphies dont elle enseignait à ses poupées les enchaînements, n'hésitant pas à les réprimander d'un coup de bâton lorsqu'elles se montraient inattentives ou ne pointaient pas correctement le pied. Elle demandait à Jérôme d'assister à ses représentations, soignant sa mise en scène par de savants agencements de vieux draps tendus sur des tringles à rideaux, de lampes recouvertes qui tamisaient la lumière, et le garçon la regardait répliquer avec cérémonie les mêmes gestes dans son petit théâtre tout de bric et de broc.

Elle ressemblait à la petite ballerine qui ne tourne plus sur elle-même dans la boîte à musique de l'arrière-grand-mère, dont elle remontait autrefois le mécanisme et qu'il regardait tournoyer sur sa piste minuscule, puis qui s'est enrayée et repose maintenant sur une des étagères, entre des miniatures de chats en porcelaine, comme eux recouverte d'une couche de poussière grise et pelucheuse. Peut-être le mécanisme de Julie-Marie a-t-il fini à son tour par s'enrayer, et qui sait où a fini le tutu de gaze rose pâle ? Certainement relégué dans le fond d'un placard ou d'un carton à jouets.

N'est-ce pas ce qui est en train de lui arriver ? N'est-il pas, comme les poupées mortes sur la moquette, devenu indésirable, désuet, pareil à toutes ces choses pour lesquelles elle semble maintenant concevoir de la honte et qu'elle trouve puériles ? Des choses de bébé, de petite fille, auxquelles elle préfère les garçons du dehors… Leur offre-t-elle des spectacles, des danses plus lascives ? A-t-elle répété les gestes *pour de faux* ou *pour du beurre*, comme autrefois, lorsqu'elle lui faisait embrasser son poing, serrant les doigts et portant à sa bouche le creux de sa paume ?

« Tu sors la langue et tu tournes en fermant les yeux. J'ai dit : en fermant les yeux ! »

Et Jérôme de s'entraîner sur son propre poing, puis sur n'importe quel trou creusé dans l'écorce d'un arbre, l'anfractuosité d'une pierre cabossée, la gueule de l'un des braques qui, joyeux, lui léchait en retour le visage à grands coups de langue toute rose et toute douce.

« Qu'est-ce que tu fais, petit cochon ? »

Julie-Marie avait passé la tête par l'embrasure de l'une des niches du chenil, dans laquelle Jérôme était entré, du temps où son corps lui permettait encore de s'y glisser et de s'y allonger tout entier sur la paille et les vieilles couvertures puantes. Il la regarde sans même penser à retirer la main du fourreau du chien qu'il branle pour la seule et bonne raison que le chien aime bien ça. Julie-Marie agite son index sous son nez et fronce les sourcils. Elle le gronde maintenant et le tire par un pied hors de la niche.

Comment savoir ce qui est bien, ce qui est mal ? Le chien n'est-il pas content, lui ? Est-ce plus terrible que de fourrer la langue dans son poing ou bien entre les cuisses si soyeuses de Julie-Marie lorsqu'elle consent à s'allonger dans un lit ménagé au milieu des blés tendres et à faire glisser sa petite culotte jusqu'à ses genoux couverts de petites croûtes et d'estafilades ?

Il ne faut plus, il ne faut plus, il ne faut plus.

Pourquoi n'est-il pas mal de frapper les bêtes, de leur arracher des morceaux de chair, de leur fracasser le crâne contre un mur ou de les noyer dans un seau, et pourquoi est-il mal de leur donner du plaisir ou de donner du plaisir à Julie-Marie ? Même Gabrielle le sermonne lorsqu'elle le surprend en train de toucher son propre zizi ou celui des jumeaux.

« Arrête de tirer dessus, tu vas l'arracher. Ne fais pas ça devant les gens. Laisse les jumeaux tranquilles. »

Jérôme voit Henri reposer le porcelet sur le caillebotis et pointer la lame du scalpel dans sa direction ; un des deux testicules qu'il vient de trancher est resté collé sur la tranche de sa main.

« Tu sais, cette façon que t'as de regarder ta sœur, ben j'aime pas bien ça. »

Ne branlent-ils pas les verrats, eux, les pères, pour multiplier les cochons « comme les pains » ? Rien ne sépare son corps de celui des animaux, des plantes, des pierres. Il les désire tous également.

Comment faire pour retenir à lui Julie-Marie, pour que les choses ne changent ni ne disparaissent ? La petite Émilie Seilhan, morte noyée dans le bassin dont on lui avait pourtant défendu de s'approcher, n'a jamais changé sur la photographie du médaillon incrusté dans le marbre de la stèle. Elle a simplement pâli avec le temps, le verre soufflé du médaillon a verdi avec les mousses, mais elle est restée cette petite fille au regard vague et à la peau très blanche, vêtue de sa robe au col et aux poignets crochetés ; jamais elle ne se lassera des jeux dans lesquels Jérôme l'entraîne, elle attendra toujours au fond de l'ancien lavoir ou du lac d'irrigation, prête à écouter les histoires qu'il s'invente, à suivre ses chasses aux couleuvres, à nager sous lui dans les ombres et les algues. Joue-t-elle ou se souvient-elle seulement, esquissant des gestes las par atavisme, des réminiscences de jeux ? Peu importe car elle sera pour toujours la petite Émilie Seilhan, sa seule et véritable amie, figée dans la mémoire de Puy-Larroque par sa noyade dans le bassin du lavoir – autour duquel les villageois ont élevé des piquets et tendu un grillage qui n'a pas tardé à rouiller – et dont on parle aux enfants comme d'une menace, *ne t'approche pas du lavoir si tu ne veux pas finir comme la petite Émilie,* ou *comme la petite Seilhan,* alors que la plupart d'entre eux ne sont même pas certains qu'elle ait existé véritablement.

C'est ce qu'il faudrait pour Julie-Marie : qu'elle rejoigne elle aussi le fond du lavoir, ou le fond du lac. Sans doute le ferait-elle de son propre gré si elle avait conscience du changement insidieux qui s'opère en eux, de la discordance, de la disharmonie semée par elle. Et si Catherine ou les pères l'oublient, il y aura lui, Jérôme, pour se souvenir de sa sœur telle qu'elle a été, telle qu'elle devrait toujours être.

Il la ferait revivre tout à loisir comme il fait revivre la petite Émilie Seilhan, et elle reposerait le reste du temps en partie dans les limons du lac, en partie dans la terre du cimetière de Puy-Larroque. Pour s'assurer qu'elle ne trouve pas le temps trop long, il glisserait dans la bière les poupées de Julie-Marie, dont il demanderait à

Gabrielle de regarnir et repriser les ventres. Il les alignerait le long du capitonnage, tout contre les tentures de soie plissée, et il habillerait Julie-Marie de son tutu en gaze rose pâle, afin qu'elle puisse tournoyer au fond du lac et apprendre les pas de chat et les sauts de biche à la petite Émilie Seilhan.

Ou bien, après avoir noyé Julie-Marie dans le lac, Jérôme porterait son corps jusqu'à l'ancienne chapelle et le déposerait à l'endroit de l'autel où brillent parfois les lumières versicolores tombées du dernier vitrail. Elle resterait intacte, comme sous la vitre bombée des médaillons funéraires, comme les princesses des livres pour enfants qu'elle lisait autrefois, et qui reposent dans des châteaux ensevelis sous les ronces ou la cloche de cercueils en cristal.

*

A-t-elle dormi des jours, des semaines, des mois ? Il lui semble qu'elle s'éveille d'une nuit profonde, au cœur de laquelle le temps s'est aboli, de limbes narcotiques où lui parvenaient les images et les voix projetées dans le vortex de sa conscience détruite, sans qu'elle soit certaine de parvenir à les différencier les unes des autres.

Elle s'assied au bord du lit. Une ligne bleuâtre sourd derrière les rideaux, par l'entrebâillement des volets. Catherine se lève et marche vers la fenêtre dont elle tire à elle les battants. Elle repousse les volets qui claquent contre la façade de la maison. L'aube dissipe la nuit sur la cour.

Elle respire les parfums de l'automne, l'odeur des terres suintantes, des troncs spongieux et des lits d'humus. Elle contemple la chambre dans le clair-obscur. Les choses, les objets lui apparaissent tels qu'en eux-mêmes, figés et dérisoires : le vase marqué de lignes calcaires près du lit, le dessin tracé il y a longtemps par Julie-Marie sur le plâtre nu, la coiffeuse dont le miroir emprisonne le reflet diaphane de la chambre et de son corps aride sous la chemise de nuit.

À la naissance de Jérôme, sa mère, encore ignorante du cancer qui s'était déclaré dans son sein, est restée installée près d'elle tout le jour dans un fauteuil de clinique à l'assise plastifiée. C'est ce souvenir que garde Catherine, et l'impression d'un déterminisme auquel elle ne parviendra pas à échapper : il lui faudra être à son tour assise près d'un lit d'hôpital, au chevet de sa propre fille, vieillie et sans plus d'illusions, mais pourtant contrainte de se réjouir de voir naître un enfant, une descendance, de voir se perpétuer une lignée même corrompue, ou peut-être bien convaincue qu'il existe pour l'enfant une place en ce monde, qu'il y a un sens et une légitimité à cette existence nouvelle, à cette continuation, une vérité et une beauté dans tout cela.

Catherine retire sa chemise de nuit, la plie et la dépose sur l'assise en osier de la chaise. Un frisson la traverse et elle passe une main sur son bras, sur son sein et sur son flanc. La sensation n'est plus une souffrance ; elle éprouve la présence de ce corps qui lui est devenu étranger, et qu'elle incarne à nouveau, comme insufflée en elle-même. Elle en observe les mouvements, les sensations, les reliefs, les pleins et les déliés, avec une acuité nouvelle. Elle avance vers la commode dont elle ouvre les tiroirs et choisit au hasard les vêtements qu'elle enfile. Ne s'est-elle pas éveillée un matin, après la naissance de Jérôme, écrasée par un sentiment funeste, une ombre immense qui l'a laissée pour morte, comme précipitée hors d'elle, incapable de s'occuper de l'enfant, incapable même de se soucier de lui ?

Un jour de printemps radieux, tandis que les bourgeons plumeux des magnolias se fendent dans la friche sur des pétales blancs et lisses et que le corps de sa mère ravagée par les chimiothérapies et les ablations est porté en terre, elle ne parvient pas à s'extraire seule de la voiture. Gabrielle et Serge doivent la soutenir à chaque pas pour qu'elle traverse le petit cimetière à la suite du cortège funèbre, si pâle qu'il semble que ce soit elle qu'ils s'apprêtent à ensevelir. Le jour brûle sa rétine, et le croassement des corbeaux qui se tiennent à distance, perchés sur les stèles, vrille ses tympans. Elle n'éprouve en vérité aucun chagrin, pas même de la compassion pour son père perdu au milieu des gens, de tout ce cérémonial, et qui cherche du regard l'assentiment de ses filles : s'assied-il au bon endroit ? se tient-il correctement ? prononce-t-il les mots justes ? va-t-il dans la bonne direction ? Catherine voudrait le soustraire à sa vue, soustraire la lumière et les voix, la sensation de la main de Serge refermée sur son bras, la vision du trou noir de la fosse, le cortège

470

compatissant et le cri des corbeaux. Sitôt l'office terminé, elle supplie Serge de la raccompagner à la maison. La mort de sa mère, la réclusion de son père qu'elle finit par ne plus voir que de loin en loin, sa propre dérive entrecoupée de rémissions durant lesquelles elle retrouve les enfants changés, grandis, sensiblement plus lointains et étrangers, avant d'être de nouveau engloutie par d'intimes ténèbres; voilà ce qu'il se passe durant les onze années suivantes, avant ce matin d'automne humide et froid auquel elle se prépare, au point du jour, ignorante du déclin de la porcherie, de la violence si longtemps contenue, désormais libérée et prête à fondre sur eux. Elle s'habille dans le silence, tout emplie d'une certitude dévoilée : rien ne la retient plus prisonnière. Ni les murs ni les hommes. Pas même les enfants, dont elle sent de façon certaine la présence de l'autre côté des murs. Qu'a-t-elle jamais eu à leur offrir ?

Elle n'emporte rien. Elle quitte la pièce et longe le couloir. En passant devant la chambre sépulcrale du patriarche, dont la porte est restée entrouverte, elle contemple le matelas nu et l'alaise dont les élastiques enserrent les angles. Sur la table de nuit, le cadre repose dans la pénombre. La photographie semble avoir noirci sous la loupe du verre, comme si l'orage que couvait l'arrière-plan s'étendait aux branches du noisetier, puis au visage d'Élise, jusqu'à l'engloutir tout à fait. Il ne reste plus, pour finir, que la silhouette de l'enfant qui court encore, sans jamais atteindre le bord du cadre, et semble

471

maintenant fuir l'obscurité qui le talonne et le menace. Catherine descend l'escalier le plus discrètement possible. Elle s'avance vers la porte d'entrée et voit Serge, effondré sur le canapé du salon empuanti par l'odeur de tabac, la sueur rance et l'haleine d'ivrogne qu'il souffle dans son sommeil. Elle s'approche de lui et le regarde longuement avant de se pencher sur l'assise et de poser une main sur son front. Il gémit dans son sommeil, puis se tait, et Catherine se détourne. Elle pousse la porte d'entrée et quitte l'enceinte de la ferme. Elle longe les fossés sombres, courant parfois sur quelques mètres d'une cadence heurtée, rompant à chaque pas les liens invisibles qui l'entravent. Les herbes du bas-côté crissent sous ses semelles. Plus loin, en direction des Plaines et quand le jour surgit, des oiseaux migrateurs s'élèvent depuis les lignes électriques et les arbres sur lesquels ils ont passé la nuit. Ils forment dans le ciel de vastes taches d'encre. Lorsque Catherine jette enfin un regard par-dessus son épaule, la ferme n'est plus visible, bête colossale et assoupie, engloutie derrière les vallons des Plaines.

*

Joël travaille comme un forcené, seul au milieu des porcs, respirant les miasmes putrides de la porcherie. Ses muscles sont fourbus, ses bras raidis par les tendinites. Chaque jour, le rituel est le même. En plus des soins quotidiens, il inspecte les enclos, retire les dépouilles et les placentas qu'il jette dans des seaux, nettoie au jet les sols et les bêtes, racle inlassablement le béton.

L'odeur du Cresyl et celle du purin attaquent ses bronches, brûlent ses sinus et sa gorge. Il lui arrive encore de penser qu'il parviendra peut-être à circonscrire l'épidémie, et qu'il trouvera alors quelque grâce aux yeux d'Henri, et même à ceux de Serge. Il leur prouvera sa valeur. Peut-être pourra-t-il même porter la nouvelle au père agonisant sur son lit d'hôpital, lui expliquer par quelle ressource il est parvenu à sauver la porcherie. L'instant d'après, l'idée le stupéfie. Pourquoi s'acharnerait-il à maintenir l'élevage que tous ont abandonné, lui qui a tant souhaité l'effondrement de l'entreprise familiale, de la ferme et du clan ? N'est-ce pas pourtant ce qu'il doit à Serge, à Catherine ? À Jérôme, enfin.

Il tente de repousser hors des bâtiments les excréments produits par les porcs, et la fosse à purin continue de se remplir inexorablement, mais il ne parvient pas à accomplir le travail pour lequel deux ou trois hommes sont nécessaires. La sonnerie du téléphone de la porcherie retentit durant des jours, sans qu'il trouve ni le temps ni la force d'y répondre. Car la merde continue de s'accumuler dans les angles, formant bientôt des monticules puants et infectieux dans lesquels viennent pondre les mouches qui bourdonnent par nuées au-dessus des porcs, s'agglutinent à leurs yeux, leurs groins, tous les orifices. Des larves blanches ne tardent pas à éclore et à ramper par millions dans la boue qui déborde des rigoles d'évacuation et le long des allées aussi lentement et sûrement qu'une coulée de lave.

À la fin du mois de septembre, l'infection s'est étendue à l'ensemble des bâtiments de la porcherie. La crainte d'être lui-même contaminé gagne Joël. Ne respire-t-il pas ces miasmes, ne touche-t-il pas ces porcs à longueur de journée ? Sous la douche, il se nettoie à l'eau de Javel, dont il ne tarde pas à traîner l'odeur avec lui, sans pour autant parvenir à se défaire de celle des porcs. Des brûlures superficielles couvrent bientôt ses paupières, l'entour de ses lèvres, ses parties génitales. Il frictionne sa peau avec de l'alcool à 90°, geignant sous la douleur.

Il continue de déverser les eaux sales à l'arrière de la porcherie, mais ce sont bientôt les cadavres de porcelets, puis de cochettes, puis de porcs à l'engraissage qu'il lui faut charger à grand-peine sur une brouette et extraire des bâtiments. Les truies sont désormais presque toutes atteintes de métrites purulentes. Un pus épais et sanguinolent s'écoule de leurs vulves et forme de grandes flaques opaques et rosâtres qui se mélangent au lisier sur le sol des enclos. Joël tente de les relever. Il pousse leur croupe, leur assène des coups de battoir en désespoir de cause. Elles cherchent à se redresser pour lui échapper, mais retombent sous leur poids. Elles hurlent, et il finit par hurler avec elles.

Joël perd la notion du temps. Une heure passée dans les bâtiments de la porcherie semble une éternité. Il n'en sort bientôt plus. Il dort dans le bureau du père ou dans un coin de vestiaire, sur un banc ou à même le sol. Il mâchonne le grain destiné aux porcs. Il pisse et chie avec eux, au milieu des allées. Derrière les barrières des enclos, des crevards se traînent, silencieux, dans une marée de lisier. Il choisit de les abattre, à tour de bras, à coups de pioche assénés dans le crâne. Lorsque les bêtes le voient tuer l'une d'elles, elles n'ont plus la force de chercher à fuir et s'affalent sur elles-mêmes, attendant que leur tour vienne.

Il arrose d'essence les cadavres les moins lourds qu'il dispose en tas sur la grande dalle, à l'arrière de la porcherie, puis il y met le feu. Des colonnes de fumée grasse s'élèvent dans l'air stagnant. L'odeur de cette chair viciée et cramoisie lui fait vomir ses tripes ; il se résout alors à les balancer simplement dans la fosse à lisier où ils flottent, se gonflent des gaz de la putréfaction et finissent par éclater.

Parce qu'il n'en trouve plus la force, Joël cesse de nourrir les bêtes. Affamés et malades, les porcs deviennent agressifs. Ils s'attaquent les uns les autres. Lorsque l'un d'entre eux fait une descente d'organes, ses congénères le dévorent parfois, le laissant à demi mort et éventré. Les rats ne se cachent plus. Ils s'aventurent par centaines dans les enclos, nageant dans la boue fécale que Joël ne parvient plus à endiguer, sautant de cadavre en cadavre pour se repaître, dévorant d'abord les car-tilages, les oreilles et les groins, avant d'entamer les couches de graisse. Tandis qu'il essaie de tirer le cadavre d'un jeune verrat hors de la porcherie, Joël sent un craquement dans son dos, et il tombe à terre, terrassé par la douleur. Il lui faut ramper jusqu'à la barrière d'un enclos pour parvenir à se relever. Dès lors, il laisse les dépouilles pourrir sur place.

Un matin, il est tiré d'un sommeil léthargique par la sonnerie du téléphone. Il décroche enfin.

«Bon sang, j'essaie de vous joindre depuis plus d'une semaine !

— Pardon, mais… Qui est à l'appareil ? demande Joël, que ses cris et l'acidité de la porcherie ont presque rendu aphone.

— Leroy. Serge, c'est toi ? Est-ce que ça va ?

— C'est Joël… C'est compliqué, ici. Je crois que… Est-ce qu'il y a du nouveau ?

— Oui. J'ai demandé des analyses plus poussées sur les derniers prélèvements. Quelque chose clochait sur le bilan hémato et je voulais en avoir le cœur net. La formule leucocytaire était perturbée. La quantité de leucocytes était normale jusqu'à présent, ce qui m'a induit en erreur et nous a fait perdre un temps considérable. Les prélèvements montrent une augmentation des monocytes et…

— Tu peux être plus clair ? l'interrompt Joël.

— C'est un signe qui indique que le système immunitaire des porcs est perturbé et qu'il y a une infection chronique dans l'élevage. J'ai demandé des analyses complémentaires à un autre labo spécialisé. Il s'avère que vingt-deux truies sur les vingt-cinq testées sont positives à la brucellose, et cinq fœtus sur six…

— C'est impossible, dit Joël.

— C'est en tout cas très rare, surtout en hors-sol. Le principal facteur est la contamination par

476

un sanglier, ou bien par le contact avec des charognes…

— Des charognes?

— De petits animaux, par exemple… Il n'est cependant pas impossible qu'un porteur sain ait été introduit lors du dernier renouvellement. »

Joël reste un moment silencieux à fixer le planning du cheptel, sur le mur face à lui.

« Quelles sont les solutions? demande-t-il enfin.

— J'ai bien peur qu'il n'y en ait qu'une : l'abattage de l'ensemble des bêtes. Un abattoir sera réquisitionné par la Direction des Services vétérinaires, et des camions scellés viendront chercher les porcs à l'élevage. Ils seront comptés à la montée et à la descente, pour s'assurer qu'il n'y ait aucune fuite. Il faut aussi que je te dise… On considère que ce type d'épidémie relève de la responsabilité de l'éleveur… Il n'y aura très certainement aucune indemnisation. »

Après avoir raccroché, Joël erre, hébété, au milieu des enclos, derrière les cloisons desquels les bêtes ne crient plus. Un étrange silence plane dans la porcherie. Seuls les essaims de mouches, dérangés par un rat ou les soubresauts d'un porc agonisant, se soulèvent par instants et dévoilent une carcasse, emplissent l'air d'un bourdonnement, puis se rabattent et la drapent à nouveau d'un linceul métallique et frissonnant. Ici et là, un jeune verrat ou une cochette encore sains pataugent, le flanc maigre, dans la boue putride de leur enclos, évitant les cadavres à demi ensevelis. Leur peau pâle a disparu sous une couche excrémentielle et leur œil semble plus clair et pénétrant, agrandi par la terreur et la faim. Ils voient passer l'homme qui avance à petits pas dans les allées, se retenant aux planches et aux barres des enclos pour arracher ses bottes à la succion du lisier. Son visage, son cou, ses mains et ses avant-bras sont eux aussi souillés par la merde et les sanies. Ses yeux passent d'une bête à l'autre, sans les voir. Il tire les loquets, soulève les clenches, ouvre les enclos. Quelques porcs s'en échappent et font irruption dans les allées, jetant en tous sens des regards hallucinés. Joël tire les grandes portes coulissantes, laissant la lumière du jour et le grand air balayer la pestilence des bâtiments.

Il sort à l'arrière de la porcherie, suivi par de jeunes bêtes aveuglées, et qui zigzaguent, sur la grande dalle, sans savoir dans quelle direction fuir. L'une d'elles heurte le grillage d'enceinte et tombe dans la fosse à purin. Immobile, les bras ballants, l'homme la regarde surnager un instant au milieu des cadavres avant de couler et de disparaître en d'épais remous. Joël contourne les bâtiments pour accéder à la réserve dans laquelle Henri entreposait les bidons de carburant, puis les charge dans une brouette qu'il pousse jusqu'au hangar à foin. Il dévisse l'un des bidons et le vide à moitié sur les bottes et les meules. Il entre ensuite dans chacun des bâtiments et, remontant les allées, lève les jerrycans au-dessus des clôtures, arrose les planches des cloisons, les dépouilles amoncelées, les chariots de grain. Des groupes de rats prennent la fuite le long des poutres de charpente. Les porcs sains détalent devant lui en poussant de longs cris ininterrompus. D'autres, moribonds, reposent sur le flanc, et de leur gueule ouverte ne s'échappe d'autre son qu'un râle grave et profond lorsque Joël les asperge d'essence.

*

Jérôme s'éveille sur une couche de rameaux souples et de feuilles rousses. Il revient d'entre les morts, d'un sommeil sans rêve et sans conscience dont il peine d'abord à s'extraire, ravalé par le néant. Entre ses paupières mi-closes, le jour se prend à ses cils en éclats de couleurs, en lignes fluctuantes. Des ombres majestueuses, des nébuleuses, se déploient, se rassemblent et explosent. Il ne perçoit rien, ni le poids de son corps reposé sur le lit végétal, ni l'ombre des ruines. Il n'a pas le moindre souvenir des heures passées, ni d'une existence antérieure ; seul l'habite le sentiment d'une paix profonde, assourdissante. Puis, le monde diffus, impalpable, resurgit à mesure que l'enfant est ramené à ses propres surfaces. Il sent alors ses muscles courbatus, son enveloppe de chair. Il ouvre les yeux sur la cime des arbres, les branches entre lesquelles se disloque et tombe le ciel blanc, puis il se redresse, prenant appui d'une main sur le sol.

L'enfant reconnaît son temple, les vestiges de murs ensevelis sous le lierre, les dalles soulevées par les racines entre lesquelles percent les saxifrages et les tiges sèches des digitales, les déblais pulvérulents de planches et de gravats. Il promène à l'entour son regard pâle, puis se redresse, tangue un peu avant de trouver son équilibre. À l'endroit du chœur, l'enfant avise l'ossuaire, les bois de cerfs verdis par les mousses et étayés par des pierres, pelages épars et cuirs secs suspendus aux rameaux de grandes branches comme des fruits fragiles et chuintants, dépouilles réunies et élevées en ossuaires animistes dans lesquels s'entre-croisent savamment crânes blafards de rongeurs et de petits carnivores, squelettes grisâtres aux fra-giles cages thoraciques, défenses de sangliers, ver-tèbres de toutes sortes liées par de fins cordages, lambeaux de fourrures bringées, rousses ou brunes, queues d'écureuils, de renards et de blai-reaux, crapauds et hérissons écrasés sur les routes. Contre l'abside, des formes indistinctes finissent de dévoiler leurs mystères sous des coulées de jus noirâtre.

L'enfant jaillit d'entre les bosquets de ronces, titube entre les arbres. Les bras levés devant lui, il marche en aveugle, se heurte aux troncs, tré-buche sur les pierres, dévale les fossés et chute dans le lit sec des petits ruisseaux. Lorsqu'il par-vient à rejoindre l'orée du bois, il plonge dans la lumière et marche au beau milieu de la route, petit ivrogne en guenilles, griffé par les épines, bras ballants, souillé par la boue du lac, le visage dissimulé sous un masque brun où percent ses yeux hagards. Il se meut comme une bête, le corps traversé de spasmes et de frissons, lançant devant lui des gestes brusques et d'irrépressibles sons de gorge, étrangement rauques. Il longe le cimetière dans lequel les pierres tombales exhalent une odeur de crypte et de pierre douce. Les morts allongés sous la terre et les stèles de marbre se souviennent, nostalgiques, du soleil qui chaque jour s'effondre derrière les vallons de Puy-Larroque, laissant le ciel si rouge et dramatique qu'il serrait le cœur des plus vieux d'entre eux même au dernier jour de leur vie.

Quand il atteint la ferme, Jérôme s'arrête au milieu de la cour. Des porcs hurlent non loin, des gorets hallucinés détalent entre les épaves de voitures, les débris rubigineux de machines agricoles, de lave-linge ou de canapés désossés sur lesquels se perchent et s'égosillent des volailles. Une fumée âcre s'élève à l'arrière de la maison, stèle noire dressée dans le ciel clair du matin. Dans le chenil, la meute des chiens aboie frénétiquement, s'élance contre le grillage qui ploie sous le poids unifié des braques. Des filets de salive jaillissent de leurs gueules, se prennent et glissent entre les mailles. L'enfant regarde la colonne de fumée entraîner dans son ascension des braises qui rougeoient, virevoltent et disparaissent. Le bruit d'un intense brasier crépite là-bas. Une cochette déboule de l'angle de la bâtisse, poussant une plainte stridente et ininterrompue. Elle traverse la cour, noire de suie, soies calcinées, les chairs à vif, laissant derrière elle une odeur de couenne brûlée. Soudain, à quelques mètres de l'enfant, elle ralentit, puis s'effondre, bascule sur le flanc, les pattes agitées de soubresauts. Son œil cligne en fixant le ciel. L'enfant s'accroupit et pose une main sur la tête de la jeune truie. Ses cils ouverts sur une pupille noire caressent la paume de sa main.

L'enfant marche vers la maison, hésite devant l'entrée, puis continue son chemin jusqu'à la dépendance aménagée dans l'aile ouest de la ferme. Il frappe au carreau. Bientôt, la porte est tirée et la vieille est là qui le regarde. Elle le dévisage de ses yeux rougis par les ans passés près de l'âtre et, pour la première fois, ce regard qu'il a toujours connu acéré, inflexible, est simplement le regard d'une vieillarde hagarde ou un peu folle. Des chats s'échappent entre ses jambes sans qu'elle cherche à les retenir et ils filent dans la cour, sous les moteurs des machines, dans les amoncellements de ferrailles. Puis, elle le voit, sous son masque de boue, le dernier de la harde, le pareil-à-l'oncle, le bâtard mutique, indomptable et crasseux. Il tend les bras et elle baisse le regard vers les mains ouvertes, les paumes que l'enfant lui présente, couvertes elles aussi d'une croûte boueuse. Elle les saisit aux poignets, dépliant les bras maigres, à la peau blanche et translucide. L'enfant sent la pression douce de ses doigts. Elle le tire doucement à elle et il entre dans la pièce sombre. La vieille referme la porte, sans lâcher le bras de l'enfant. Elle l'entraîne à sa suite, vers la cuisine, puis vers l'évier. Elle soulève le T-shirt et le retire, dévoilant le ventre blême, le torse étroit. L'enfant n'esquisse pas un geste de protestation. Les murs atténuent le cri des chiens et le cri des porcs ; la sirène lointaine d'un camion de pompiers en route vers la ferme ne leur parvient pas encore. L'enfant voit dans le regard de la vieille une profonde lassitude, et il comprend qu'elle a peut-être vécu mille ans avant lui. Il lit aussi dans son regard pâle autre chose, autre chose qu'il ne saurait nommer. Elle le reconnaît pour ce qu'il est. Elle comprend que toutes les heures de sa vie l'ont menée à cet instant auquel elle guide l'enfant, d'une main posée sur la nuque, le penche au-dessus du bac de l'évier, fait couler l'eau claire dans le creux de ses paumes pour laver son visage.

La Bête est éveillé, énervé par la proximité des truies en chaleur dont lui parvient l'odeur depuis le bâtiment consacré à la conception, à travers les cloisons poreuses. De son groin, il pousse la porte de l'enclos. Le verrou est légèrement dévissé et cliquette, branle et se soulève à chacun des coups qu'il assène aux barres de métal. Il cogne, prend un barreau dans la gueule, pousse la porte, la tire à lui, pousse de nouveau, et les vis sont peu à peu délogées de leur pas. Après des heures de patiente manœuvre, la targette et le verrou tombent sur le béton nu de l'allée et la porte du box s'ouvre lentement sur le verrat qui en jaillit, prêt à affronter l'obstacle du corps des hommes dressés devant lui. Il longe les enclos, humant les quatre autres reproducteurs qui s'éveillent à son passage, puis, quelque part au-delà des murs, l'odeur des cochettes nerveuses, des truies gravides et des porcelets. Sa masse énorme se meut en silence dans l'obscurité.

Un autre appel le guide, plus pressant encore que celui du rut; c'est le parfum ténu de la nuit qui pénètre le bâtiment par les interstices. La Bête remonte l'allée centrale jusqu'à la large porte. Il plaque le groin contre la fente et, d'un mouvement de gueule, fait coulisser le panneau sur le rail. Il avance de quelques pas sur la grande dalle de béton, lève la tête et respire. La campagne est noire et calme. Un frisson d'excitation traverse de part en part le corps massif du verrat. Il tourne le regard un instant vers les portes du bâtiment derrière lesquelles se languissent les truies fertiles qui ont à leur tour perçu sa présence et les phéromones de son haleine lourde, puis La Bête s'en détourne et marche jusqu'à l'enceinte grillagée. Les terres s'étendent au-delà, luisantes et embaumées, recelant l'effluve des herbes et des tubercules, des bêtes inconnues et des petites proies, des buissons humides et de vieux vergers bleuis par la lune. Le verrat mord, tord et déchire sans mal les mailles du grillage, ménageant un trou dans lequel il glisse la tête, puis repose de tout son poids, bombant la clôture et forçant à ployer les piliers scellés dans le béton. L'ouverture ménagée s'agrandit et il parvient à y engager ses pattes antérieures. L'embout des fils coupés s'enfonce dans sa chair et l'entaille tout du long, sur le dos et sur les flancs. Son cri vrille la nuit et excite les chiens qui flairent son odeur et aboient de concert dans le chenil de la ferme. La Bête redouble de puissance, se débat et dessoude des piliers le pan de grille qui vibre en s'y rabattant violemment lorsque le porc se dégage. Ivre de douleur, il galope jusqu'au milieu d'un pré en friche. Il n'a jamais couru. Il découvre sa masse et la force qu'il lui faut mobiliser pour la déplacer. Un sang fluide s'échappe de ses plaies et coule entre ses soies. Il s'arrête, étourdi par l'effort, la liberté nouvelle et la vibration de la nuit que ses yeux sondent, pupilles dilatées. Il distingue les bâtiments mornes de la porcherie qui composaient jusqu'alors la limite de son monde. Il perçoit plus *loin l'ombre du corps de ferme, qui n'est pour lui qu'une ombre d'où sourd l'odeur hostile des hommes et des chiens. Il ignore qu'à l'étage, derrière l'épaisseur des murs de brique et de pisé, d'un sommeil égal, dorment les hommes. Dans leurs rêves se presse la masse uniforme des porcs.*

Il court longtemps, désorienté par la nuit, le tumulte des parfums et les sons étranges. Il ralentit, contraint par son souffle court, son poids et ses articulations douloureuses. Habitué au béton et aux caillebotis, il évite d'abord la terre molle, les herbes humides, les fossés recelant peut-être quelque danger. Il trotte le long de la route, sur le sol dur, vers l'horizon dégagé, jusqu'à ce que des lumières lointaines et mouvantes le surprennent et le figent. Son pouls bat vite et fort, son souffle chaud se condense dans la nuit pourtant tiède. Les blessures à ses flancs commencent à sécher et forment de longues stries noires, engluant ses soies. Comme les phares de la voiture se rapprochent, il vire à gauche et saute maladroitement le fossé, puis s'enfonce dans l'obscurité du champ tandis que la lumière surgit derrière lui, éclaire la campagne, et qu'un grondement le dépasse. Le bruit de moteur s'éloigne. Il tourne la tête en direction de la route et inspire. L'odeur des siens s'est atténuée ; il la sent à peine, mais la reconnaît pourtant, cachée parmi cent ou mille autres effluves, aussi inquiétants qu'exaltants. Il hésite à revenir sur ses pas car la soif se fait sentir, sa gueule et sa gorge sont sèches, puis il se détourne et continue de marcher. Il emprunte un chemin caillouteux et met en fuite un groupe de lapins dont le bruit, lorsqu'ils détalent dans les fourrés, l'effraie et le fait bondir. Il reste incertain un moment, à scruter la végétation sombre dans laquelle s'agitent d'autres bêtes, toutes inconnues de lui. La lune surgit et dévoile la campagne bleuâtre aux yeux du verrat. Il avance, des heures durant, traversant les cultures et les friches, fauchant çà et là de jeunes plants de maïs. Il se tient prudemment à distance des fermes et des maisons, de l'aboiement des chiens, des lumières suspendues, des routes vrombissantes. Il s'arrête au bord d'une réserve d'eau et s'abreuve, sans voir la chevrette qui l'observe, immobile, sur la berge opposée.

Lorsque la nuit pâlit et que l'aube azure les champs, il se retire dans un bois de chênes sessiles et s'aménage une bauge, creusant l'humus et la terre meuble entre deux troncs couchés. Il ratisse le sous-bois à la recherche des racines dont il se repaît. Lui qui n'a jamais fait de nid dans l'espace exigu de l'enclos de la porcherie ramasse à pleine gueule les feuilles mortes et les mousses sèches au pied des arbres, les branches souples, le tissu d'une vieille chemise abandonnée il y a longtemps par les hommes dans des racines, ensevelie avec elles, et qu'il déterre. Il les entasse dans le creux préparé par ses soins jusqu'à former un enchevêtrement sous lequel il se glisse et s'allonge. Là, dans la pénombre réconfortante, il repose ses muscles fourbus et prête l'oreille aux craquements de la forêt, au cri de la fouine, au chant de la hulotte.

Peu à peu ses paupières s'abaissent sur ses yeux sombres. Des images lui reviennent, surgies d'une mémoire atavique : des plaines fourragères et sauvages, des souilles établies dans les fougères, au cœur de forêts primitives, des rivières indomptables aux flots desquelles il s'abreuve, des meutes de loups qui menacent, une harde innombrable, dont il fait partie, et avec laquelle il chemine. Puis, se superposent les voix des hommes, *les encouragements et les cris, les coups assenés sur le groin, dans les flancs, sur la croupe, leurs mains qui l'empoignent par l'oreille et la tordent, leurs mains qui déversent la nourriture dans l'auge, leurs mains qui font couler l'eau, leurs mains qui le guident vers la truie immobile, saisissent son sexe qui tâtonne et le guident. Enfin, le visage ovale et redoutable des hommes qui se penchent par-dessus les barrières des enclos et décident du jour et de la nuit.*

Il se nourrit de glands, de baies, de racines, de mollusques, de bulbes et de marrons, parfois d'une charogne abandonnée par un renard. Il broute les herbes tendres, les luzernes rousses. Il trace des voies dans le sous-bois, à force de passages. Ses soies poussent lorsque le froid de l'hiver s'installe. Ses défenses travaillent sa mâchoire ; la pointe soulève la lèvre supérieure et jaillit de la gueule. Un jour, à la tombée de la nuit, il est tiré de sa retraite par les aboiements d'une meute de chiens. Il jaillit de sa bauge, hume l'air froid, sent l'odeur des chiens et l'odeur des hommes qui avancent à sa rencontre. Il prend la fuite, suivant l'une des voies qui le mène à la réserve d'eau, et il cherche à se dissimuler dans les joncs flétris. Déjà les chiens jaillissent de l'orée du bois dans lequel ils ont senti la bauge et dévalent, coupant à travers champs, en direction du lac d'irrigation. Le verrat longe la surface étale et noire, mais les chiens courent vite et ne tardent pas à le rattraper. Ils sautent à leur tour sur la plage depuis la berge, l'un d'eux s'étalant de tout son long dans les limons avant de bondir de nouveau sur ses pattes. Le porc s'immobilise et leur fait face. Il les voit, maintenant : ils sont trois, qui aboient et l'encerclent. Sont-ils surpris de ne pas reconnaître un sanglier ? Aucun ne l'attaque. Ils restent là, jappant à distance respectable. Des filets de salive coulent à leurs babines. Ils expectorent des bouffées de vapeur. Le verrat observe la plage et l'emplacement des chiens, mais il lui faudrait passer à travers eux pour parvenir à la berge, bien trop haute à cet endroit de la plage pour qu'il y accède. La voix des hommes retentit depuis l'orée du bois. Les chiens tournent la tête et leur répondent ; alors le porc recule dans la vase glacée et l'eau touche son ventre et sa gorge, lui coupant le souffle. Les chiens n'osent s'avancer mais aboient de plus belle. Le verrat s'enfonce dans l'eau du lac. Soudain, il n'a plus pied et disparaît sous la surface. Il bat des pattes par réflexe et parvient à se remettre à flot. Il semble que son énorme masse ne pèse plus rien. Il s'éloigne à bonne allure, laissant un grand sillage derrière lui. Sur la plage, les chiens hurlent. Ils hésitent à contourner le lac, mais le bâtiment de brique abritant le système de pompage coupe la berge en deux et de larges tuyaux de métal traversent la plage pour s'enfoncer dans l'eau. L'un d'eux plonge, nage sur quelques mètres, puis fait demi-tour et ressort précipitamment en s'ébrouant. Il n'a pas de couche de graisse pour le protéger du froid. Lorsqu'ils parviennent à la réserve, les chasseurs trouvent les chiens qui tournent en rond et aboient sans discontinuer, le train bas, frétillant de la queue. Une légère houle agite encore le milieu du lac. L'obscurité est plus dense à présent. L'un d'eux balaie la plage du faisceau de sa torche. Acculé par la meute, le porc s'est mis à l'eau, et le chasseur ne repère aucune empreinte. Il songe à des ragondins qui auraient pris la fuite, s'agenouille, saisit les chiens au collier et les tire à lui un à un sur la berge.

Le verrat court à travers une terre en labours, trébuche dans les sillons durs et froids, se relève et parvient à un boqueteau dans lequel il s'engouffre. Il est transi et grelottant, et des fumerolles s'élèvent de ses soies humides. Les hommes et les chiens s'éloignent. Il choisit de ne pas regagner la forêt de chênes et d'abandonner sa bauge. Il reste caché dans le petit bois gris et fané, incapable de le dissimuler à la lumière du jour. Lorsque la campagne est calme à nouveau, il quitte son refuge et erre, désorienté, le long des champs et des vergers tristes. Il parvient à un mur de pierres scellées au mortier et le longe sans but. C'est l'enceinte d'une vieille fermette dont ne subsistent que les ruines recouvertes de ronces ligneuses. Par endroits, le mur s'est effondré. Le verrat ouvre un accès en dégageant les éboulis, puis un passage entre les lianes. Il parvient à un carré de terre battue, jonché de planches, de vieux meubles disloqués, de poutres de charpentes affaissées et pulvérisées par les ans et les larves xylophages. Les ronces ont remplacé le toit et le plafond, tissant une voûte dense et protectrice. Il sent l'odeur des hommes, lointaine et comme dissoute à travers les ans, étrangement rassurante. Il déblaie un coin et s'allonge contre un mur. Il garde l'œil ouvert et scrute la nuit.

REMERCIEMENTS

Au Centre national du Livre,

Aux précieux amis qui ont accompagné l'écriture de ce livre,

À Claudine Fabre-Vassas et à Jean-Louis Le Tacon pour leurs œuvres éclairantes,

Aux Archives départementales du Gers.

DU MÊME AUTEUR

Aux Éditions Gallimard

UNE ÉDUCATION LIBERTINE, 2008 (Folio n° 5036). Prix Goncourt du premier roman, prix François Mauriac de l'Académie française, prix Fénéon.

LE SEL, 2010 (Folio n° 5336).

PORNOGRAPHIA, 2013 (Folio n° 5860). Prix Sade 2013.

RÈGNE ANIMAL, 2016 (Folio n° 6465). Prix du Livre Inter 2017, prix Valery-Larbaud 2017, premier prix de l'Île de Ré 2016, prix des Libraires de Nancy – *Le Point* 2016.

Composition Igs
Impression 🐎 *Grafica Veneta*
à Trebaseleghe, le 21 novembre 2018
Dépôt légal : novembre 2018
1ᵉʳ dépôt légal dans la collection: mars 2018

ISBN : 978-2-07-276353-3./Imprimé en Italie

349056